지성인 알베르 카뮈

진실과 정의를 위한 투쟁

●이 저서는 2010년 정부(교육부)의 재원으로 한국연구재단의 지원을 받아 수행된 연구임
(NRF-2010-812-A00194)

지성인 알베르 카뮈

진실과 정의를 위한 투쟁

이기언 지음

Albert Camus

울력

ⓒ 이기언, 2015

지성인 알베르 카뮈 : 진실과 정의를 위한 투쟁

지은이 | 이기언
펴낸이 | 강동호
펴낸곳 | 도서출판 울력
1판 1쇄 | 2015년 4월 25일
등록번호 | 제10-1949호(2000. 4. 10)
주소 | 서울시 구로구 고척로4길 15-67 (오류동)
전화 | 02-2614-4054
팩스 | 02-2614-4055
E-mail | ulyuck@hanmail.net
가격 | 18,000원

ISBN | 979-11-85136-17-2 93800

이 도서의 국립중앙도서관 출판예정도서목록(CIP)은 서지정보유통지원시스템 홈페이지
(http://seoji.nl.go.kr)와 국가자료공동목록시스템(http://www.nl.go.kr/kolisnet)에서
이용하실 수 있습니다.(CIP제어번호: CIP2015009569)

"작가와 예술가는 진실을 말하기 위해서 존재한다."

— 알베르 카뮈

어머니께 이 책을 바칩니다.

머리말

　진실과 자유와 정의의 이름으로. 지성인 알베르 카뮈의 크레도(crédo)
였다. 그는 진실과 자유와 정의가 삼위일체를 이룰 때, 비로소 인간이 인
간다운 삶을 영위할 수 있다고 믿었다. 하지만 그는 메시아니즘을 신봉
하는 이상주의자가 아니었기에, 인간의 한계와 가능성을, 세상의 이치
와 부조리를, 그리고 현실의 겉모습과 참모습을 명철하게 인지하며 인간
의 힘으로 진실과 자유와 정의를 구현하고자 했다. "진실은 하나의 미덕
이 아니라 열정이기에 진실은 결코 자비롭지 않다"[1]는 것을, "정의가 없
는 자유는 가혹하고 치욕스러운 몽상에 지나지 않다"[2]는 것을, "인간이
자유와 정의를 융화하는 데에 실패하면, 그때 인간은 모든 것에 실패한
다"[3]는 것을 그는 잘 알고 있었다. 볼테르의 칼라스 사건이나 졸라의 드
레퓌스 사건에서 보듯이, 진실과 자유와 정의의 이름으로 인간의 존엄성
을 수호하기 위한 투쟁에 나서는 것은 지성인의 업(業)이었다. 지성인 카
뮈는 볼테르와 졸라의 후예였고, 그리고 무엇보다도 인간을 중시하는 프
랑스의 유구한 모럴리스트 전통의 계승자였다. 비록 "인간이 때로는 걸
어 다니는 불의처럼 보이기도"[4] 하지만, "인간에게는 경멸해야 할 것보
다 찬양할 게 훨씬 더 많다"[5]며 인간의 인간성을 믿었던 그는 순수한 휴

머니스트였다. 요컨대, 지성인 카뮈는 진실과 자유와 정의의 이름으로 "인간의 인간에 대한 열정"[6]을 불태웠던 순혈 인간이었다.

1957년 10월, 스웨덴 한림원은 "꿋꿋하게 자신의 모든 것을 다 바쳐 삶의 근본적인 주요 문제들을 공략하는 진정한 참여정신"에 입각해서 "오늘날 인간의 양심에 제기되는 문제들을 조명하고 있는 위대한 문학 작품들"[7]을 발표한 공로로 알베르 카뮈를 노벨 문학상 수상자로 선정 했다고 발표했다. 작가 카뮈뿐만 아니라 지성인 카뮈의 활동을 높이 평 가한 결과였다. 이에 화답이라도 하듯이, 카뮈는 작가의 시대적 사명을 노벨상 수상 연설의 주제로 택해서 작가의 역할에 대한 자신의 뿌리 깊 은 신념을 개진했다. 노벨상 수상자는 의례적인 감사의 말을 표명한 뒤, "작가의 역할은 감당키 어려운 의무와 연관되어 있습니다. 오늘날, 작가 는 역사를 만들어 가는 자들을 섬길 수 없습니다. 지당하게도, 작가는 역사에 이끌려 가는 이들을 섬기는 법입니다"[8]라면서 "우리 직업의 고귀 함은 늘 두 가지 지키기 어려운 약속에 근거하게 될 것입니다. 즉, 우리 가 알고 있는 것에 대해 거짓말하기를 거부하는 것과 압제에 대한 저항 말입니다"[9]라고 선언했다. 한마디로, 작가의 역할은 진실과 자유의 파수 꾼이 되는 데에 있다는 것이었다. 이어서 그는 "우리는 이 두 가지 목표 를 향해 힘겹지만 결연하게 나아가야만 합니다"[10]라고 다짐하면서 "저 는 귀 한림원이 제게 베풀어 준 이 특전을 똑같은 투쟁에 참여했는데도 아무런 특혜도 받지 못했던, 그와 반대로 불행과 박해를 당했던 모든 이 들에게 바치는 경의의 표시로 받아들이고자 합니다"[11]며 연설을 마무리 했다. 시대의 아픔과 고난을 함께하고자 했던 한 인간의 담백한 언어였 다.

노벨상 수상 나흘 뒤, 카뮈는 「예술가와 시대」라는 제목으로 스웨덴 의 유서 깊은 웁살라 대학에서 기념 강연을 했는데, 자기 시대의 범선에 타고 있는 예술가는 자신의 특권을 내세우지 말고, 배 밑바닥에서 노를 젓는 이들과 마찬가지로, "자기 몫의 노를 저어야 한다"[12]는 게 이 강연의 골자였다. 노벨상 작가에게 장터의 일에 개입하는 것은 선택이 아니라 필수였다. 그 자신의 표현대로, "자발적인 참여라기보다는 의무적인 군복무"[13]였다. 카뮈는 「예술가와 시대」라는 동일한 제목의 인터뷰에서 이렇게 말한 바 있었다. "예술가로서의 우리는 아마도 시대의 사건들에 개입할 필요가 없을지도 모른다. 하지만 인간으로서는 개입해야 한다."[14] 예술가는 창조자이기 이전에 동시대를 살아가는 뭇 사람들 가운데 하나이다. 예술가에게도 인간의 몫을 다하는 게 우선이다. "참여문학보다는 참여인간을 훨씬 더 선호한다"[15]고 했던 카뮈는 생전의 마지막 인터뷰에서도 "나는 내 시대와 떨어져 있지 않으려고 노력해 왔다"[16]라고 선언했다. 그러기에 그는 자신의 신념을 지키기 위해서, 때로는 지성계의 외톨이로 고립되는 처지를 감내하면서까지, 당대의 지배 이데올로기에 맞서 그 어느 누구보다도 치열하게 투쟁하면서 자기 시대를 살았던 참여인간이었다. "나는 반항한다. 고로, 우리는 존재한다."[17] '나의 반항'을 '우리의 삶'의 기제로 삼아 참여와 연대를 주장했던 반항인 카뮈의 코기토였다.

이 책은 지성인 알베르 카뮈의 한살이를 그린 연대기이다. 이 연대기는 세 시기로 나눌 수 있는데, 제1기는 1913년 탄생에서 1942년까지, 제2기는 1942년에서 1952년까지, 그리고 제3기는 1952년부터 1960년 사망할 때까지에 해당한다. 1942년과 1952년을 시기 구분의 분기점으로 설정한 이유는 지성인 카뮈로서의 삶뿐만 아니라 인간 카뮈로서의 삶에서도 전기(轉機)를 이루는 해이기 때문이다. 1942년은 카뮈가 알제리 시절을 마감하고 프랑스 본토에 상륙해서 새로운 삶을 시작한 해일 뿐만 아니라, 대표작인 『이인』의 출간과 더불어 일약 파리 지성계의 총아로 떠오른 해이기도 하다. 그리고 1952년은 흔히 『반항인』 사건이라 불리는 사르트르와의 논쟁이 벌어진 해로, 이 사건 이후 카뮈는 프랑스 지성계에서 오랫동안 고립당한 채로 소위 '사막 횡단'의 시기를 보내야 했다. 이러한 시기 구분은 카뮈 자신이 구상했던 작품 세계의 세 시기, 즉 "첫 번째 연작. 부조리 : 『이인』 — 『시지프 신화』 — 『칼리귈라』와 『오해』. 두 번째 연작. 반항 : 『페스트』 — 『반항인』 — 칼리아예프. 세 번째 연작. 심판. 최초의 인간"[18]과도 일치한다는 사실을 밝혀 둔다.

  지성인 카뮈의 생애에서 한 가지 특이한 사항이 있다면, 각 시기마다 기자생활을 했다는 공통점을 들 수 있다. 제1기에는 〈알제 레퓌블리캥〉과 〈르 수아르 레퓌블리캥〉(1938-1940년)에서, 제2기에는 〈투쟁〉(1943-1947년)에서, 그리고 제3기는 〈렉스프레스〉(1955-1956년)에서 차례로 신참기자, 편집국장, 논설위원으로 활약했는데, "저널리즘을 가장 선호하는 참여수단으로 여겼던"[19] 지성인 카뮈의 대표적인 활동이라고 할 수 있다. 기자 카뮈는 우리 독자들에게 비교적 잘 알려져 있지 않은 부분이다. 따라서 기자 카뮈에 관해 상세하게 다루고 있는 이 책을 통해서 독자들은 카뮈의 새로운 면모를 접할 수 있을 것이다. 기자 카뮈가 쓴 기사들은 각 시기별로 엮은 단행본들이 나와 있지만, 몇몇 기사들을 제외하고는 우리나라에 소개되지 않았으므로, 독자들은 그의 문학작품에서 접했던 것과는 아주 다른 언어와 사상을 발견하게 될 것이다. "흔히 한 국가의 가치는 그 나라 언론의 가치로 매겨진다"[20]며 비판적 저널리즘에 기초한 새로운 언론의 창달을 주창했던 〈투쟁〉지 편집국장 카뮈는 20세기 프랑스 언론사의 한 장을 차지하고 있는 대표적인 기자였다.

  지성인 카뮈의 사상을 파악하기 위해서는 상기의 신문 기사들을 비롯해서 수많은 인터뷰와 논쟁 담론들은 물론이고 그의 서간문과 작가수첩에 이르기까지 방대한 자료들을 섭렵해야 한다. 이와 관련해서 필자는 때론 형식상의 경직성과 부조화를 무릅쓰고 가능한 한에서 최대한의 자료들을 직접 인용하고자 한다. 독자들의 판단에 맡기기 위해서이다. 비록 대부분의 자료들이 생소할 테지만, 독자들은 이 자료들을 통해서 충분히 카뮈 사상의 골격에 접근할 수 있으리라 생각한다. 특히, 몇몇 주요 사건들, 이를테면 프랑스 지성계의 이면을 엿볼 수 있는 『이인』의 탄생 과정, 2차 대전 직후 부역 지성인 숙청을 둘러싼 모리악과의 논쟁, 공산주의 이데올로기 비판에서 비롯된 『반항인』 사건, 그리고 알제리 전쟁 당시 민간 휴전을 이끌어 내기 위한 외로운 투쟁 등과 관련해서는 최대한 많은 자료들을 제공함으로써 독자들의 판단에 도움을 주고자 한다.

군이 한마디만 덧붙이자면, 연대기 작가로서의 필자는 객관적 시각에서 지성인 카뮈의 한살이를 기술하고자 하지만, 그렇다고 해서 필자의 관점이나 지평이 전적으로 배제될 수 없다는 점도 밝혀 둔다. 사관(史觀)이 없는 사관(史官)은 없을 터이니 말이다.

2015년 3월
나의 공간 '빈 그리고 다른'에서
이기언

차례

2부 — 제2기(1942-1952) : 저항에서 반항으로

3부 — 제3기(1952-1960) : 사막, 영광 그리고 죽음

1부

제1기(1913-1942) :

지성인의 탄생

카뮈는 프랑스 식민지인 알제리에서 태어났다. 하지만 그는 식민지의 지배 계층이 아니라 하층민의 자식이어서 수도 알제의 대표적 달동네인 벨쿠르에서 성장했다. 그는 가난한 환경 속에서도 두 스승 루이 제르맹과 장 그르니에의 도움으로 학업을 계속할 수 있는 기회를 얻어 알제 대학 석사과정까지 마쳤다. 장 그르니에 선생의 권유로 알제리 공산당에 가입해서 당원으로 활동하기도 했으나, 당 조직의 폐쇄성과 비민주적인 위계질서에 반발해서 탈당을 선택했다.

1937년에는 알제의 한 출판사에서 첫 작품 『안과 겉』을 발표해서 작가로서의 첫 발을 내디뎠다. 이듬해인 1938년 신생 좌파 일간지인 〈알제 레퓌블리캥〉의 새내기 기자가 된 그는 곧 베테랑 기자 못지않은 필력으로 프랑스의 식민지 정책에 대항해서 치열하고 끈질긴 투쟁을 벌였다. 특히, 1939년에 〈알제 레퓌블리캥〉지에 연재한 현장취재 장편기사인 「카빌리의 빈곤」은 카빌리 주민들의 너무나도 열악하고 비인간적인 삶의 현실을 적나라하게 고발했다는 점에서 행동하는 지성인의 탄생을 알리는 신호탄이었다. 그리고 1942년에 갈리마르 출판사에서 출간된 『이인』과 더불어 카뮈는 프랑스를 대표하는 작가로 등극했다. 특히, 이 작품의 초고가 완성되어 출판되기까지의 과정에는 특별한 일화들이 있는데, 프랑스 지성계의 이면을 엿볼 수 있게 해 주는 일화들이다.

1936년 5월경의 작가수첩에는 이런 단상이 있다. "지성인? 그렇다. 그리고 결코 부정하지 말 것. 지성인 = 두 가지 역할을 하는 자. 내 마음에 든다. 나는 둘 다가 되는 데 만족한다."[1] 공산당원으로 활동하던 이 시기에 카뮈는 이미 지성인이 되려는 야망을 품고 있었다. 그로부터 1년 남짓 지난 1937년 8월 말에 한 지인에게 보낸 편지에서는 스스로 "나는 프롤레타리아 지성인에 속해요"[2]라고 선포했다. 카뮈는 가난에서 자유를 배웠던 프롤레타리아 지성인이었다. 아마도 지성인 카뮈의 정체성을 온새미로 드러내 주는 가장 적절한 표현이 아닐까 한다.

"가난은 내게 결코 불행이 아니었다. 가난 속에서도 빛은 풍성하게 내리쬐고 있었기 때문이다."[3] 1958년 갈리마르 출판사에서 출간한 『안과 겉』의 재판 서문에서 카뮈가 어린 시절을 회고하며 한 말이다. 어린 시절의 카뮈에게 가난은 말 그대로 일용할 양식이었다. 시쳇말로, 찢어지도록 가난했다. 하지만 카뮈는 가난을 불행으로 여기지 않았다. 그에겐 무엇보다도 알세리의 찬란한 태양과 지중해라는 바다가 있었다. "태양의 형제"[4] 또는 "지중해인"[5]이라 불릴 만큼 그는 태양과 바다를 사랑했다. 그에게 태양은 살(肉)이고 바다는 피(血)나 다름없었다. 그는 지중해의 눈부신 햇살을 맘껏 향유할 수 있는 기질을 천부적으로 지니고 있었다. 지중해의 태양 덕분에 가난을 잊을 수 있었다. "가난이란 너그러움을 미덕으로 삼는 처지를 지칭한다"[6]라고 생각했던 그는 "나는 가난에서 자유를 배웠다"[7]라고 선언하기도 했다. 가난에서 자유를 배울 수 있는 인간은 과연 어떤 인간일까?

1.1. 빈농의 둘째 아들

알베르 카뮈는 1913년 11월 7일, 알제리의 수도인 알제에서 동쪽으로 480킬로미터에 위치한 콩스탕틴 시(市)의 작은 마을인 몽도비에서 태어났다. 아버지 뤼시앙 오귀스트 카뮈는 프랑스의 보르도 지방에서 이주해서 알제리에 정착했던 선대의 후손으로 태어났다. 그는 3년 전인 1910년 11월 13일 스물다섯의 나이에 스페인계인 카트린 엘렌 생테스와 결혼했다. 결혼식을 올린 지 석 달 만에 첫 아들인 뤼시앙 장 에티엔 카뮈가 태어났고, 결혼 3주년이 될 즈음에 둘째 알베르 카뮈가 태어났다. 카뮈의 아버지는 몽도비에 있는 생 폴이라는 농장에서 포도를 수확해서 포도주 제조를 담당하는 가난한 농부였다. 둘째 아들이 태어난 이듬해인 1914년 1차 대전이 발발하자, 그는 징병되어 프랑스 본토의 전장에 투입되었다. 마른 강(江) 전투에서 총상을 입은 후 야전병원으로 후송되었으나, 총상의 후유증으로 1914년 10월 11일에 사망했다. 야전병원 측은 프랑스 정부를 대리해서 미망인에게 전사자의 몸에서 빼낸 총탄의 파편과 무공훈장을 보냈다. 알베르 카뮈가 태어난 지 겨우 열한 달 만의 일이었다.

뤼시앙 오귀스트 카뮈가 징병된 후, 그의 아내는 알제의 빈민가인 벨

쿠르에 살고 있던 친정어머니 집에 들어가, 어린 두 아들과 함께 더부살
이를 하지 않을 수 없었다. 카뮈의 외할머니는 육중한 체구에다 성격이
거칠어서 외손자들에게 욕설이나 손찌검을 주저하지 않는 인물이었다.
국가에서 지급하는 전몰 유공자 연금이 있었으나, 세 식구의 생계를 이
어 나가기에는 턱없이 모자랐으므로, 카뮈의 어머니는 일용직 잡역부나
가정부로 생활비를 벌어야만 했다. 문맹에다 반은 귀머거리였던 그녀는
남편의 사망 소식에 크나큰 충격을 받았고, 그 후로는 말이 거의 없는
반벙어리로 일생을 보내야 했던 불운의 미망인이었다. 남편보다 세 살이
더 많아서 서른한 살에 청상과부가 된 그녀는 겉으로는 아이들에게 애
정 표현을 하지 않았지만, 아이들은 어머니의 착하고 여린 마음에서 나
오는 따스함을 충분히 느낄 수 있었다. 종종 외할머니가 아이들에게 손
찌검을 할 때마다, 그녀는 기어들어가는 목소리로 "머리는 때리지 마세
요"[1]라고 말하곤 했다.

　카뮈의 어머니가 일터에 나가 생활비를 벌어야 했으므로, 두 외손자를
돌보고 뒷바라지하는 일은 외할머니 몫이었다. 아이들의 옷가지를 챙기
거나 예의범절을 가르치는 것에서부터, 하루 일과를 통제하는 것도 외
할머니였다. 매우 엄격하고 권위적인 외할머니는 아이들 교육을 위해서
두툼한 회초리도 부엌 한 구석에 늘 비치해 두었다. 어느 날 카뮈는 친
구들과 어울려 바닷가에서 실컷 놀다 보니, 저녁 식사 도중에야 겨우 집
으로 돌아오게 되었다. 할머니의 꾸중을 들어야 할 것을 뻔히 알고 있던
카뮈는 두려움과 불안에 떨면서도 살그머니 문을 열고 거실로 들어섰
다. 식구들과 식탁에 앉아 저녁을 먹고 있던 할머니는 날카로운 목소리
로 "어디에서 오는 거지?"라고 다그쳤다. 카뮈는 피에르와 함께 숙제를
했다고 둘러댔다. 할머니는 그 자리에서 일어나 손자에게로 다가가 머리
냄새를 맡아 보고, 모래 묻은 아랫도리를 만져 보고 나서 "너 바닷가에
서 놀다가 왔잖아. 거짓말을 하고 있어"라고 쏘아붙이고는, 부엌에 있던

회초리를 들고 와서 엉덩이와 다리에다 사정없이 내갈겼다. 목구멍에서 시나브로 올라오는 울음을 참아야 했던 아이는 "이제 끝났다. 수프나 먹으렴"이라는 어머니의 다정한 한 마디에 그제야 울음보를 터뜨렸다.[2]

가난한 집안의 다른 아이들과 마찬가지로 카뮈는 용돈이라곤 꿈도 꾸지 못했다. 간혹 부잣집 아이들이 감자튀김을 사먹을 때면, 먹다 남은 거라도 주지 않을까 속절없이 군침을 삼켜야 했다. 그래도 먹는 것은 그나마 참을 수 있었다. 하지만 어린 카뮈가 그토록 좋아하는 축구를 구경하러 경기장에 가지 못하는 건 좀처럼 참기 힘든 일이었다. 하루는 할머니의 심부름으로 빵 가게에서 빵과 버터를 사고 돌아오던 중이었다. 달콤한 냄새의 유혹을 겨우 뿌리치면서 걸어가는데, 바지 주머니에 두었던 거스름돈 2프랑짜리 동전 한 닢이 헤진 틈으로 땅바닥에 떨어져 쨍그랑 하는 소리가 길게 울려 퍼졌다. 아이는 얼른 동전을 주워 손바닥 안에 단단히 틀어쥐었다.

그런데 바로 그 순간, 이 돈을 잃어버렸을 수도 있었다는 생각이 그의 뇌리를 번개처럼 스쳐 지나갔다. 그리고 그와 동시에, 2프랑이면 다음날 축구경기를 보러 갈 수 있다는 생각이 번쩍 떠오르는 것이었다. 기발한 발상이었다. 집으로 돌아온 아이는 동전을 화장실 쓰레기통에 감춘 후, 할머니에게로 가서 돌아오는 길에 거스름돈을 잃어버렸다고 말했다. 나쁜 소식을 전하면서, 아이는 가슴이 아팠다. 할머니는 "정말이냐?"라고 물었고, 손자는 "정말이에요. 그게 느껴졌어요"라고 대답했다. 할머니는 "잘 했다. 어디 두고 보자"라고 일갈한 뒤, 두 팔을 걷어붙이더니 곧장 쓰레기통으로 가서 동전을 회수하는 것이었다. 할머니는 "넌 거짓말쟁이야"라고 쏘아붙였고, 아이는 "그게 어떻게 끌려왔지?"라고 둘러댔다. 하지만, 바로 그 순간, 얼굴이 붉어진 소년의 머리에 문득 떠오르는 생각이 있었다. 그제야 소년은 할머니가 구두쇠여서가 아니라 2프랑이라는 돈이 그의 집에서는 거금에 해당하기에, 할머니가 더러운 쓰레기통을 뒤져서라도 찾아내야 했다는 사실을 깨달았다. 더구나 어머니가 어렵게 벌어 온 돈을 자신이 도둑질했다는 사실을 깨닫고서, 거짓말보다 더 큰 죄를 지었다는 생각에 형언할 수 없는 수치심이 온몸에 녹아드는 것을 느껴야 했다.[3]

중학교에 입학하자 부모의 직업과 나이 등을 적어 내는 가족소개서를 작성해야 했다. 아버지가 표기된 공란에는 사망이라고만 적으면 그만이었다. 문제는 어머니의 직업을 적는 데에 있었다. 옆자리의 친구 피에르가 의기양양하게 "우체국 직원"이라고 적은 걸 보고 나서, 카뮈는 한참을 고민한 끝에 "주부"라고 적었다. 그러자 피에르는 주부라는 것은 직업이 아니라 집안일을 하는 여자라고 지적했다. 이에 카뮈는 "아냐, 우리 엄마는 남의 집 일을 해. 특히 맞은편에 사는 봉재상의 집안일을 하거든"이라고 대꾸했다. 이 말에 피에르는 "그러면 하인이라고 적어야 할 것 같은데"라고 대답하는 것이었다. 피에르에게서 "하인"이라는 말을 듣는 순간, 소년은 너무나 흔한 낱말임에도 불구하고 자기네 집에서는 한 번도 들어 본 적이 없다는 사실을 깨달았다. 소년은 하는 수 없이 피에르의 조언대로 "하인"이라는 낱말을 적다 말고는 "문득 갑자기 수치심을 느꼈고, 수치심을 느꼈다는 데 대한 수치심"에 사로잡혔다.[4]

태어난 지 여덟 달 만에 아버지가 징병되어 영영 헤어졌으므로, 카뮈는 아버지에 대한 기억이 전혀 없었다. 아버지를 모르고 자란 아이에게 아버지의 흔적이라고는 야전병원에서 보내 준 총탄 파편과 무공훈장이 전부였다. 그런 그가 아버지의 무덤을 처음으로 찾아 나선 것은 나이 서른네 살 때인 1947년이었다. 알제에 살고 있던 카뮈의 어머니는 오래 전부터 아들에게 아버지의 무덤을 한 번 찾아가 보라고 권유했다. 하지만 카뮈 자신은 아버지에 대한 기억이 하나도 없어서 고인(故人)에게 어떤 애정이나 연민도 느끼지 못했으므로, 굳이 찾아가 볼 마음이 내키지 않았다. 브르타뉴 지방의 생-브리외 시(市) 공원묘지에 묻혀 있는 아버지를 찾아가게 된 것도 친구인 루이 기유를 만날 겸 해서였다. 『민중의 집』으로 널리 알려진 작가 루이 기유는 생-브리외 태생으로 카뮈보다 열네 살 위였지만, 루이 기유 역시 전쟁고아인데다 가난의 자식이었으므로, 둘은 스스럼없는 친구 사이였다. 루이 기유를 방문하기 전에 공원묘지에 들른 카뮈는 관리인의 안내를 받아 처음으로 아버지 무덤 앞에 섰다. 그는 무심코 아버지의 묘비를 바라보다가 문득 "1885-1914"라는 숫자에 눈길이 갔다. 그 순간, 아버지의 나이를 계산해 보니, 사망 당시 아버지는 자기보다도 다섯 살이나 더 어린 나이였다. 겨우 스물아홉의 나이에 세상을 떠났다는 사실을 깨닫게 되자, 카뮈는 지금까지 아버지에 대해 한 번도 느껴 보지 못했던 연민의 정과 안타까운 마음이 벅차올랐다. 자기보다도 "나이 어린 이 아버지"[5]를 떠올리자 그의 가슴은 한없이 미어졌다. 카뮈의 미완성 유작 『최초의 인간』은 바로 이 잃어버린 아버지를 찾아 나선 데에 그 기원을 두고 있는 작품이다.

1.2. 두 스승 : 루이 제르맹과 장 그르니에

카뮈는 알제 시(市)의 동쪽에 위치한 빈민가인 벨쿠르에 있는 초등학교를 다녔다. 오므라 가(街)에 있는 초등학교는 카뮈가 살던 리용 가에서 걸어서 십 분 거리에 있었다. 벨쿠르 초등학교 시절의 카뮈는 쾌활하고 장난기 많은 소년이었다. 스페인계인 어머니의 핏줄을 타고난 천성 덕분이었다. 특히, 카뮈는 운동장에서 친구들과 축구 시합을 즐겨했는데, 축구를 하고 나면 곧잘 신발이 해져서, 그때마다 외할머니의 꾸지람을 듣곤 했다. 카뮈의 집에는 공부할 책상은커녕 그 흔한 동화책 한 권조차 없었다. 하지만 초등학교 도서관에서는 일주일에 두 권의 책을 빌릴 수 있었고, 시립 도서관에서도 무료로 대출할 수 있어서, 카뮈는 미셸 제바코의 무협소설, 가스통 르루의 추리소설, 그리고 쥘 베른의 모험소설들을 즐겨 읽을 수 있었다. 카뮈의 형인 뤼시앙 에티엔 카뮈에 따르면, 어린 나이에도 불구하고 카뮈는 심지어 풍자 주간지 〈르 카나르 앙셰네 (*Le Canard enchaîné*)〉[1915년에 창간된 주간지로 '사슬에 묶인 오리'라는 뜻. 주로 은어나 속어들을 사용하여 세태를 풍자하는 유머로 인해 난해하기로 정평이 난 신문]를 읽으면서 자기보다도 더 빨리 그 내용을 파악해서 키득거리곤 했다고 한다. 초등학생 카뮈는 영리했고, 과목에 따라 반에서 1-2등을 하는 우등생이었다. 특히, 국어 과목에서는 늘 1등을 차지했는데, 암송이나 글짓기에서는 물론, 선생님의 질문에 항상 정확한 대답을 했다. 이런 카뮈의 명민함을 알아본 선생님들은 카뮈에게 책을 빌려주고 개인교습도 기꺼이 해 주었다.

카뮈를 가르쳤던 초등학교 교사들 가운데서도 1923-1924학년도 졸업반 때 만난 루이 제르맹 담임선생님은 카뮈의 삶을 바꿔 놓은 첫 번째 은인이었다. 루이 제르맹 선생은 능력이 탁월한 교사로 정평이 나 있었을 뿐만 아니라, 제자들을 아주 엄격하고 혹독하게 다루어서 학생들에게는 "피도 눈물도 없는 폭군"[1]으로 통했다. 제르맹 선생은 음악 시간에 클라리넷을 연주하곤 했는데, 너무나 악보에 충실해서 박자가 하나도 틀리지 않았으므로, 아이들은 선생님을 메트로놈이라 불렀다. 그만큼 그는 철자법, 문장부호 표기법, 산수에서 철저했기 때문에, 제자들은 곧장 엉덩이를 얻어맞아야 했다. 제르맹 선생은 서른다섯 명의 제자들 가운데서도 카뮈와 앙드레 빌뇌브를 주시했는데, 반에서 늘 1-2등을 다투는 우수한 학생들이기 때문이었다. 게다가 제르맹 선생은 카뮈를 포함해서 네 명의 제자들에게는 다른 아이들에게 부과하지 않는 숙제를 덤으로 해 오라고 했고, 방과 후에도 이 아이들을 붙들어 놓고 매일 두 시간씩 개인교습을 해 주었다. 훗날 카뮈는 쌍둥이 남매인 장과 카트린에게 곧잘 이런 말을 하곤 했다. "너희들이 제르맹 선생님 같이 철자법을 가르쳐 주는 선생님을 만나지 못한 점이 아빠에겐 실망이다."[2]

초등학교 졸업을 앞둔 어느 날, 제르맹 선생은 카뮈를 앞세우고서 제자의 집을 방문했다. 방문 목적은 애제자를 중학교에 진학시키기 위한 것이었다. 그러나 제르맹 선생의 제안에 카뮈의 외할머니는 펄쩍 뛰고 삿대질을 하면서 돈을 벌어 와야 한다고 거두절미했다. 그도 그럴 것이, 당시에는 부유한 가정의 아이들을 제외하고는 대부분의 경우 초등학교 졸업 후 일터를 찾아서 돈을 버는 게 당연한 일이었다. 두 살 위인

형 뤼시앙도 이미 일자리를 얻어서 쥐꼬리만 한 봉급이나마 가계에 보태고 있었다. 제르맹 선생은 외할머니의 완강한 거부에도 굴하지 않고, 장학생 시험에 합격하면 학비를 면제 받을 수 있고, 게다가 전몰 유공자 자녀에게 베푸는 혜택이 있으므로, 큰돈을 들이지 않고서도 학교에 다닐 수 있다고 간곡하게 설득했다. 제르맹 선생의 설득에 카뮈의 어머니가 나서서 첫째가 돈을 벌고 있으니 둘째는 중학교에 보내겠다고 대답했다. 평소에는 친정어머니 말을 순순히 따르던 그녀였다. 그런 그녀가 뜻밖에도 반항을 한 것이었다. 천만다행하게도 외할머니는 더 이상 고집을 부리지 않았다. 카뮈는 장학생 시험에 응시해서 합격했고, 제르맹 선생은 애제자를 불러서 "브라보, 이 꼬맹이야, 합격이다"[3]라고 말하면서 합격 통지서를 건넸다.

루이 제르맹 선생님을 만나지 못했더라면, 어쩌면 카뮈는 전혀 다른 삶을 살았을지도 모를 터이다. 이런 점에서 보면, 루이 제르맹 선생의 방문은 그의 일생을 바꿔 놓은 첫 번째 전기였다고 아니할 수 없다. 사실, 카뮈의 집을 방문하기 전까지, 제르맹 선생은 제자의 집안이 그토록 가난하다는 사실을 까맣게 모르고 있었다. 왜냐하면 카뮈는 늘 쾌활하고 명랑해서 행복한 아이인 듯 보였기 때문이었다. 훗날 제르맹 선생은 노벨상 작가인 제자에게 보낸 편지(1959년 4월 30일자)에서 다음과 같이 회고했다. "자네는 학교에 다닌다는 기쁨을 모든 면에서 표출하곤 했었네. 자네의 얼굴에는 낙천주의가 배어 있었고 말이네. 자네를 보면서 나는 자네 가정의 실제 현실을 전혀 알아차리지 못했었네."[4]

카뮈가 노벨 문학상 수상 작가로 선정되었다는 소식을 접한 뒤, 가장 먼저 떠오른 사람들 중의 한 분이 바로 루이 제르맹 선생이었다. 1957년 11월 19일자 루이 제르맹 선생님에게 보낸 편지에서 카뮈는 다음과 같이 회고하면서 감사의 말을 전했다. "제가 요구하지도 않았고, 청원하지도 않았던 너무나도 지나치게 과분한 영광을 안게 되었습니다. 그런데 제가 이 소식을 접했을 때, 제게 첫 번째로 떠오른 사람은 제 어머니, 그 다음으로 선생님이셨습니다. 선생님이 없었더라면, 선생님께서 가난한 꼬마 아이에게 내밀었던 그 따뜻한 손길이 없었더라면, 선생님의 가르침이 없었더라면, 그리고 선생님의 본보기가 없었더라면, 이 모든 일이 제게 일어나지 않았을지도 모릅니다. 이런 영광을 지나치게 과장하려는 게 아닙니다. 하지만 이번의 경우는 적어도 선생님이 제게 어떤 분이셨는지, 그리고 지금도 여전히 어떤 분인지를 선생님께 말씀 드릴 수 있는 기회입니다. 아울러, 나이를 먹었음에도 선생님께 늘 감사함을 느끼고 있는 저는 선생님께서 베풀어 주신 노고와 너그러운 마음을 지금도 여전히 생생하게 느끼고 있다는 말씀을 드리고자 합니다."[5] 카뮈는 은사에게 보답을 하기 위해서 노벨상 수상 기념 연설문을 모은 책 『스웨덴 연설문』(1958년)을 루이 제르맹 선생에게 헌정했다.

카뮈가 다녔던 뷔조 중·고등학교 학생들은 벨쿠르의 초등학교와는 달리 부르주아 가정의 자녀들이 거의 대부분이었다. 그런 까닭에 중고등학교 시절의 카뮈는 더욱더 가난의 무게를 실감하지 않을 수 없었다. 여름방학 동안에 친구들은 프랑스로 여행을 가는 반면에, 카뮈는 철물점이나 해양운수 회사에서 아르바이트를 하며 돈을 벌어야 했다. 중고교 시절의 카뮈는 문학수업을 제외하고는 아주 우수한 학생이 아니었다. 그는 공부보다 축구를 더 좋아했다. 당시 그는 약골이었지만, 어느 누구보다도 열정적으로 뛰었고, 소문난 골잡이였다. 고등학교 2학년 때에는 알제 대학 축구팀의 주니어부에서 문지기로 활약하기도 했다. 훗날 카뮈는 그의 체력이 허용했더라면 축구 선수가 되었을 것이라고 말한 바 있다.

카뮈에게는 알제에서 정육점을 운영하는 귀스타브 아코 이모부가 있었다. 알제리산이 아니라 프랑스 본토에서 직수입한 양질의 육류를 판매한다고 자랑하는 이 이모부는 독서광인데다 작가 아나톨 프랑스를 열

광적으로 숭배하는 무정부주의자이기도 했다. 정육점 뒤편에 자기만의 도서관을 차릴 정도로, 온갖 종류의 잡지와 소설들을 섭렵하는 특이한 인물이었다. 귀스타브 이모부는 고등학교에 다니던 카뮈를 매우 아꼈는데, 어느 날 그는 열여섯 살이던 조카에게 "너한테 재미있을 거야"라고 말하면서 앙드레 지드의 『지상의 양식』을 내밀었다. 하지만 카뮈는 이 지드와의 첫 만남에서 그다지 큰 감동을 받지 못한 채 이모부에게 책을 돌려주었다. 이듬해 폐결핵으로 드러누웠을 때, 카뮈는 『탕아의 귀환』을 비롯해서 지드의 전 작품을 탐독했고, 마침내 『지상의 양식』의 진가를 깨닫게 되었다. 카뮈 자신이 「지드와의 만남」이라는 글에서 고백하고 있듯이, 그는 『지상의 양식』에서 "내게 필요했던 빈곤의 복음서"를 발견했고, 지드를 "내가 살고 싶은 정원의 문을 지키는 선택받은 문지기, 즉 예술가의 모델"[6]로 삼게 되었다.

1930년 10월, 고등학교 졸업반이던 카뮈는 철학수업 시간에 이제 갓 부임해 온 장 그르니에 선생님을 만나게 되었다. 우리나라에서도 『섬』의 작가로 널리 알려진 장 그르니에는 당시 나이 서른두 살로 카뮈보다 열다섯 살 위였다. 카뮈 사후 1968년에 발표한 『알베르 카뮈에 대한 추억』에서 장 그르니에는 제자와의 첫 만남을 상세히 회고한 바 있다. 그는 개학 직후 첫 철학수업 시간에 한 학생에게로 눈길이 갔다. 그르니에 선생은 수업이 끝난 후 "순종하지 못하는 천성을 타고난 듯한 얼굴"[7]의 이 학생을 불러 다음 시간부터 맨 앞줄에 앉으라고 권유했다. 그날 이후 수업 시간을 통해서 이 학생의 재능을 간파한 그르니에 선생은 "전도가 아주 유망한 젊은이"[8]를 발견했다고 아내에게 자랑삼아 얘기했다. 그런데 12월에 접어들자 수업 시간에 한동안 카뮈의 얼굴을 볼 수 없었다. 제자들에게 물어본 결과, 카뮈가 폐결핵에 걸려 집에 드러누워 있다는 것이었다. 이 사실을 알게 된 그르니에 선생은 벨쿠르에 있는 카뮈의 집을 방문했다. 그르니에 선생이 아무런 예고도 없이 너무나도 누추한 자기 집을 방문한 데에 놀란 카뮈는 선생님의 묻는 말에 단답형의 대답만 할 뿐, 둘 사이에는 긴 침묵의 시간이 이어질 뿐이었다. 이 방문에 대해서 『알베르 카뮈에 대한 추억』의 저자는 당시 카뮈가 보기에는 자신이 "사형수에게 상고가 기각되었다는 것을 통지하러 온 검사처럼 여겨졌을 것"[9]이라고 비유적으로 표현했다.

그르니에 선생의 방문 이후, 학생과 제자는 가까운 사이로 발전했고, 일생 동안 스승과 제자로서, 더 나아가서는 가까운 친구로서 지내게 되었다. 그로부터 십여 년이 지난 1942년 9월 22일자 그르니에 선생에게 보낸 편지에서 카뮈는 스승의 방문에 대해서 다음과 같이 회고했다. "그래요. 저는 선생님께서 벨쿠르에 방문했던 사실을 기억하고 있습니다. 지금 현재도 저는 모든 것을 상세히 떠올릴 수 있습니다. 사실 그대로 말씀 드리자면, 아마도 선생님께서는 이 사회를 대표하고 있었습니다. 그런데 그런 선생님께서 저를 찾아 주셨고, 그날 이후 저는 제가 생각했던 만큼 가난하지 않다고 느꼈습니다."[10] 카뮈는 1951년 9월 18일자 편지에서도 그르니에 선생의 방문에 대해서 "벨쿠르까지 찾아와 주신 선생님을 맞이하는 태도가 선생님을 당황하게 했던 그 어린 아이는 당시 수줍음과 감사함에 짓눌려 있었습니다. 이것은 사실입니다. 제가 선생님을 그토록 당황하게 했던 바로 그날의 방문 이후, 저는 선생님에 대한 충정을 품게 되었고, 지난 이십 년 동안 지켜 왔던 제 충정은 앞으로도 결코 변치 않을 것입니다"[11]라고 거듭 회고했다.

카뮈의 사정을 알게 된 장 그르니에 선생은 어느 날 카뮈에게 앙드레 드 리쇼의 소설 『고통』을 읽어 보라고 내밀었다. 가난한 한 어머니의 삶을 담백하고 솔직하게 그린 작품이었다. 단숨에 소설을 읽은 카뮈는 뭔가 마음속 깊은 곳에 얽혀 있던 "알 수 없는 매듭의 끈"이 풀리는 느낌을 받았고, "기묘하고 새로운 자유"를 얻고서 "미지의 대지"[12]로 나아갈 수 있다는 생각이 들었다. 왜냐하면 자신이 너무나 잘 아는 "가난의 진정한 얼굴"[13]을 그린 이 소설을 읽으면서, 자기도 그런 글을 쓸 수 있다는 생각이 들었기 때문이었다. 카뮈 자신의 표현을 빌리자면, "『고통』은 창조의 세계를 엿보게 해 주었고, 이어 지드는 창조의 세계 속으로 들어가게 해 주었다."[14] 게다가 폐결핵으로 인해 그토록 좋아하던 축구를 더이상 못하게 되자, 카뮈는 독서에 탐닉하면서 문학수업에 매진할 수 있었다. 마침 귀스타브 이모부가 조카의 폐결핵 치료를 위해 자기 집에 데려와 함께 살게 했으므로, 카뮈는 이모부의 서가에 있던 책들을 마음껏 읽을 수 있었다. "어리고 무지한 야만인"[15]이 예술의 정원의 문턱을 넘어설 수 있는 기회와 행운을 얻은 것이었다. 아마도 이 시기에 카뮈는 막연하게나마 처음으로 작가의 길을 꿈꾸었던 것 같다.

한 인간의 삶에 있어서 훌륭한 스승을 만난다는 것은 크나큰 행운이 아닐 수 없다. 더욱이 그 스승이 한 젊은이에게 성공적인 미래의 길을 열어 주었을 경우에는 더욱 그렇다. 이런 점에서 카뮈는 어느 누구보다도 행복한 인간이었다. 중학교 진학의 길을 터 주었던 루이 제르맹 선생과 문학의 길로 인도해 주었던 장 그르니에 선생은 카뮈에게 영원히 잊을 수 없는 소중한 두 은사였다.

1.3. "형이상학적인 병"

"병은 규율과 금욕, 침묵과 영감이 함께 하는 수도원이다."[1] 1942년 말, 폐결핵을 치료하기 위해 샹봉-쉬르-리뇽에 머물던 카뮈가 작가수첩에 적은 단상이다. 카뮈는 1958년 칼 비지아니가 폐결핵에 걸린 이유에 대한 서면 질문에 "지나친 운동. 피로. 지나치게 태양 아래서 활동했던 것. 각혈"[2]이라고 간략하게 답변했다. 지나치게 해를 쬔 게 병리학적으로 폐결핵의 원인이 될 수는 없겠지만, 지중해의 작열하는 태양 아래에서 과도하게 해수욕을 즐기고 축구에 열광했던 것, 그리고 무엇보다도 가난한 집안의 아이들이 겪어야 했던 영양실조로 인해, 카뮈는 열일곱 살에 폐결핵이라는 중병에 걸리게 되었다. 다행하게도 앙투아네트 이모와 귀스타브 이모부 덕분에 카뮈는 이모네 집에 살면서 통원 치료를 받을 수 있었다. 게다가 당시에는 돼지고기를 많이 섭취하면 폐결핵을 고칠 수 있다는 속설이 있어서 귀스타브 이모부는 카뮈에게 신선한 고기를 실컷 먹게 했다. 훗날, 카뮈는 "병은 십자가이다"[3]라고 했는데, 그에게 폐결핵은 일생 동안 지고 가야 할 "십자가"였다.

귀스타브 이모부는 평범한 상인이 아니었다. 그는 정육점 주인이었지만, 웬만한 알제리 프랑스인들보다 월등하고 해박한 지식을 갖춘 인텔

리였다. 그는 알제리의 위선적인 부르주아지를 경멸했고, 프리메이슨단에 들락거렸고, 무엇보다도 아나톨 프랑스와 제임스 조이스의 작품들을 탐독하는 독서광이었다. 오전 일과가 끝나면, 그는 건너편에 있는 르네상스 카페에 들러서 아니제트 한 잔을 마시면서, 문학과 사상에 대한 논쟁을 서슴지 않는 열정적인 인물이었다. 귀스타브 이모부는 카뮈를 아들로 여겼고, 조카가 교사가 되거나, 아니면 자기가 물려줄 정육점 주인이 되기를 바랐다.

귀스타브 이모부네 집에서의 생활은 카뮈에게 너무나도 안락했다. 먹는 것뿐만 아니라 깨끗하고 넓은 집에서 혼자 따로 자는 방까지, 외할머니 집에서 살 때와는 전혀 다른 편안한 생활이었다. 이모부의 서가에 꽂혀 있는 발자크, 위고, 졸라의 전집은 물론이고, 발레리와 샤를 모라스의 작품을 읽은 것도 이 시기였다. 카뮈는 이모부네 집에 머물며 무스타파 병원에서 정기적으로 인공기흉술 치료를 받았다. 건강이 회복된 카뮈는 1931년 10월 개학 때 학교로 돌아가 장 그르니에 선생의 철학수업을 다시 들을 수 있었다. 1932년 6월에 대학입학자격시험에 통과했고, 1년간의 그랑제콜 준비반을 거친 후, 1933년에 알제 대학 문학부에 입학했다. 1935년에는 철학학사를 취득했고, 이듬해인 1936년 6월에는 르네 푸아리에 교수의 지도하에 『기독교적 형이상학과 신플라톤주의 — 플로티니우스와 성 아우구스티누스』라는 제목으로 석사학위를 받았다. 석사학위 취득 후, 카뮈는 교수가 되기 위해서 대학교수자격시험에 원서를 제출했으나, 폐결핵을 앓았다는 이유로 응시조차 할 수 없었다. 카뮈는 동일한 이유로 이미 군복무를 면제받은 터였다. 올리비에 토드의 표현을 빌리자면, 카뮈에게 "형이상학적인 병"[4]이었던 폐결핵은 장 그르니에 선생과의 인연을 맺어 주기도 했지만, 또한 그의 꿈을 접게 만든 양날의 검과도 같은 것이었다.

이 시기에 카뮈의 삶에 찾아온 또 하나의 사건이 있었는데, 시몬 이에

(Simone Hié)와의 결혼과 이혼이었다. 대학생 카뮈가 자주 만나던 친구들 중에는 클로드 드 프레맹빌과 막스 폴 푸세가 있었다. 문학청년인 프레맹빌은 포크너, 헤밍웨이, 톨스토이, 로맹 롤랑 등을 좋아했고, 시쓰기에 뛰어난 재능을 가진 친구였다. 특히, 반골 기질의 그는 부르주아 집안 출신이면서도 공산당에 가입한 청년투사로서, 알제리 토착민들을 핍박하는 식민지 총독부의 정책에 반기를 드는 정치활동을 하면서 카뮈를 비롯한 친구들에게 적지 않은 영향력을 행사하던 젊은이였다. 알제리 청년사회주의연맹의 창설자인 막스 폴 푸세 역시 무슬림 토착민들의 권익을 위해 활동하는 투사였는데, 그에게는 시몬 이에라는 약혼녀가 있었다. 두 남녀는 막스 폴 푸세가 군복무를 마치는 대로 결혼할 예정이었다. 시몬 이에는 알제에서 유명인사로 통하는 안과 의사인 홀어머니 슬하에서 자라났는데, 그녀의 자유분방한 기질과 빼어난 미모로 알제 청년들에게 냉가슴을 앓게 하던 처녀였다. 부유한 어머니 덕에 같은 옷을 두 번 입지 않을 정도로 패션 감각도 뛰어났고, 하이힐에다 속내의를 입지 않은 파격적인 옷차림으로, 알제의 젊은이들에게는 앙드레 브르통의 자전소설의 주인공 나자(Nadja)로 통하던 소위 '신여성'이었다.

귀스타브 이모부 덕에 반듯한 정장을 입고 늘 하얀 양말을 신고 다니던 카뮈 역시 친구들에게는 멋쟁이로 통했다. 수려한 외모와 해박한 언사로 여학생들의 인기를 독차지하던 청년이었다. 시몬 이에는 카뮈보다 한 살 아래였는데, 막스 폴 푸세가 알제리 청년사회주의연맹의 창설자로서 정치활동을 위해 종종 지방에 내려가야 했기 때문에, 그때마다 카뮈와 시몬은 둘만이 만나는 기회가 잦아졌다. 얼마 지나지 않아, 시몬은 약혼자와의 약속 장소에 나타나지 않았고, 그 다음에도 같은 일이 반복되었다. 어느 날 막스 폴 푸세는 카뮈를 만나 푸념을 늘어놓았고, 그 자리에서 카뮈는 친구에게 "시몬은 더 이상 널 만나러 오지 않을 거야. 시몬은 선택했어"[5]라고 말했다. 이것으로 두 젊은이의 친구 관계는 끝이었다.

귀스타브 이모부는 조카가 시몬 이에와 함께 알제 거리를 활보하고, 게다가 이따금 그녀가 카뮈의 방에까지 들락거리는 것을 매우 싫어했다. 무엇보다도 이제 갓 스무 살의 가난뱅이 대학생이 대학입학자격시험에 떨어져 자유분방한 생활을 하고 있는 부르주아 가정의 방탕한 처녀와 어울리는 꼴을 용인할 수 없었다. 그렇다고 해서 시몬 이에가 지적으로 무능한 여자는 아니었다. 그녀는 카뮈가 듣는 강의를 청강하기도 했고, 랭보의 시를 좋아하는 문학소녀였고, 무엇보다도 시대를 앞서가는 언행으로 카뮈의 마음을 사로잡았다. 하지만 귀스타브 이모부는 끝내 조카를 집에서 쫓아냈고, 카뮈는 직장인이던 형 뤼시앙의 셋방으로 거처를 옮겨야 했다. 물심양면으로 든든했던 후원자를 잃은 카뮈는 이제 아르바이트를 하면서 생활비를 벌며 대학에 다녀야 하는 처지가 되었다. 결국, 이모부의 반대에도 불구하고, 카뮈와 시몬 이에는 1934년 6월 16일 알제 시청에서 앙투아네트 이모만 참석한 채 축복받지 못한 결혼식을 올렸다. 신혼방도 마련하지 못했던 신랑과 신부는 신혼여행은커녕 첫날밤을 각자의 집에서 보내야 했다.

결혼할 당시 카뮈는 시몬이 약물중독자라는 사실을 이미 알고 있었다. 순진하게도 그는 결혼 후 시몬을 약물중독으로부터 구제할 수 있을 것이라고 생각했다. 열네 살 때 월경통이 너무 심해서 모르핀 처방을 받은 바 있었는데, 그 이후로 그녀는 모르핀에 중독된 탓에, 온갖 수단을 가리지 않고 마약을 구해서 남몰래 자기 손으로 주사를 맞아야 하는 신세가 되었다. 1936년 7월 초, 카약 애호가인 친구 이브 부르주아의 제안으로 카뮈는 시몬과 함께 셋이서 인스부르크에서 부다페스트까지 카약 여행을 떠났다. 카뮈가 친구의 제안을 받아들였던 이유는 알제에서 떨어져 있으면 모르핀을 구할 수 없게 될 테고, 이 기회를 이용해서 약물중독에서 벗어나려는 노력을 함께할 수 있을 것이라고 생각했기 때문이었다. 세 사람은 인스부르크에서 출발해서 찰스부르크에 도착했다. 찰스

부르크 우체국에 예치 우편물을 찾으러 다녀온 카뮈는 이브 부르주아에게 뜻밖의 사실을 털어놓았다. 시몬에게 온 우편물에는 마약과 함께 편지도 들어 있었다. 알제에서 시몬에게 마약을 공급해 주던 의사가 보낸 편지였는데, 애절한 연서였다. 여행에서 돌아온 카뮈는 시몬이 마약중독에서 헤어나려는 의지가 전혀 없음을 확인하고서 아내와 헤어지는 길을 택할 수밖에 없었다. 하지만 시몬은 이혼을 받아들이지 않았고, 1940년에 가서야 법적인 이혼이 선고되었다. 애초부터 축복받지 못했던 이 결혼은 소중한 친구를 잃게 했을 뿐만 아니라, 자기를 성심껏 보살펴 주고 사랑해 주던 귀스타브 이모부를 저버렸다는 쓰라린 상처만을 카뮈에게 안겨 주었다.

1.4. 청년 공산당원 카뮈

1933년 2월, 독일의 히틀러가 정권을 장악하자, 프랑스 지성계는 불안한 국제정세에 대해 우려하지 않을 수 없었다. 프랑스의 공산주의자들과 사회주의자들은 히틀러의 나치즘에 대항하기 위해서 세력을 확장하는 데에 주력했다. 프랑스 공산당에 가입해서 파리에서 활동하던 클로드 드 프레맹빌은 친구인 카뮈에게 공산당에 가입하라고 적극적으로 권유했다. 정치보다는 문학에 관심을 더 많이 두고 있던 카뮈는 친구의 권유에 완곡한 거부 의사를 표시했다. 카뮈는 프레맹빌에게 보낸 편지에서 "내가 공산당에 합류하는 건 가능한 일일 거야. 그럴 경우, 난 나의 정력, 나의 능력, 나의 지성을 바칠 거야. 아마도 나의 모든 재능과 나의 모든 영혼을 바칠 지도 모르긴 하지만, 나의 온 마음은 바치지 못할 거야. 아마도 나의 무엇인가가 빠져 있을 거야"[1]라고 선뜻 내키지 않는다는 자신의 입장을 분명하게 전했다. 결혼하기 한 달여 전인 1934년 4월 30일자 편지에서도 카뮈는 프레맹빌에게 "입당하는 것은 나를 옥죄는 것이고, 내 안에 있는 다른 무엇인가를 감추는 것일 거야"[2]라고 거듭 공산당에 가입하지 않겠다는 입장을 밝혔다.

친구 프레맹빌뿐만 아니라 장 그르니에 선생도 카뮈에게 공산당 가입을 권유했다. 1935년 8월 21일자 그르니에 선생에게 보낸 편지에서 카뮈는 공산당 입당에 관해 상세하게 자신의 입장을 밝히고 있다.

> 선생님께서 제게 공산당에 가입하라고 충고한 것은 옳습니다. 저는 발레아르 여행에서 돌아온 후 입당할 것입니다. 선생님께 고백하거니와, 모든 게 저로 하여금 그들에게로 다가가게 하기에, 저는 이 경험을 해 보기로 작정했습니다. 저를 공산당과 대립하게 하는 장애물들은 직접 겪어 보는 게 더 나을 것 같습니다. [⋯] 하지만 제가 시도하고자 하는 (충정 어린) 경험에서조차도 저는 삶과 인간 사이에 한 권의 『자본』을 두는 건 언제까지나 거부할 것입니다. 모든 독트린은 진화할 수 있고 진화해야만 합니다. 이것만으로도 제가 몇 가지 이념들에 진심으로 가담하기에는 충분합니다. 저의 출신 성분과 저의 죽마고우들과 저의 모든 성향에 와 닿는 이념들 말입니다.
>
> 제가 보기에, 깊이 생각해 보아야 할 많은 다른 것들(진보의 환상에 얽매인 사이비 합리주의, 계급투쟁, 그리고 노동자 계층만의 행복과 승리를 목표로 할 것이라는 의미로 해석되는 역사유물론)은 여전히 남아 있습니다.
>
> 제 생각에는 이념들보다도 삶이 더 공산주의에로 종종 이끌리게 하는 것 같습니다. 이에 대해 선생님께서는 어떻게 생각하시는지 제게 말씀해 주십시오. 선생님께서는 저의 의구심과 저의 희망이 무엇인지를 알고 계십니다. 저에게는 인간들을 망쳐 놓는 불행과 고통의 양이 줄어드는 걸 보고자 하는 너무나도 강렬한 욕망이 있습니다.
>
> 어쨌거나 저는 명철함을 유지할 것이고, 결코 맹목적으로 굴복하지 않을 것이라고 선생님께 약속드립니다. 선생님의 생각과 선생님의 본보기가 저를 조금은 도와줄 것입니다.[3]

스물두 살의 청년 카뮈는 스승의 권유로 공산당에 가입하긴 하겠지만, 공산주의 이데올로기에 동조해서가 아니라, 현실적인 삶의 이유 때문에 입당한다는 전제를 분명하게 밝히고 있다. 즉, 마르크시즘과 역사유물론을 결코 인정하지 않으면서도, 오로지 "인간들을 망쳐 놓는 불행과 고통"을 줄여 보려는 "너무나도 강렬한 욕망" 때문에 공산당에 가입하는 것임을 분명하게 적시하고 있을 뿐만 아니라, 공산주의 독트린이 "진화" 하지 않을 경우, 당을 떠날 수도 있다는 단서를 달고 있다. 또한, 공산주의 이데올로기를 "진보의 환상에 얽매인 사이비 합리주의"라고 규정하면서 "계급투쟁"을 목표로 내건 "역사유물론"에 대해 유보적인 입장을 취하고 있다. 게다가 여기에 그치지 않고, 카뮈는 이 독트린에 대해서는 끝까지 "명철함을 유지할 것이고, 결코 맹목적으로 굴복하지 않을 것"이라는 굳은 서약까지도 첨부하고 있다. 위와 같은 카뮈의 입장은 앙드레 아부가 발굴한 미발표 육필 원고에도 그대로 적시되어 있다.

> 우리는 헤겔을 믿지 않는다. 우리는 유물론자가 아니다. 우리는 진보라는 흉측한 우상을 신봉하지 않는다. 우리는 모든 이성론을 증오한다. 그럼에도 우리는 공산주의자들이다. 왜냐하면 우리는 삶과 독트린을 분리하고 싶지 않기 때문이다. 그리고 나에게는 공산주의라는 게 『자본』의 제3권보다 훨씬 더 우위에 있는 노동자나 창고지기인 말단조직의 내 동지들을 의미한다. 나는 독트린보다 삶을 더 좋아하고, 언제나 삶은 독트린을 이기는 법이다.[4]

카뮈가 알제리 공산당에 가입했던 것은 결코 공산주의 이념을 숭배해서도, 프롤레타리아의 승리를 주장하는 미래의 역사를 믿어서도 아니었다. 독트린이 삶을 바꾸는 게 아니라, 삶이 독트린을 바꾸어야 한다는 게 그의 일관된 생각이었다. 다시 말해서, 이상이 현실을 바꾸는 게 아니라, 삶이 이상을 바꾸어야 한다는 게 그의 확고한 신념이었다. 비록 마르크시즘이라는 이데올로기에는 적대적인 입장이었지만, 카뮈는 노동자계급의 정당임을 자처하면서 반파시즘, 반제국주의, 반식민주의를 주창하는 공산당을 전적으로 외면할 수도 없었다. 왜냐하면 자신과 같은 처지에 있는 가난한 민중들을 대변해 줄 수 있는 세력은 그래도 공산당이기 때문이었다. 요컨대, 카뮈가 알제리 공산당에 가입한 것은 자발적으로, 기꺼운 마음에서가 아니라, 『안과 겉』에 실린 한 산문의 제목처럼 "눈물을 머금고" 어쩔 수 없이 선택한 차선책이었다. 공산당에 가입한 후인 1936년 3월의 작가수첩에서도 "하지만 다른 한편으로는 공산주의와 역겨움을 어떻게 조율할 것인가? 극단적인 태도를 취한다면, 그리고 이 극단적인 태도가 부조리와 무용함으로 이어진다는 한에서, 나는 공산주의를 부정한다"[5]라고 밝히고 있듯이, 카뮈의 공산당 입당은 결코 공산주의 이념에 동조해서가 아니라, 단지 노동자계급의 권익을 대변할 수 있는 유일한 정치집단이라는 현실적인 이유에서였다.

공산당원이 된 카뮈는 당 조직의 서열과 위계질서의 폐쇄성으로 인해 곧잘 마찰을 빚기 시작했고, 자유를 추구하는 반항적 기질이 발동해서 종종 물의를 일으켜 가벼운 징계를 받기도 했다. 공산당 내부의 실상을 파악하기 시작한 그는 폐쇄적이고 교조적인 정치국보다는 좀 더 다양한 활동을 벌일 수 있는 문화국에서 당원의 의무를 다하기로 작정했으므로, 풋내기 공산당원 카뮈의 주요 활동 무대는 문화운동이었다. 알제리 공산당이 운영하는 문화의 집에서 카뮈는 동료들과 함께 노동극단을 창립했고, 첫 번째 공연작은 당시 카뮈의 우상이던 작가 앙드레 말로의 소설 『경멸의 시대』를 각색한 작품이었다. 이와 더불어 카뮈는 노동자들의 교육을 담당하는 노동학교를 설립하고, 무슬림 토착민들을 공산당에 가입하도록 유도하는 계몽활동을 펼치기도 했다. 하지만 이 시기의 카뮈가 열정적으로 매달린 것은 연극이었고, 그 후 일생 동안 카뮈는 연극 무대를 떠나지 않게 될 것이다.

카뮈가 연극에 관심을 가지게 된 계기는 친구인 이브 부르주아의 조언에 따른 결과였다. 카뮈보다 네 살 위인 이브 부르주아는 파리고등사범

학교를 졸업하고 대학교수자격시험을 통과한 수재로 반파시스트지성인
감시협의회에서 활동하던 좌파 지성인이었다. 학창 시절 연극활동을 했
던 이브 부르주아는 카뮈에게 극단을 창립해서 문화활동을 통한 당원교
육의 필요성을 제안했고, 연극에 대해 아무런 지식도 없던 카뮈는 친구
의 제안을 받아들여 노동극단을 창립하게 되었다. 일단 연극에 입문하
자, 카뮈는 배우로서는 물론이고 각색에서 연출까지 모든 분야에서 뛰
어난 재능을 발휘했다. 카뮈가 직접 각색해서 무대에 올린『경멸의 시
대』는 알제 언론에 크게 보도될 정도로 성공을 거두었고, 이에 고무된
노동극단은 두 번째 작품으로 집단 창작극인『아스투리아스의 반란』을
공연할 예정이었다. 카뮈의 주도 하에 대본이 완성된『아스투리아스의
반란』은 1934년 스페인의 오비에오에서 일어났던 광부들의 반란을 주
제로 한 작품인데, 알제 시장인 오귀스탱 로지가 작품의 선동적인 성격
을 문제 삼아 공연을 허가하지 않음으로써 무대에 올리지는 못했다.

한편, 당시의 알제는 정치적으로, 사회적으로 혼란기에 접어들고 있었
다. 1930년 프랑스가 알제리 정복 100주년 기념행사를 성대하게 치르
자, 이를 계기로 메살리 하지가 주도하는 알제리 민족주의자들은 프랑
스 식민정부에 반기를 들면서 알제리의 독립을 본격적으로 주창하기 시
작했다. 메살리 하지를 개인적으로 여러 차례 만났던 카뮈는 메살리 하
지가 이끄는 알제리 민중당의 노선에 동조했는데, 알제리 토착민들의 문
제를 놓고 알제리 공산당과 알제리 민중당은 사사건건 대립하고 있었
다. 당시 알제리 공산당은 프랑스 공산당의 지령을 그대로 실천에 옮기
는 꼭두각시 정당에 지나지 않았는데, 프랑스 공산당은 반식민주의보다
반파시즘을 우선시하여 메살리 하지의 알제리 민중당과 적대적인 관계
를 유지하는 입장이었다.

카뮈는 공산당원이면서도 이러한 공산당의 입장에는 동조할 수 없었
고, 무엇보다도 당원이 된 이후 공산당 조직의 폐쇄성과 경직성을 직접

체험하면서 실망하지 않을 수 없었다. 독트린이 진화하기를 기대하며 공산당원이 되었던 카뮈는 결국 스탈린식의 공산주의 이념이 변하지 않을 것이라는 사실을 깨닫고서 탈당의 길을 선택하지 않을 수 없었다. 2년 남짓 공산당원으로 활동했던 카뮈는 오랜 숙고 끝에 1937년 9월 공산당과의 결별을 선언했고, 그 이후 카뮈는 죽을 때까지 어떤 정당에도 가입하지 않게 될 것이다. 탈당 직전에 쓴 작가수첩에 "여러 해 전부터, 정치 연설을 들을 때마다, 또는 우리 지도자들의 글을 읽을 때마다, 인간의 소리로 들리는 거라고는 전혀 들어 보지 못했기에, 나는 두려움을 금할 수 없었다. 늘 똑같은 말로 똑같은 거짓말을 할 뿐이다"[6]고 지적하고 있듯이, 카뮈는 이 시기에 이미 정치에 대한 뿌리 깊은 불신을 품고 있었던 것 같다. 하지만 청년시절에 몸소 겪었던 공산당원으로서의 경험 덕분에, 훗날 그는 어느 지성인보다도 먼저 공산주의 이념의 실체를 적나라하게 고발할 수 있었다는 점에서, 공산당 활동 시기는 잃어버린 시간만은 아니었다. 2년이라는 짧은 기간에 공산당의 실체를 속속들이 파악할 수 없었을 터이지만, 적어도 이 시기에 카뮈는 마르크시즘에 대한 막연한 환상들을 떨쳐 버릴 수는 있었다.

1.5. 작가의 탄생

1933년에서 1937년까지 5년에 걸친 청년 카뮈의 삶은 말 그대로 다사다난했다. 대학 생활, 석사학위, 시몬 이에와의 결혼과 이혼, 공산당 가입과 탈당, 극단 활동, 생활비를 벌기 위한 아르바이트, 이탈리아를 비롯해서 스페인, 체코, 오스트리아 여행 등, 카뮈는 폐결핵을 앓고 있으면서도 어느 건강한 청년 못지않게 왕성한 삶을 살았다. 현실의 삶에서 희망과 절망, 환희와 좌절, 희열과 고뇌, 행복과 불행을 겪어야 했던 그는 어쩌면 이십대 전반의 청춘기에 이미 인생의 모든 맛을 다 보았을는지도 모른다.

1935년의 작가수첩에는 이런 글이 있다. "경험이라는 낱말의 허풍. 경험은 실험적인 것이 아니다. 경험은 야기하는 게 아니다. 경험은 수동적으로 겪는 것이다. 경험이라기보다는 인내. 우리는 참는다. 아니 그보다는, 우리는 괴로워한다. 경험적인 모든 지식. 경험 끝에 우리는 현자가 되는 게 아니라 전문가가 된다. 그런데 무엇에 관해서?"[1] 이 글은 카뮈가 '참다', '인내하다'라는 뜻의 프랑스어 동사 'patienter'와 '괴로워하다', '고통을 느끼다'라는 뜻의 'pâtir'를 놓고 말놀이를 하는 것이기도 하지만, 두 가지 종류의 경험이 있음을 예시하고 있는 단상이기도 하다. 즉,

수동적인 경험과 능동적인 경험을 구분하고 있는 카뮈의 생각을 엿볼 수 있다. 스물두 살의 청년은 참고 기다리는 수동적인 경험보다는 현실의 고통을 직접 맛보는 능동적인 경험에 뛰어들고 싶다는 의지를 내비치고 있다. 다시 말해서, 수동적인 경험에서 얻은 지식으로 "전문가"가 되기보다는, 능동적인 경험에서 삶의 지혜를 터득한 "현자"가 되고 싶다는 의지를 표출하고 있다. 굳이 말하자면, 청년 카뮈의 경험론이라고나 할까.

1936년 6월 석사학위 취득 후, 카뮈는 그의 스승 그르니에처럼 대학교수가 되려고 대학교수자격시험에 원서를 접수했다. 하지만 폐결핵 환자라는 이유로 응시조차 할 수 없게 되자, 카뮈는 다른 길을 모색할 수밖에 없었다. 1935년 5월부터 쓰기 시작한 그의 작가수첩을 보면, 이 시기의 카뮈가 모색하던 길이 무엇인지를 알 수 있는 단초들을 여기저기에서 발견할 수 있다. 1935년 5월의 어느 날에 쓴 첫 번째 글에서는 다음과 같은 구절을 읽을 수 있다.

> 작품은 하나의 고백이다. 나에게는 증언하는 게 필요하다. 내겐 딱 한 가지 할 말이 있다. 똑바로 쳐다볼 것. 내가 보기에, 삶의 진정한 의미라고 여겨지는 것에 가장 확실하게 접근할 수 있는 길은 바로 이 가난한 삶과 이 겸손한 사람들 혹은 이 건방진 사람들과 함께할 때이다. 예술작품만으로는 결코 충분하지 않을 것이다. 내게 예술은 전부가 아니다. 적어도 하나의 수단이기만을 바란다.[2]

이 글을 쓸 때만 해도, 카뮈는 삶과 예술 가운데 삶에 더 방점을 두고 있는 듯하다. 그로부터 반년이 지난 1936년 1월의 작가수첩에는 다음과 같은 단상이 적혀 있다.

> 우리는 오로지 이미지를 통해서만 사고한다. 철학자가 되고 싶거든, 소설을 써라.[3]

이 단상은 카뮈가 소설가가 되고 싶다는 꿈을 처음으로 피력하고 있기에 기억해 둘 만하다. 같은 해 5월의 작가수첩에는 "철학작품 : 부조리함. 문학작품 : 정복이라는 기치 아래 권력, 사랑 그리고 죽음. 두 작품 속에서 독특한 어조를 견지하면서 두 장르를 혼합할 것. 어느 날 의미 있는 책 한 권을 쓸 것"[4]이라고 언급하고 있는데, 이 글은 소설 『이인』과 철학 에세이 『시지프 신화』를 연상케 하는 단상이다. 1937년 4월의 작가수첩에는 "이야기 ― 자신을 정당화하려 하지 않는 인간. 사람들이 그에 대해 품은 생각이 그보다 우선시된다. 그는 혼자 자신의 진실을 간직한 채 죽는다"[5]라는 메모가 있는데, 카뮈가 『이인』의 주제를 막연하게나마 언급하고 있는 첫 번째 글이다. 그리고 같은 해 9월에는 "글을 쓴다는 것, 내가 폐부로부터 느끼는 쾌락"[6]이라고 고백하고 있는데, 이미 작가의 길로 접어들었음을 암시하고 있다.

사실, 카뮈가 작가의 꿈을 품은 것은 훨씬 이전으로 거슬러 올라간다. 카뮈는 1959년 장 클로드 브리스빌과의 대담에서 "열일곱 살경에 작가가 되고자 했고, 그와 동시에 막연하게나마 작가가 될 것이라고 느꼈다"[7]고 대답한 바 있다. 이 대담에서 카뮈가 언급한 시기는 바로 장 그르니에 선생을 만난 때이다. 물론 "막연하게나마"라는 단서를 달고 있긴 하지만, 장 그르니에가 내민 앙드레 드 리쇼의 소설 『고통』은 열일곱 살의 카뮈에게 깊은 감명을 주었고, 이 작품을 읽고 난 후 카뮈는 자신도 가난과 어머니에 대한 글을 얼마든지 쓸 수 있다는 생각을 품게 되었다. 카뮈의 글이 처음으로 인쇄되어 발표된 것은 1932년이었다. 카뮈는 알제에서 발간되는 월간지 〈남쪽〉에 네 편의 글을 발표했다. 1932년 3월호에 발표한 첫 번째 에세이 「새로운 베를렌」에서 필자는 폴 베를렌을 때 묻지 않은 몽상가로 지칭하면서, 그의 명성보다 훨씬 더 훌륭한 시인으로 대접받아야 할 것이라고 주장했다. 5월호에 발표한 「장 릭튀스, 빈곤의 시인」에서는 거의 무명에 가까운 시인이 1897년에 출간했던 시집 『빈자의 독백』에 담긴 빈자의 지난한 삶과 그 영혼의 순수함을 찬미하고 있다. 6 월호에 발표한 에세이 「금세기의 철학」에서는 앙리 베르크손의 신간 저서 『도덕과 종교의 두 기원』을 기대에 미치지 못하는 실패작으로 비판했다. 「금세기의 철학」과 함께 같은 6월호에 실린 「음악에 관한 시론」에서는 쇼펜하우어와 니체의 음악론을 다루었다. 카뮈는 이후에도 「달동네의 병원」과 「달동네의 목소리」 등 여러 편의 글들을 썼으나, 발표되지 않은 채 육필 원고로 남아 있었는데, 사후에 발굴되어 빛을 보게 되었다.

습작기를 거쳐 카뮈는 1937년 5월에 첫 번째 작품 『안과 겉』을 출간했다. 친구인 에드몽 샤를로가 창립한 소규모 신생 출판사에서 출간된 이 산문집은 「아이러니」, 「예와 아니오 사이」, 「눈물을 머금고(La mort dans l'âme)」, 「삶에 대한 사랑」, 「안과 겉」 등 다섯 편의 산문으로 엮여 있다. 이 처녀작은 초판 385부를 인쇄한 이후 오랫동안 재출판을 하지 않아서 독자들이 접근할 수 없었고, 1958년에 가서야 갈리마르 출판사에서 재판이 발행됨으로써 세상에 널리 알려지게 되었다. 카뮈는 이 재판 서문에서 왜 재출판을 거부했는지에 대해서 상세하게 설명했는데, 산문집의 내용 때문이 아니라 서투른 글쓰기 때문이었다고 밝히고 있다. 하지만 새내기 작가의 서투른 글쓰기에도 불구하고, 카뮈는 자신의 처녀작에 대해 깊은 애정도 솔직하게 표현하고 있다. "예술가에게는 누구나 자기 마음 깊숙한 곳에 일생 동안 자신의 존재와 자신의 말에 자양분을 공급해 주는 유일한 샘이 있다. […] 나의 경우로 보면, 나의 샘은 『안과 겉』에, 내가 오랫동안 살며 겪었던 이 가난과 빛의 세계에 있다는 사실을 알고 있다"[8]고 고백하면서, 카뮈는 "한 예술가의 삶에는 자신의 중심으로 다가가서 명확하게 인식하고, 그 중심에서 벗어나지 않으려고 애쓰는 때가 반드시 찾아오는 법이다. 그게 바로 지금이다"[9]라고 재출판의 배경을 설명했다. 또한, 카뮈는 이 처녀작을 두고 작가이자 언어철학자인 브리스 파랭이 그 이후의 다른 어느 작품보다도 더 뛰어난 작품이라고 평가했다는 점을 소개하면서, "브리스 파랭의 말은 이 서투른 글들에는 그 이후에 나온 다른 모든 글들에서보다도 더 진정한 사랑이 담겨 있다"[10]는 점을 강조한 것이라고 해석했다. 브리스 파랭의 지적처럼, 독자들은 『안과 겉』에서 "삶에 대한 절망이 없으면, 삶에 대한 사랑도 없다"[11]와 같은 담백하면서도 폐부를 찌르는 문장들을 읽으면서, 적어도 이 산문집 속에 담긴 "진정한 사랑"의 메시지를 충분히 감지할 수 있을 것이다.

『안과 겉』을 출간한 지 2년 후인 1939년 5월에 청년작가는 같은 출판사에서 두 번째 산문집 『결혼』을 출간했다. 제목에서 암시하고 있듯이, 태양과 바다와의 '결혼'을 노래하는 서정적인 언어로 쓰인 이 산문집은 「티파사의 결혼」, 「제밀라의 바람」, 「알제의 여름」, 「사막」 등 네 편의 산문으로 구성되어 있다. 「티파사의 결혼」은 "태양과 바다에서 태어난 족속"[12]이라고 자처하는 한 젊은이가 티파사의 자연을 몸으로 만끽하면서 "행복하다고 해서 부끄러워할 것은 없다"[13]라고 외치는 태양과 바다에 대한 찬가이다. 「제밀라의 바람」에서는 "바람과 태양의 난폭한 일광욕에 나의 모든 생명력이 고갈되는"[14] 제밀라에서 한 젊은이의 죽음에 대한 성찰을 감성적인 언어로 그리고 있는데, "태양을 사랑하는 동물의 육체적인 두려움"[15]을 느끼는 이 젊은이는 "죽음에 대한 나의 모든 공포심은 삶에 대한 질투심에서 기인하고 있다는 걸 나는 알고 있다"[16]라고 외치면서 삶의 찬가를 부르고 있다. 「알제의 여름」은 지중해의 찬란한 태양과 바다가 베푸는 자연의 선물을 맘껏 향유하는 몸(육체)에 대한 찬가이다. "그렇게 몸 가까이에서, 몸을 통해서 살다 보니, 몸에도 자기 뉘앙스와 자기 삶이 있고, 난센스를 무릅쓰고 말한다면, 몸에도 고유한 심리학이 있다는 사실을 깨닫는다. 정신의 진화와 마찬가지로 몸의 진화에도 역사가 있고, 기복이 있고, 진전이 있고, 결핍이 있다"[17]라는 작가의 몸철학이 눈에 띈다. 마지막 산문인 「사막」에서도 카뮈는 "누구나 알다시피, 고통 받는 몸 역시 지옥이다"[18]라고 단언하면서, "최고조의 도취에 이른 몸은 의식을 가지게 되고, 신성한 신비와의 합일을 인정한다"[19]라고 몸의 유희와 쾌락을 찬미하는 몸철학을 펼치고 있다. 흔히 『결혼』의 언어는 『지상의 양식』의 작가인 앙드레 지드의 감각적인 언어와 유사하다는 평가를 받곤 했는데, 실제로 『결혼』을 읽은 후 지드는 "나는 이 책의 글쓰기 방식을 매우 좋아하며, 정말이지 언어 감각을 지니고 있는 대단한 위인이다"[20]라고 극찬한 바 있다.

이상에서 보듯이, 두 산문집 『안과 겉』과 『결혼』은 형식 면에서나 내용 면에서나 각각 고유한 특색을 지니고 있는데, 카뮈의 작품세계에서 늘 발견되는 인간과 세계의 '이중성' 혹은 '두 얼굴'을 그리고 있는 작품들이라고 할 수 있다. 말하자면, 『안과 겉』이 정신과 어둠의 세계를 그리고 있는 반면에, 『결혼』은 몸과 빛의 세계를 찬미하고 있다는 것이다. 비록 『안과 겉』과 『결혼』을 발표함으로써 작가로서 발을 내딛기는 했으나, 새내기 작가 카뮈는 극소수의 알제 독자들에게만 알려져 있을 뿐, 프랑스 문단에서는 여전히 무명작가에 불과했다. 하지만 두 작품에 대한 브리스 파랭과 앙드레 지드의 평가가 보여 주듯이, 적어도 『안과 겉』과 『결혼』은 작가의 문학적 재능을 충분히 입증하고 있으며, 무엇보다도 중요한 것은, 향후 20세기 프랑스 문단을 대표하게 될 작가가 탄생했다는 사실이다.

1.6. 신참기자에서 편집국장으로

1.6.1. 〈알제 레퓌블리캥〉

1937년 9월 알제리 공산당을 탈당한 카뮈는 노동극단을 해체하고 친구들과 함께 집단극장을 창설해서 연극활동을 이어 나가는 한편, 과외교사와 경시청의 일용직 등 아르바이트로 근근이 생활비를 벌어야 하는 처지에 있었다. 그러던 중, 1938년 여름, 알제에서 새로이 창간되는 좌파 일간지 〈알제 레퓌블리캥(Alger républicain)〉의 기자 모집에 응시해서 우연치 않게 언론계에 입문하게 되었다. 이와 관련해서 카뮈는 1938년 말경에 장 그르니에 선생에게 보낸 편지에서 다음과 같은 심경을 피력하고 있다. "저는 〈알제 레퓌블리캥〉에서 기자생활을 하고 있습니다. 사건 사고와 르포 그리고 몇몇 문학 기사들. 선생님께서는 이 직업이 얼마나 실망스러운 것인지를 저보다 훨씬 더 잘 알고 계십니다. 하지만 저는 자유의 느낌 같은 것을 발견하기도 합니다. 저는 구속받지 않고 있으며, 제가 하는 모든 일에 활력이 있어 보입니다. 저는 또한 꽤나 천박한 수준의 만족감도 얻고 있습니다. 하는 수 없죠."[1] 카뮈는 궁여지책으로 기자가 되긴 했지만, 기사를 쓰면서 글쟁이로서의 만족감도 느낄 수 있었다.

조간지 〈알제 레퓌블리캥〉의 탄생은 1936년 총선에서 승리한 좌파연
합 정부인 민중전선의 등장과 밀접하게 연관되어 있었다. 당시 알제에
는 우파 언론인 〈레코 달제(*L'Echo d'Alger*)〉와 〈라 데페쉬 알제리엔(*La
Dépêche algérienne*)〉이라는 두 주력 일간지가 여론을 주도하고 있었다.
이에 장-피에르 포르는 민중전선 정부의 입장을 대변할 새로운 일간지
의 필요성에서 시민 공모주 형식을 빌려 〈알제 레퓌블리캥〉을 창간했다.
"정직한 정보를 제공하는 일간지", "서민의 신문", "노동자 신문", "민중
전선의 일간지"[2]임을 표방한 〈알제 레퓌블리캥〉은 1938년 10월 6일에
창간호를 발행했는데, 창간 멤버의 주축은 편집국장 파스칼 피아와 새
내기 기자 카뮈였다.

신생 일간지의 편집을 책임질 경륜 있는 기자를 물색하기 위해 파리
를 방문한 장-피에르 포르는 지인의 소개로 파스칼 피아를 만나게 되었
다. 당시 파스칼 피아는 파리에서 발간되는 일간지 〈스 수아르(*Ce Soir*)〉
의 편집국에 근무하고 있었는데, 이 신문은 프랑스 공산당이 후원하는
일간지로, 루이 아라공과 장-미셸 블록이 공동 발행인이었고, 폴 니장은
국제정치를 담당하고 있었다. 장-피에르 포르의 제안을 받은 파스칼 피
아는 고민 끝에 신생 일간지의 편집국장직을 수락했다. 본명이 피에르
뒤랑인 파스칼 피아는 해박한 지식과 탁월한 편집 능력으로 파리 언론
계에서는 명성이 자자한 베테랑 기자였다. 그는 한때 부랑배로 뒷골목
을 전전했던 경력이 있는 한편, 극작가 앙토냉 아르토를 비롯해서 앙드
레 말로와 장 폴랑 등, 당대 프랑스 문단의 유력인사들과도 친분이 있던
특이한 인물이었다. 또한 시인 보들레르를 광적으로 좋아하던 그는 시
를 쓰기도 했고, 지독한 페시미스트로 알려져 있었다. 특히, 그는 프랑스
어의 문법과 쓰임새에 대해 극단적으로 엄밀하고 꼼꼼한 지식을 갖추고
있어서 교정과 교열은 물론이고 제목을 뽑거나 기사 배치에 있어서도
탁월한 능력을 인정받던 편집 전문기자로 정평이 나 있었다. 장-피에르

포르가 파스칼 피아를 편집국장으로 선택한 이유도 이러한 그의 능력을 높이 산 데 따른 것이었다.

기자 경력이 전무했던 카뮈가 파스칼 피아를 만나게 된 것은 커다란 행운이었다. 왜냐하면 기사 작성에 관한 한 완벽주의자였던 파스칼 피아 밑에서 풋내기 기자 카뮈는 매우 소중한 수업을 받을 수 있었기 때문이다. 면접시험에 응시한 스물다섯 살의 청년 카뮈를 본 파스칼 피아는 첫눈에 지원자의 잠재적인 능력을 간파했다. 파스칼 피아는 카뮈보다 열 살 위였고, 카뮈와 마찬가지로 1차 대전 때 아버지가 전사했으므로, 두 사람은 동병상련의 처지였다. 의기투합한 두 기자는 곧 〈알제 레퓌블리캥〉의 노선을 주도해서 식민지 총독부에 대항하는 좌파 일간지로서의 면모를 갖춰 나갔다. 하지만 이러한 반정부 성향의 기조는 신문의 재정적 운영 측면에서 문제를 야기하지 않을 수 없었고, 일부 구성원들의 반발을 사기도 했다. 심지어 일부 기자들이 카뮈를 모함하는 사태까지 벌어지기도 했으나, 발행인인 장-피에르 포르가 파스칼 피아와 카뮈를 전적으로 신뢰한 덕분에 일 년 반의 생명을 유지할 수 있었다.

풋내기 기자 카뮈는 거의 모든 부문에서 신문 제작에 참여했다. 통신사의 외신에 의존한 국제정세 관련 기사에서부터 총독부의 식민지 정책을 비판하는 국내정치에 이르기까지, 사건 사고 기사에서부터 문학 관련 기사에 이르기까지, 법정 기사에서 장편 르포까지, 모든 종류의 기사들을 작성했다. 특히 독일의 선전포고 이후, 프랑스가 전시 상태에 돌입하면서 당국의 검열이 심화되었을 때에는, 여러 개의 가명으로 기사를 내보내야 했고, 교묘한 말장난으로 검열을 피하기도 했다. 〈알제 레퓌블리캥〉의 기자 카뮈의 활약상 중에서도, 오당 사건과 엘 오크비 사건, 그리고 장편 르포 「카빌리의 빈곤」은 진실과 정의를 위한 투쟁의 대표적인 사례이다. 이와 더불어 일련의 서평들에서는 카뮈의 지적 성향과 문학적 감수성을 엿볼 수 있고, 언론의 사명과 윤리를 설파한 기사들은 그의 언론관을 명료하게 보여 주고 있다.

1.6.2. 오당 사건

오당 사건은 농업협동조합의 곡물수매 담당 직원인 미셸 오당(Michel Hodent)이 일부 농민들의 모함으로 구속된 데에서부터 시작되었다. 수매한 곡물의 일부를 갈취하지 않았는데도 불구하고, 아무런 사전조사도 없이 구속된 오당은 자신의 결백을 주장하기 위해 여러 군데 탄원서를 제출했고, 〈알제 레퓌블리캥〉 신문사에도 무죄를 주장하는 편지를 보냈다. 이 편지를 접수한 카뮈는 무고한 시민의 인권을 위해 1939년 1월 10일자에 「총독님께 보내는 편지」라는 제목의 기사를 게재했다. 총독에게 보내는 형식의 이 공개서한에서 카뮈는 오당이 구속된 이후 사실 확인 결과 무혐의가 드러났음에도 불구하고 석방되지 않고 있다는 사실을 적시하면서, 최고 통치권자인 총독이 이 사건에 개입해서 무고한 시민을 불의로부터 구해 달라는 간곡한 호소를 했다.

> 연민의 문제가 아니라, 정의의 문제입니다. [···] 불의에는 수천 개의 얼굴들이 있습니다. 그리고 불의의 힘이라는 건 불의에 처한 정의로운 인간 그 자체를 불의로 만들어 버리는 것입니다. 총독님, 바로 이런 사태를 우려해야만 합니다. 오늘 우리가 언급하는 이 기괴한 불의에 총독님께서 관심을 가진다면, 총독님은 한 인간을 증오로부터 구원해 줄 것입니다. 빈곤과 부조리로 인해 수많은 사람들이 인간의 자격을 상실해야 하는 세상에서 단 한 사람의 목숨이라도 구원하는 것은 곧 자기 자신의 영혼을 구원하는 것이나 다름없고, 이와 더불어 우리 모두가 바라는 인간의 미래를 조금이나마 구원하는 것에 해당합니다. [···] 한 인간에게 그의 존엄성을 되돌려줌과 동시에 이 세상에 좀 더 많은 진실을 안겨

줌으로써, 거짓과 증오가 결코 승리할 수 없는 세상을 만들려는 우리의 입장에

총독님께서도 기꺼이 동참하리라고 확신합니다.[3]

아마도 이 기사가 아니었다면, 오당 사건이라는 것 자체가 탄생하지 않

았을는지도 모른다. 에밀 졸라의 「펠릭스 포르 공화국 대통령께 보내는

편지」[저 유명한 「나는 고발한다!」의 원제]가 없었더라면, 드레퓌스 사건이

일어나지 않았을는지도 모르는 것처럼 말이다. 말하자면, 「총독님께 보

내는 편지」는 카뮈의 「나는 고발한다!」나 다름없었다.

이 공개서한이 발표된 뒤 오당은 풀려나긴 했지만, 여전히 무죄 선고

를 받지 못한 채, 피의자 신분으로 가석방 상태에 있었다. 오당이 석방되

었음에도 불구하고, 카뮈는 오당의 무죄를 온전하게 밝히기 위해서, 또

다시 붓을 들어 1939년 2월 4일자 〈알제 레퓌블리캥〉에 「오당 사건 또

는 사법부의 변덕」이라는 제목의 기사를 게재했다. "20일 전쯤, 우리는

트레젤의 협동조합 직원인 오당 씨에게 가해진 처사에 대해 총독님의 관

심을 이끌어 낸 바 있다. 당시는 단지 불의를 고발하고, 무고한 한 인간

을 위해 자기방어 권리를 주장하는 게 관건이었다. 오늘 현재, 오당 씨는

가석방 상태에 있고, 이 권리를 행사할 수 있게 되었다. 그리고 이제 우

리가 해야 할 일은 오당 씨의 변호를 돕는 일이다. 왜냐하면 자유는 정

의의 일부분에 지나지 않고, 정의를 요구한다는 것은 온전한 정의를 요

구하는 것이기 때문이다"[4]로 시작되는 이 기사는, "사법부가 심판하다"[5],

"사법부가 번복하다"[6], "사법부가 사법부를 심판하다"[7]라는 중간제목에

서도 짐작할 수 있듯이, 불의에 맞서서 외롭게 투쟁하고 있는 한 시민의

인권을 옹호하기 위해 사법부를 정면으로 공격하고 있다.

카뮈는 여기에 그치지 않고, 독자들에게 이 사건의 진실과 진상을 알

리기 위해서, 일련의 기사들을 계속해서 〈알제 레퓌블리캥〉 지면에 게재

했다. 위에 소개한 두 편의 기사 이후에도, 1939년 2월 22일부터 오당

사건이 종결되는 3월 23일까지 무려 열한 편의 기사들을 게재했는데, 각 기사의 제목만 보아도 그 내용을 충분히 짐작할 수 있다.

「정의에 등 돌린 한 법관 — 오당 사건 또는 무수한 공권력 남용」(2월 22일 자),

「오당 사건이 확장되다」(3월 1일자),

「미셸 오당은 3월 20일 티아레 법정에 출두할 예정이다 — 이 추잡한 사건을 그대로 내버려 둘 것인가?」(3월 5일자),

「오당 사건 — 언제부터 직업의식을 추구했는가?」(3월 7일자),

「오당 사건 — 사법부에 불리한 증인을 어떻게 매수하고 따돌리고 있나?」(3월 9일자),

「오당 사건 — 정의로운 한 인간이 무죄를 주장하다」(3월 13일자),

「미셸 오당의 "공범들"과 수사의 변덕」(3월 16일자),

「오당 사건 — 어리석음에 빠지다 보니 수사가 더욱 추악해질 수밖에 없다」(3월 18일자),

「오당 사건 — 피의자들의 무죄가 내일 아침 티아레 법정에서 인정될 것이다」(3월 19일자),

「티아레 법정에서의 오당 사건 — 공판 첫날, 피의자들에게 어떠한 잘못도 없음이 밝혀지다. 현장취재 알베르 카뮈」(3월 21일자),

「오늘 오전, 오당 사건의 판결이 내려질 예정이다 — 어제 변호인들은 기소 사유의 근거가 없음을 강조했다. 이 기소 사유를 포기하지 않은 검사가 잘못했다. 현장취재 알베르 카뮈」(3월 22일자),

「오당과 창고지기 마스의 무죄가 마침내 승리하다 — 티아레 법정은 모든 피의자들에게 무죄를 선고했고, 소송비용을 원고측이 부담하도록 하다」(3월 23일자).

이 일련의 기사들이 보여 주고 있듯이, 카뮈의 끈질기고 집요한 노력 덕분에 피의자였던 미셸 오당과 창고지기 마스는 무죄판결을 받기에 이르렀다. 이삼 일에 한 번꼴로 오당의 무죄와 사법부의 잘못을 지적하는 기사를 보도함으로써, 어쩌면 세인의 눈에 띄지 않은 채 그냥 묻혀 버렸을지도 모를 사소한 사건을 여론에 환기시킴으로써, 카뮈는 마침내 무고한 피의자에게 진실과 정의를 되돌려준 것이었다. 기자의 사명과 의무를 다하고자 하는 카뮈의 투철한 기자정신 덕분에 진실과 정의가 승리를 거둔 것이었다. 말하자면, 카뮈에게 오당 사건은 볼테르의 칼라스 사건이나 마찬가지였다. 흔히 볼테르를 프랑스 최초의 지성인이라고 일컫는 사실을 상기하면, 이 오당 사건으로 지성인 카뮈가 탄생했다고 해도 과언이 아닐 것이다.

무죄판결을 받은 미셸 오당은 두 달 후『한 인간을 사냥한 모리배들』이라는 제목의 소설을 출간했는데, 카뮈는 5월 23일자 〈알제 레퓌블리캥〉에 이 책의 출간을 알리는 토막기사를 게재했다. "알제리의 사회문제에 관심 있는 모든 이들과 불의에 반항하는 모든 이들은 부당하게 삶이 망가져 버린 한 인간의 감동적인 증언을 읽어 보시기를."[8] 참고로, 미셸 오당은 훗날 카뮈가 세상을 떠났을 때, 카뮈의 미망인에게 편지를 보내 옛 은인을 애도했다. 카뮈가 세상을 떠난 이틀 후인 1960년 1월 6일 사하라가 발신지로 표기된 이 편지에서 미셸 오당은 "알제리인 가운데 최고의 인간이자 금세기의 가장 위대한 인물들 가운데 한 사람"이고, "늘 정의와 독립에 목말라 했던 최고의 인간이던 귀하의 부군에게 무한한 감사"[9]를 드린다면서, 20년이라는 세월이 흘렀음에도 식지 않은 감사의 정을 전했다.

1.6.3. 엘 오크비 사건

엘 오크비 사건은 당시 알제리 정치와 사회의 단면을 대표적으로 드러내는 단순하면서도 복잡하게 얽힌 사건이었다. 엘 오크비(El Okbi)는 알제리 무슬림계의 지도자로서 토착민들의 두터운 신임을 받는 개혁적인 인물이었다. 그는 회교 성지인 메카 순례를 다녀온 직후인 1931년부터 쿠란에 대한 새롭고 개혁적인 해석으로 알제의 대회교사원 신도들에게 막대한 영향력을 행사하던 율법 이론가였다. 반면에, 보수 무슬림 지도자들에게는 눈엣가시였고, 식민지 총독부도 알제리 젊은이들에게 미치는 그의 영향력 때문에 요주의 인물로 지목한 유력인사였다. 그런데 1936년 8월 2일, 보수파 무슬림 지도자인 카훌이 살해당하는 사건이 발생했다. 경찰의 사주와 무슬림 보수파의 날조된 증언들로 인해, 엘 오크비는 무슬림 개혁파에게 자금을 대주던 아바스 투르키와 함께 살인 혐의로 구속되었다. 하지만 날조된 증언의 주동자였던 아카샤라는 보수파 인물의 증언이 경찰의 사주에 의한 것이었음이 드러나자, 엘 오크비와 아바스 투르키는 1938년 2월 면소 판결을 받아 석방되었다. 그러나 살해된 카훌의 가족이 이에 반발해서 다시 고소함으로써 두 사람은 또다시 법정에 서게 되었다.

카뮈가 엘 오크비 사건에 개입한 것은 1939년 6월에 열린 재심 때부터였다. 그는 재판이 진행된 1939년 6월 21일부터 29일까지 하루도 빠짐없이 법정에서 공판 상황을 직접 참관하고 나서, 매일 장문의 기사에서 법정 심리 현장을 세세하게 독자들에게 전달했다. 기사 내용은 주로 거짓 증언의 터무니없음을 드러내고, 정치적이고 종교적인 목적에 의해서 조작된 사건임을 보여 주는 데에 할애되었다. 결국, 엘 오크비와 아바스 투르키는 무죄판결을 받았고, 거짓 증언을 했던 아카샤가 무기징역을 선고받은 것으로 사건은 종결되었다. 〈알제 레퓌블리캥〉 3월 24일자 기사에는 "재판관 앞의 그리스도 십자가"라는 중간제목을 단 부분이 있는데, 검사인 바이양과 거짓 증언을 했다가 번복한 증인 아카샤와의 질의 응답은 이 재판의 실상을 보여 주는 단적인 에피소드이므로 그 일부를 인용한다.

바이양 검사는 그리스도 십자가상을 보여 주며, 십자가상에 대해 설명했다. 검사는 아카샤에게 말했다. "당신이 종교인이라면, 우리는 서로 이해할 수 있습니다. 본인은 기독교인입니다. 본인도 신을 믿습니다. 자, 여기 십자가상이 있는데, 본인이 이 십자가상을 볼 때마다, 십자가상은 본인을 도와줍니다." 그러고 나서 검사는 십자가상을 아카샤에게 들이대면서 말했다. "당신이 신을 믿는다면, 어찌 한 종교인을 살해하고 나서, 또 한 사람의 종교인을 감옥으로 보내려할 수 있겠는가?" 아카샤가 말을 이어받아 선언했다. "아뇨. 저는 이미 말씀 드렸듯이, 신을 믿지 않습니다. 신은 너무 늙었습니다. 신을 바꾸어야 합니다."[10]

가히 초현실주의적이라 할 수 있는 이 증인 심문의 일부를 굳이 소개하는 이유는 위 인용문을 읽으면서 『이인』의 2부 1장에 나오는 수사검사와 뫼르소와의 대화 장면이 떠오르지 않을 수 없기 때문이다. 『이인』의 장면을 인용한다.

검사는 갑자기 자리에서 일어나더니, 큰 걸음으로 사무실 한쪽 끝으로 걸어가서 서류함의 서랍을 열었다. 그는 서랍에서 은십자가를 꺼내서 내 쪽으로 돌아오며 십자가를 흔들어댔다. 그러고는 전혀 다른 목소리로, 거의 떨리는 목소리로 부르짖었다. "이거, 당신 이거 알아요?" 난 "그럼요. 물론이죠"라고 했다. 그러자 검사는, 아주 다급하게 그리고 열정적으로, 자기는 신을 믿으며, 어떤 인간도 신께서 용서를 하지 않을 만큼 죄인은 아니라는 게 자신의 신념이지만, 그렇기 위해선 인간이 뉘우침을 통해서 모든 걸 받아들일 자세가 되어 있는 영혼이 텅 빈 어린 아이와도 같아야 된다고 말했다. 검사는 책상 위로 온몸을 기울였다. 그는 거의 내 머리 위에서 십자가를 흔들어댔다. 사실 난 검사의 논리를 잘 따라잡지 못했는데, 무엇보다도 날씨가 더운 데다가 사무실 안에 있던 커다란 파리들이 내 얼굴에 앉곤 하기 때문이었고, 또한 검사가 내게 약간 겁을 주기 때문이기도 했다. 그와 동시에 난 검사가 그러는 게 우스꽝스럽다고 판단했다. 왜냐하면 어쨌거나 범죄자는 나였기 때문이었다. 내가 대충 이해한 바로는, 검사가 볼 때, 나의 자백에 단 하나 난해한 점이 있는데, 두 번째 발을 발사하기 전에 기다렸다는 것이었다. 그 나머지는 매우 명쾌하지만, 그 점만은 이해가 가지 않는다는 것이었다.

난 그 점은 그다지 중요하지 않기 때문에 그렇게 물고 늘어지는 게 잘못이라고 말할 참이었다. 하지만 검사가 내 말을 끊고선, 꼿꼿이 선 채로, 내게 신을 믿느냐고 물으면서 마지막으로 나를 다그쳤다. 난 아니라고 대답했다. 검사는 분기탱천해서 자리에 주저앉았다. 그는 그건 있을 수 없는 일이라고, 모든 인간이 신을 믿으며, 심지어 신의 얼굴을 외면하는 이들조차도 신을 믿는다고 말했다. 그게 그의 신념이었고, 만일 그걸 추호라도 의심해야 한다면, 그의 삶은 더 이상 의미가 없을 것이라고 했다. 검사가 부르짖었다. "당신은 내 삶이 의미가 없기를 바라는 거요?" 내 생각에 그건 나와 상관없는 일이었고, 난 검사에게 그렇게 말했다. 하지만 검사는 책상을 가로질러 이미 내 코앞에다 예수님을 들이대며 사리에 맞지 않게 소리를 질렀다. "난 말이지, 난 기독교인이야. 난 네 잘못 때문에 예수님께 용서를 구하고 있어. 어찌 네가 예수님이 너 때문에 고통 받았다는 걸 믿지 못할 수 있냐고?" 검사가 내게 반말을 하고 있다는 걸 똑똑히 알아차렸지만, 난 진저리가 났다. 더위가 점점 더 심해지고 있었다. 내 귀에 말이 들어올까 말까한 사람으로부터 벗어나고 싶을 때면 늘 그렇게 하듯이, 난 인정하는 듯한 표정을 지었다. 놀랍게도, 검사는 의기양양했다. "그지, 그지. 너 믿는 거잖아? 너 예수님께 의지하려는 거잖아?" 당연히 난 거듭 아니라고 했다. 검사는 의자에 털썩 주저앉았다.

검사는 몹시 피곤한 표정이었다. 그는 한동안 말이 없었다. 그러는 사이에, 줄곧 대화를 따라오던 타자기가 마지막 문장들을 이어가고 있었다. 이윽고 검사가 조금은 애절한 눈으로 나를 찬찬히 들여다보며 중얼거렸다. "난 당신같이 메마른 영혼은 한 번도 본 적이 없어요. 나한테 출두한 범죄자들은 한결같이 이 고통의 이미지 앞에서 눈물을 흘렸어요." 난 그건 바로 그들이 범죄자이기 때문이라고 말할 참이었다. 그런데 나 역시 그들과 같다는 생각이 떠올랐다. 내겐 익숙해질 수 없는 생각이었다. 그때, 심문이 끝났다는 걸 알리기라도 하듯이, 검사가 자리에서 일어났다.[11]

위 인용문을 읽다 보면, 뫼르소가 "신은 너무 늦었습니다. 신을 바꾸어야 합니다"라는 말을 하지 않았다는 사실을 제외한다면, 마치 엘 오크비 사건의 공판검사와 피고 사이에 오고간 선문답을 듣고 있는 게 아닌가 하는 착각에 빠진다. 그도 그럴 것이, 이 공판검사의 어휘와 논조가 고스란히 반영되어 있기 때문이다. 다시 말해서, 『이인』의 수사검사의 언어와 심문 내용은 이 공판검사의 논고를 부풀려서 작성되었다고 해도 과언이 아닐 정도로 너무나 유사하다는 것이다. 실제로, 엘 오크비 사건을 보도할 당시, 카뮈는 『이인』을 구상 중에 있었는데, 이 작품의 2부에 기술된 심문 과정은 이 사건을 취재했던 경험을 바탕으로 재구성되었다는 사실을 충분히 짐작해 볼 수 있다.

엘 오크비 사건은 날조된 증언과 재심 판결 그리고 종교와 관련된 점 등, 여러 가지 면에서 칼라스 사건과 드레퓌스 사건을 떠올리게 하는 사건이다. 말하자면, 오당 사건과 엘 오크비 사건의 카뮈는 칼라스 사건의 볼테르이자 드레퓌스 사건의 졸라였다고 할 수 있다. 그리고 이 두 사건은 진실과 정의의 승리를 위한 한 지성인의 투쟁이 무고한 인간의 삶과 목숨을 구할 수 있다는 사실을 여실히 보여 주고 있다는 점에서, 〈알제 레퓌블리캥〉의 청년기자 카뮈는 볼테르와 졸라의 계보를 잇는 지성인의 반열에 올라서 있었다고 해도 과언이 아닐 것이다.

1.6.4. 「카빌리의 빈곤」

장편 탐방 르포인 「카빌리의 빈곤」은 〈알제 레퓌블리캥〉 기자 카뮈가 남긴 가장 탁월한 업적으로 인정받는 연재기사로, 1939년 6월 5일부터 6월 15일까지 매일 보도된 11개의 장편기사들로 구성되어 있다. 카뮈 자신도 이 장편 르포의 가치를 인정한 듯, 1958년에 출간한 『시론 Ⅲ, 알제리 연대기 1939-1958』에 주요 내용을 발췌해서 실었다. 자신이 가난한 가정에서 자라나 누구보다도 빈곤이 무엇인지를 잘 알고 있었기에, 청년기자 카뮈는 카빌리의 적나라한 현실을 적시할 수 있었다. 또한, 때로는 감성적인 문체로, 때로는 촌철살인의 언어로, 기아와 궁핍에 시달리는 카빌리 주민들의 실상을 고발할 수 있었던 그의 글재주도 이 르포의 가치를 드높여 주는 요인이라 할 수 있다.

카빌리는 알제 동쪽에 위치한 지역으로, 예로부터 베르베르족의 전통을 지켜 온 일군의 부족들이 사는 지역을 통칭한다. 지중해와 마주하고 있으면서도 산악 지대로 이루어진 카빌리는 고유한 전통과 문화로 알제리 내에서도 마치 독립 부족공동체처럼 여겨지는 지역이었는데, 인구과잉과 총독부의 무관심 때문에 극심한 기아와 빈곤에 허덕여야 했다. 카뮈는 이러한 카빌리의 현실을 취재하기 위해 직접 현장을 방문해서 실상을 접하고, 행정당국의 자료들을 면밀히 분석하고 검토한 뒤 정확한 수치에 근거한 기사를 작성했다.

1939년 6월 5일자 〈알제 레퓌블리캥〉에 보도된 첫 기사 「누더기를 걸친 그리스」에서 카뮈는 "인간과 대지의 합일을 보여 주는 듯, 삶과 풍광의 소박함"[12]을 보면서 카빌리를 그리스에 비유하고 있다. 그러나 이어지는 글에서 기자는 "하지만 나는 곧 유사점은 거기에 그친다고 말해야만 한다. 왜냐하면 그리스라고 하면 몸과 그 몸의 위용에서 나오는 어떤 영광이 불가피하게 떠오르기 때문이다. 그런데 내가 알고 있는 그 어떤 나라에서도 카빌리에서보다 더 몸이 모멸당하고 있는 것 같지 않다. 단도직입적으로 말해서, 이 고장의 빈곤은 끔찍하다"[13]고 한탄하면서, "이 고장의 진정한 얼굴을 되찾을 수 있도록 우리는 무엇을 했는가? 글을 쓰고 말을 하고 법을 제정하는 우리 모두가, 그리고 집에 돌아가서는 남이 겪고 있는 빈곤을 잊어버리는 우리 모두가 무엇을 했단 말인가? 이 민족을 사랑한다는 말만으로는 턱도 없다. 이곳에서는 사랑도 자선도 연설도 아무런 쓸모가 없다. 빵과 밀과 도움, 그리고 형제애에서 우러나오는 손길을 내밀어야 한다. 그 나머지는 문학일 뿐이다"[14]라고 독자들의 연대의식에 호소하고 있다. 그리고 "치욕스러운 일은 진실을 감추는 게 아니라, 진실을 모두 말하지 않는 것"이기에 카빌리의 열악한 현실에 대해 "우리는 우리의 느낌을 말할 것이고, 곧이곧대로 말할 것이다"[15]라고 약속하면서, "카빌리에서 만난 누추한 한 거지의 고름 가득한 두 눈과 상처투성이의 얼굴"[16]을 상징적으로 환기시키는 것으로 첫 기사를 마무리했다.

1939년 6월 6일자 두 번째 기사는 「헐벗음」이라는 제목을 달고 있는데, 정확한 수치들을 제시하면서 카빌리 주민들이 처한 부조리한 상황을 적시하고 나서, "수치나 증거의 문제가 아니라, 명백하고 적나라한 진실의 문제"[17]임을 지적하고 있다. 그리고 기사 말미에서 카뮈는 "적어도 독자들께서는 이곳의 빈곤이 화두나 명상의 주제가 아니라는 점을 느꼈을 것이다. 빈곤이 존재한다. 빈곤이 아우성치고, 빈곤이 절망하고 있다. 다시 한 번 말하거니와, 우리는 이 빈곤을 위해 무엇을 했으며, 우리에게 이 빈곤을 외면할 권리가 있는가?"[18]라고 반문하며 격정적인 언어로 양심의 소리를 토해 냈다. 6월 7일자 세 번째 기사에서도 먹을 게 없어서 독성이 있는 뿌리를 캐 먹고 죽은 다섯 어린이의 비참한 운명을 거론하면서, "이 모든 현실에 내가 덧붙일 게 뭐가 있겠는가? 독자들은 이러한 현실을 똑바로 주시하기를. […] 그러한 현실이 당연하다고 생각한다면, 그렇게 말하기를. 하지만 그러한 현실을 두고 볼 수 없다고 생각한다면, 행동하기를. 그리고 끝내 그러한 현실을 믿을 수 없다고 생각한다면, 현장에 직접 가서 보기를 나는 요구한다"[19]라고 거듭 독자들의 연대의식에 간절하게 호소했다.

1939년 6월 8일자 네 번째 기사는 카빌리 주민들이 받는 형편없는 임금 실태를 파헤쳤고, 6월 9일자 다섯 번째 기사는 너무나도 열악한 주거환경을, 6월 10일자 여섯 번째 기사는 인구 6만 명당 한 명의 의사 꼴인 절박한 의료환경을, 6월 11일자 일곱 번째 기사는 교육열이 높은 카빌리 주민들의 의지에도 불구하고 총독부의 불공정한 지원 탓에 발생한 열악한 교육환경을, 6월 12일자 여덟 번째 기사는 고리대금업자들에게 시달리는 자영업자들의 처절한 현실을 적시하면서 카빌리의 경제상황을 고발했다. 6월 13일자 아홉 번째 기사는 카빌리의 경제적, 정치적, 사회적 미래를 건설하기 위해서는 주민들이 요구하는 카빌리의 행정적 독립을 제안하고 있으며, 6월 14일자 열 번째 기사는 「카빌리를 살리기 위해서」라는 제목 하에 "1. 인간적인 임금과 실업 청산, 2. 카빌리산(産) 농작물의 가격 인상, 3. 부속 조치들 — 타지 이민 개방, 주거환경 개선, 장비 지원 등"[20] 구체적인 대안들을 제시했다.

1939년 6월 15일자 열한 번째 마지막 기사는 「결론」이라는 제목 하에 다음과 같이 시작되고 있다. "나는 여기에서 르포를 마치고자 한다. 나는 이 르포가 카빌리 주민들의 입장을 대변하는 데 잘 활용될 수 있기를 바란다. 이 르포의 소기의 목적은 오로지 카빌리 주민들의 입장을 전하는 데에 있다. 카빌리의 빈곤에 대해서, 그리고 그 원인과 처방에 대해서, 나는 더 이상 할 말이 없다."[21] 이어서 "나는 오늘날 어떻게 하면 좋은 프랑스인이 되는지를 안다는 게 어렵다는 사실을 지적해야만 하겠다. 오늘날 각계각층의 수많은 사람들이 좋은 프랑스인이라고 자처하고 있지만, 착각에 빠져 있는 그들 가운데에는 형편없거나 사리사욕에 눈먼 자들이 너무나도 많다. 하지만 적어도 정의로운 인간이 어떤 인간인지는 알 수 있다. 나의 편견을 말하자면, 정의의 행위보다 더 프랑스를 대변하고 옹호해 줄 수 있는 것은 없다"[22]면서, 카뮈는 카빌리의 문제가 "정의"의 차원에서 다뤄져야 한다는 점을 역설했다. 끝으로 기자는 "내가 이 르포의 의미를 찾는다면, 바로 그런 점에서이다. 왜냐하면 식민지 정복에 대한 사죄거리를 굳이 하나 찾는다면, 그것은 피정복자 국민들이 그들의 인격을 유지할 수 있도록 도와주는 한에서이기 때문이다. 그리고 우리에게 이 카빌리에 대한 한 가지 의무가 있다면, 그것은 이 세상에서 가장 자긍심이 강하고 가장 인간적인 민족들 중의 하나인 카빌리인들에게 자기 자신과 자신들의 운명에 충실할 수 있도록 해 주는 것이다"[23]라고 제언하면서 장장 열하루에 걸친 장편 르포 기사를 매조지었다.

이상에서 보듯이, 「카빌리의 빈곤」은 카빌리를 탐방해서 작성한 단순한 장편 르포라기보다는, 오히려 서론-본론-결론의 형식을 갖춘 사회학 리포트나 현실 진단에서 출발해서 구체적인 해결책들을 제시하고 있는 일종의 정책보고서에 더 가깝다고 할 수 있다. 그리고 이 백서의 수취인은 바로 식민정부 당국이었다. 다시 말해서, "카빌리 주민들의 입장"을 대변하고 있는 이 백서는 프랑스 정부의 식민지 정책에 대한 날선 비판이었다. 카빌리 주민들의 "인격"과 "운명"을 존중하기 위한 "진실"과 "정의"의 목소리였다. 더욱이, 기자 카뮈의 논리적인 분석과 감성적 언어의 호소력은 독자들에게 카빌리의 실상을 전달하는 데에 모자람이 없었다. 장-폴 사르트르는 〈현대〉지 창간호에 실린 저 유명한 「창간호에 부치는 글」에서 "사실 우리가 보기에 르포는 문학 장르에 속하고, 문학 장르 가운데서도 가장 중요한 하나의 장르가 될 수 있다는 것이다. 직감적으로 그리고 순간적으로 사태의 의미를 포착하는 능력과 이 의미를 재구성하여 독자들이 즉각적으로 해독할 수 있는 전체적인 조망을 제시하는 수완은 르포 기자에게 가장 필요한 자질이다"[24]라고 했는데, 「카빌리의 빈곤」이야말로 사르트르가 주장하는 르포 문학의 전형이라고 할 수 있을 것이다. 그리고 그 감각적인 언어와 서정적인 문체의 유려함을 감안한다면, 한 편의 장편 서사시라고 해도 결코 손색이 없을 것이다. 이런 이유 때문에 오늘날에도 「카빌리의 빈곤」은 〈알제 레퓌블리캥〉 기자 카뮈의 가장 탁월한 업적으로 평가받고 있다.

「카빌리의 빈곤」과 관련하여 베르나르-앙리 레비의 말을 떠올리지 않을 수 없다. 주지하다시피, 베르나르-앙리 레비는 1977년에 당대 지성인들을 신랄하게 비판한 책 『인간의 탈을 쓴 야만』을 발표해서 스물아홉에 대표적인 신세대 지성인으로 등장했다. 그는 1994년에 죽음을 무릅쓰고 내전 중인 코소보를 탐방하면서 인종청소 현장을 전 세계에 고발했고, 1996년에는 보스니아-헤르체고비나 지성인들의 투쟁을 현장 증언한 책 『백합과 재. 보스니아 전쟁 시의 한 작가의 일기』를 발표하는 등, 사르트르 이후 프랑스를 대표하는 행동하는 지성인으로 꼽히는 인물이다. 그는 20세기 프랑스 지성계를 대표하는 지성인들을 다룬 책인 『자유의 모험』(1991년)을 발간했는데, 카뮈에게 헌정한 글 「"정의와 그의 어머니 사이에서……"(알베르 카뮈를 위하여)」에서 알제리와 카뮈의 관계를 언급하면서 다음과 같이 역설한 바 있다. "지드의 『콩고 여행』과 더불어 반식민주의 전통의 고전들 중의 하나인 이 「카빌리의 빈곤」을 반드시 다시 읽어 보아야 할 것이다. 카뮈가 처음이었다는 사실을 역설해야 할 것이다. 오래도록 그는 처음이었다. 티지-우주[카빌리의 한 마을 이름]의 빈곤을 언급하며 쓴 '이 세상의 아름다움에서 배척된 곳'이라는 말을 인용하고 주석을 달아야 할 것이다. 그리고 이 르포 기사들이 〈레코 달제〉 독자층인 알제의 프랑스 공동체에 불러일으켰던 어마어마한 비난의 함성을 얘기해야 할 것이다."[25] 「카빌리의 빈곤」을 앙드레 지드의 『콩고 여행』에 버금가는 반식민주의 캠페인으로 간주하고 있는 것이나, 카뮈가 알제리의 식민정부 당국을 비판했던 최초의 기자였다는 사실을 역설하고 있는 것은 카뮈에 대한 대단한 찬사가 아닐 수 없다. 게다가 반세기가 지난 기사를 직접 인용하면서까지 독자들에게 읽어 보라고 추천하는 사례도 흔치 않은 일이다. 요컨대, 최초로 「카빌리의 빈곤」을 고발했던 청년기자 카뮈는 코소보의 인종청소를 고발했던 베르나르-앙리 레비의 선구자였고, 이미 행동하는 지성인이었다.

1.6.5. 비판적 저널리즘

1939년 여름, 카뮈는 오랑에 사는 새 여자 친구인 프랑신 포르에게 다음과 같은 편지를 썼다. "난 뭘 해야 할지를 모르겠어요. 휴가를 얻어야 할지도 모르겠어요. 만일 휴가를 얻게 된다면, 나는 내가 좋아하는 곳에서 한 달 동안 나를 위해 꾸준히 일했으면 해요. […] 그런데 저 역겨운 전쟁의 위험과 함께 하는 터에, 어떻게 일을 할 수 있겠어요?"[26] 당시 카뮈는 신문사에 근무하면서도 희곡 『칼리귈라』의 초고를 재독하던 중이었고, 소설 『이인』을 구상하고 있던 중이었기에, 프랑신 포르에게 보낸 편지는 기사에 매달리느라 집필 작업이 순탄치 못함을 한탄하는 푸념처럼 들린다. 또한, 1938년 9월 30일, 즉 〈알제 레퓌블리캥〉 창간호가 발행되기 일주일 전, 독일의 히틀러, 이탈리아의 무솔리니, 영국의 챔벌레인 그리고 프랑스의 달라디에 수상이 체결한 뮌헨조약 이후로, 히틀러는 호시탐탐 전쟁 개시 시기를 저울질하고 있던 중이었으니, 카뮈의 푸념은 예측할 수 없는 국제정세에 대한 깊은 우려가 담겨 있는 말로 들리기도 한다. 실제로, 1939년 9월 1일 히틀러가 폴란드를 침공하자, 이틀 후인 9

월 3일에 영국과 프랑스는 독일에 선전포고를 하지 않을 수 없었다. 마침내 제2차 세계대전이 발발한 것이었다.

독일이 폴란드를 침공한 지 2주 후인 1939년 9월 15일, 〈알제 레퓌블리캥〉은 자매지인 석간신문 〈르 수아르 레퓌블리캥〉 창간호를 발간했는데, 편집국장은 바로 기자 경력 1년에 불과한 알베르 카뮈였다. 그로부터 40여 일 후인 1939년 10월 28일자 〈르 수아르 레퓌블리캥〉은 「독자 제위」라는 제목 하에 다음과 같은 사고(社告)를 게재했다.

알제리의 공화주의자들은 〈알제 레퓌블리캥〉의 일시적인 발행 중단 소식을 슬픔 없이 받아들일 수 없을 것입니다. 하지만 이렇게 쓰라린 아픔에도 불구하고, 〈알제 레퓌블리캥〉은 할 일을 다 했다는 사실을 잊지 않게 할 것이고, 〈알제 레퓌블리캥〉은 사라졌어도, 그 사명은 고스란히 남아 있습니다. 자유정신을 누리려는 권리와 독립 의지는 늘 어느 정도 좌절감의 대가를 치르게 마련입니다. 하지만 바로 이 좌절감 자체가 그런 열망의 진정성을 담보하는 것이기도 합니다.

우리 독자들이 〈알제 레퓌블리캥〉에서 얻고자 했던 것은 사라지지 않았습니다. 우리는 그것을 〈르 수아르 레퓌블리캥〉에 그대로 담을 것입니다. 우리들 가운데 여전히 자유를 지켜야 할 가치가 있다고 믿는 모든 이들은 우리를 중심으로 뭉쳐야 할 것입니다. 〈알제 레퓌블리캥〉이 평화와 함께 다시 복간되는 날까지, 우리의 석간신문은 우리의 삶의 이유와 우리의 희망의 이유를 뒷받침하는 것, 즉 인간 정신의 존엄성과 개인의 독립을 옹호할 것입니다.

〈르 수아르 레퓌블리캥〉은 단지 가장 확실한 정보를 전달하는 석간신문만이 아닙니다. 본지는 또한 가장 명철한 신문이기도 합니다. 전쟁의 와중에서도, 본지는 어느 누구에게도 의존하지 않습니다. 우리 독자 여러분께서는 이 점을 잊지 마시기 바랍니다. 독자 여러분께서는 본지를 구독하는 것이 곧 우리를 도와주는 일입니다. 우리를 도와줌으로써 독자 여러분들은 〈알제 레퓌블리캥〉의 복간을 준비하는 것이고, 그와 동시에 우리가 희구하는 관대한 민주주의를 강화시키는 것입니다. 우리는 그런 민주주의가 없이는 살 수 없습니다. 〈알제 레퓌블리캥〉의 마지막 사설에서 언급했던 새로운 세계는 단지 전쟁이 끝난 후에 건설해야 하는 것이 아닙니다. 유럽이 겪고 있는 비극의 한복판에서도 그 토대를 놓고 그 휘광을 예고해야 하는 것입니다. 우리가 떠맡고자 하는 게 바로 그러한 책무입니다. 우리는 온갖 난관을 무릅쓰고 이 책무를 완수해 나갈 것입니다.[27]

〈알제 레퓌블리캥〉은 탄생한 지 1년 남짓 만에 영원히 역사 속으로 사라졌고, 편집인 파스칼 피아와 편집국장 카뮈를 비롯한 몇몇 기자들만이 남아 석간지 〈르 수아르 레퓌블리캥〉을 발간했다. 프랑스가 독일에 선전포고를 했음에도 불구하고, 프랑스와 독일 간의 전선에는 고요한 정적만이 감돌았으나, 프랑스 정부와 알제리 식민지 총독부는 전시체제라는 이유로 언론검열을 강화하기에 이르렀다. 〈르 수아르 레퓌블리캥〉도 예외는 아니었다. 더욱이 〈알제 레퓌블리캥〉 창간 때부터 반정부 성향을 노골적으로 표방했던 터라, 검열관이 상주하면서부터 날마다 검열관과 편집국 간에 마찰이 빚어지기 시작했다. 편집국장 카뮈는 검열관에 의해 삭제된 부분이나 기사 전체를 공백으로 그대로 인쇄하도록 하는가 하면, 검열관을 농락하기 위해서 작스(Zaks), 리베르(Liber), 네롱(Néron), 이레네(Irénée), 마르코(Marco), 장 메르소(Jean Mersault) 등 가명으로 쓴 기사를 게재하기도 했다. 카뮈가 언론의 사명과 윤리에 관련된 일련의 기사들을 쓰기 시작한 것은 바로 이때부터였다. 주로 「독자 제위」 또는 「우리의 입장」이라는 제목으로 발표된 기사들에서 편집국장 카뮈는 진실, 자유, 정의, 독립, 민주주의의 동반자로 끝까지 투쟁하겠다는 의지를 담은 비판적 저널리즘을 개진했다.

〈르 수아르 레퓌블리캥〉 1939년 10월 4일자 「독자 제위」에서 카뮈는 "창간된 지 3주가 지났으니 독자들에게 현황을 밝히는 것은 타당한 일입니다. 우리는 본지의 성공이 우리의 예상을 뛰어넘었다고 말씀드릴 수 있습니다"라고 지적하면서, "본지의 첫 번째 사설에서 우리는 비열한 흑색선전에 빠지지 않고, 진실에 봉사하겠다고 독자들에게 약속한 바 있습니다. 우리는 우리의 약속을 지켜 왔습니다"[28]라고 강조했다. 10월 30일자 「독자 제위」에서는 전시체제 하의 일상화된 검열 속에서도 "자유로운 비판의 권리, 독립정신의 권리, 정치에 대한 통찰력 그리고 진정한 민주주의를 옹호해 왔고, 지금도 옹호하고 있습니다"[29]라고 하면서, "우리는 우리가 진실하고 지속가능하다고 믿는 것, 즉 자유와 정신의 독립에 변함없이 봉사할 것입니다"[30]라고 약속했다. 12월 7일자 「독자 제위」에서는 "우리 시대에 언론은 언론을 통제하는 자들의 손아귀 안에서 공포의 무기가 되고 있습니다. 언론은 여론을 조성하기도 하고, 여론을 파괴하기도 합니다. 언론은 여론을 주도하기도 하고, 아니면 여론에 제동을 걸거나 여론을 자극하기도 합니다. 너무나 잘 알려진 어느 국가원수는 6주간의 언론 캠페인만 하면 전쟁 준비가 끝난다고 말하곤 했습니다. 그의 생각은 전적으로 옳습니다. 하지만 언론이 행사하는 치명적인 권력은 언론을 이끄는 자들의 부패에서 만큼이나 언론을 읽는 이들의 비판감각의 결여에서도 나오는 것입니다. […] 감출 것도 하나 없고 이득 볼 것도 하나도 없는 반면, 모든 것을 잃을 수도 있는 우리는 일부 정보와 일부 캠페인의 출처와 활용에 관해 명백하게 밝히고자 합니다. 우리에게는 가난한 자의 자유가 있기에, 우리는 이 자유를 대폭적으로 활용할 것입니다. […] 그러면 민주주의가 승리할 것입니다"[31]라고 주장하면서, 독자들의 비판정신을 자극하는 동시에 언론의 정도를 고수하려는 확고한 의지를 표명했다.

1940년 1월 1일자 〈르 수아르 레퓌블리캥〉지의 신년사인 「1940년」에서도 편집국장 카뮈는 독자들의 비판의식이 깨어 있어야 함을 거듭 상기시키고 있다. 이 글의 모두에서 "해마다 신문들은 미지의 독자들에게 온갖 종류의 성공에 찬 미래를 기원하는 관행에 빠지곤 합니다. 조금은 유치한 관행입니다. 해마다 이런 기원을 거듭해야 한다는 것 자체가 신문들이 너무나도 허황되었다는 사실을 입증하고 있습니다. 곧이곧대로 말씀 드리자면, 이 신년사에서 우리는 찢어지고 피투성이가 된 유럽에 행복하고 인간적인 운명을 내다보며 기원하고자 하는 마음이 없습니다"[32] 라고 운을 뗀 뒤, 카뮈는 "매순간 똑바로 지켜봅시다. 우리들의 능력을 넘어서고 우리들을 짓뭉개는 이 쓰라린 현실을 외면하지 맙시다. […] 인간의 유일한 위대함은 인간의 능력을 넘어서는 것과 맞서서 투쟁하는 데 있습니다. 오늘 기원해야 할 것은 행복이 아니라, 그보다는 오히려 이런 절망적인 위대함입니다"라고 천명하면서, "〈르 수아르 레퓌블리캥〉은 여러분께 행복을 기원하지 않겠습니다. 왜냐하면 본지는 여러분의 육신과 여러분의 정신이 멍들어 있다는 사실을 알고 있기 때문입니다. 반면에 본지는 진심으로 여러분께 기원합니다. 여러분 스스로가 여러분의 행복과 여러분의 존엄성을 가꾸는 데 필요한 정신력과 명철함을 고수하시기를"[33]이라는 당부의 말로 신년사를 마무리했다.

끝으로, 파스칼 피아와 카뮈가 공동으로 작성한 「양심선언」이라는 제목의 글을 언급하지 않을 수 없다. 이 글은, 그 내용으로 미루어 볼 때, 1939년 11월 하순 어느 날에 〈르 수아르 레퓌블리캥〉에 게재될 예정이었으나, 검열로 인해 결국 빛을 보지 못한 채, 신문사 사무실에 남아 있던 원고가 〈르 수아르 레퓌블리캥〉 폐간 후에 발견되어서 자료로 보존된 문건이다. 이 글에서 두 기자는 식민지 총독부의 권력과 유착한 동료 언론들이 〈르 수아르 레퓌블리캥〉의 기사에 대해 모함하고 악랄한 선전을 해대는 저질스러운 행태를 사실에 근거해서 신랄하게 비판하고 나서, 다음과 같이 "진실"과 "정의"를 위한 투쟁에 앞장설 것임을 독자들에게 선언하고 있다. "본지 독자들께 말씀 드리는 바, 우리는 계속해서 우리가 진실하다고 믿는 것을 옹호하고 떠받들고자 합니다. 모든 정당들이 배신하고, 정치가 모든 걸 망가뜨려 버린 오늘, 인간에게 남아 있는 거라고는 인간이 외롭다는 자각과 인간적이고 개인적인 가치들에 대한 믿음 뿐입니다. 온 세상이 광란에 빠져 있는 와중에서는 어느 누구에게도 정의로운 인간이 되라고 요구할 수 없습니다. 우리 곁에 가장 가까이 있던 이들조차도, 우리가 사랑하던 이들조차도 명철한 정신을 간직할 수 없었습니다. 하지만 적어도 어느 누구에게도 정의롭지 못한 인간이 되라고 강요할 수는 없습니다. 우리가 하는 일이 무엇인지를 잘 알고 있는 우리는 능력이 닿는 한 언제까지나 불의를 거부할 것이고, 익명의 증오를 조장하는 무리들에 맞서서 인간을 섬길 것입니다."[34] 〈레코 달제〉나 〈데페쉬 알제리엔〉과 같은 친정부 유력지들에 맞서, 아웃사이더 좌파 일간지로서 진실과 정의를 위해 고군분투하던 〈르 수아르 레퓌블리캥〉이 처한 현실과 두 기자의 외로운 투쟁을 고스란히 드러내는 글이다.

지금까지 보았듯이, 스물다섯 살의 청년기자 카뮈는 언론의 윤리와 사명이 무엇인지를 투철하게 인식하고 있었을 뿐만 아니라, 그 어느 베테랑 기자 못지않게 정신의 자유와 언론의 독립을 지키기 위한 투쟁에 헌신했다. 그리고 진실, 정의, 자유, 민주주의, 인간의 존엄성, 인간적인 가치, 독립정신, 언론의 독립 등과 같은 언어들이 그의 기사들에서 열쇠말로 자리매김하고 있다는 사실만으로도, 그가 추구하던 언론상과 기자정신을 충분히 헤아려 볼 수 있다. 알제리 식민지 총독부가 이러한 카뮈의 기자정신을 달갑게 여기지 않았음은 두말할 필요도 없었다. 결국, 총독부는 아무런 사전 예고도 없이 1940년 1월 9일 〈르 수아르 레퓌블리캥〉을 강제 폐간 조치했고, 파스칼 피아와 카뮈의 지적 모험도 불과 15개월 만에 막을 내리지 않을 수 없었다. 그렇다고 해서 기자 카뮈의 열정과 투혼마저 앗아갈 수는 없었다. 진실과 정의를 위한 그의 열정과 투혼은 머지않아 〈투쟁〉지의 편집국장으로 언론계에 복귀한 그를 20세기 프랑스 언론사의 한 장을 화려하게 수놓을 대표적인 지성인 기자로 길이 남게 할 것이다.

1.6.6. 독서 살롱

카뮈는 〈알제 레퓌블리캥〉이 창간된 지 사흘 후인 1938년 10월 9일자 4호부터 「독서 살롱」이라는 고정란에 서평을 게재하기 시작했다. 아마도 『안과 겉』의 작가가 자신의 능력을 가장 잘 발휘할 수 있는 분야였을 것이다. 카뮈는 이 「독서 살롱」란을 개설하면서 "진실에 봉사하려는 신문이라면 모든 분야에서 봉사해야 할 것이고, 인간 정신이 만들어 낸 작품들을 소홀히 할 수 없을 것"[35]이라고 그 취지를 독자들에게 고지했다. 「독서 살롱」 개설 첫날 영국의 소설가 헉슬리의 『마른 잎』에 대한 비평을 시작으로, 문학기자 카뮈는 앙드레 지드, 앙드레 말로, 루이 아라공, 앙리 드 몽테를랑, 장 지로두, 장 지오노, 폴 니장, 장-폴 사르트르, 가브리엘 다눈지오, 이그나치오 실로네 등 수십 명의 작가들을 직간접적으로 다루었다.

1938년 10월 23일자 「독서 살롱」은 앙드레 지드를 다루고 있는데, 『사전꾼들』에 대해 "지나친 지적 유희"[36]에 빠져 있다고 비판하면서도, "프랑스의 전통적인 모럴리스트이며 열정적인 비평가"라고 평가했다. 특히, "당파성을 띤 지드를 놓고 그토록 왈가왈부하는 것은 잘못된 시각이다"[37]라고 지드를 두둔했는데, 지드의 당파성을 군이 두둔하고 나선 이유는, 스탈린식 공산주의 사회의 폐쇄성과 독재정치를 비판한 『소련에서 돌아와서』(1936년)에 대해 공산당계 좌파 지성인들이 지드를 집중적으로 공격했던 사건이 있었기 때문이었다.

1939년 5월 23일자 「독서 살롱」은 이탈리아 작가 이그나치오 실로네의 소설 『빵과 포도주』를 다루고 있다. 이 작품은 피에트로 스피나라는 주인공이 공산당에 가입해서 열성당원으로 활동하다가, 노동자 계층에 더 충실하게 봉사하기 위해 부득이하게 당을 떠나는 과정을 그린 소설이다. 카뮈는 이 작품이야말로 진정으로 혁명적인 작품의 모델이라고 높이 평가했는데, 그 까닭은 "승리와 정복을 찬양하는 작품이 아니라, 혁명에서 가장 걱정스러운 갈등들을 보여 주는 작품"이기 때문이고, "어떤 믿음의 위대함은 그에 대한 회의로 가늠되기" 때문이며, "예술적 가치가 없는 혁명적인 작품이란 없기" 때문이라고 설명했다.[38] 이그나치오 실로네 자신이 공산당에 가입했다가 트로츠키가 축출되자 당을 떠났던 사실을 상기하면, 카뮈는 작가 이그나치오 실로네와 주인공 피에트로 스피나를 보면서, 거울에 비친 자신의 모습으로 여겼을는지도 모를 일이다.

　1938년 11월 11일자 「독서 살롱」에서는 폴 니장의 세 번째 소설 『음모』를 다루고 있다. 1905년생인 폴 니장은 앙리 4세 고등학교에 다닐 때 사르트르를 만나 1922-1924년에 루이-르-그랑 고등학교의 그랑제콜 준비반을 거쳐 1924년에 파리고등사범학교에 함께 입학했다. 같은 해에 노르말리앵이 된 레이몽 아롱과도 친구가 되었지만, 니장과 사르트르는 말 그대로 둘도 없는 단짝이 되었는데, 흔히 "니트르(Nitre)와 사르장(Sarzan)"[39]으로 불릴 정도로 절친한 친구였다. 특히, 니장은 학생 신분이던 스물두 살 때 공산당에 가입했고, 1927년 12월 24일 사르트르와 레이몽 아롱을 증인으로 클로드 레비-스트로스의 여사촌인 앙리에트 알펜과 결혼해서 딸과 아들을 낳았는데, 1928년에 태어난 딸 안-마리 니장은 훗날 신문기자이자 카뮈의 전기 『알베르 카뮈의 일생』을 쓴 올리비에 토드와 결혼해서, 현재 프랑스를 대표하는 지성인들 중의 한 명인 엠마뉘엘 토드(1951년생)를 낳았다. 이와 같이 폴 니장과 관련된 매우 간략한 약력만 들여다보아도, 20세기 프랑스 지성계의 위인들을 조우할 수 있을 만큼, 그는 불세출의 위인이었다. 그는 1939년 8월 독소 협약이 체결되자 공산당을 탈당했고, 2차 대전이 발발하자 참전해서, 1940년 5월 20일 덩케르크 전투에서 서른다섯 살의 젊은 나이에 전사했다. 프랑스 지성계에서는 곧잘 "폴 니장이 살아 있었더라면, 사르트르가 그렇게 프랑스 지성계를 지배할 수 있었을까?"라는 가정적 물음이 제기되곤 했는데, 지성인 폴 니장의 위상을 짐작케 하는 일화이다.

생전의 폴 니장은 사르트르보다 모든 면에서 한 수 위로 인정받곤 했다. 그는 1931년 스물여섯 살에 "나는 스무 살이었다. 나는 어느 누구도 인생에서 가장 아름다운 시기라고 말하도록 내버려 두지 않을 것이다"라는 유명한 도입부로 시작되는 첫 소설 『아덴 아라비』를 발표해서 일약 프랑스 문단의 주목을 받았으며, 이듬해인 1932년에는 마르크시즘에 입각해서 철학을 부르주아 계층의 사회경제적 수단으로 간주하는 당대의 철학 교수들(그의 스승인 철학자 앙리 베르크손과 레옹 브룬츠비크를 포함)을 공격한 책인 『경비견들』을 발표함으로써 물의를 빚은 바도 있었다. 1935년에는 일군의 공산당 청년당원들의 활약상을 그린 두 번째 소설 『트로이 목마』를 발표했고, 1938년 7월에 발표한 세 번째 소설 『음모』는 그해 엥테랄리에상[기자 작가에게 주는 문학상]을 수상한 작품이다. 이 작품으로 니장은 역량 있는 작가로 인정받게 되었다.

소설 『음모』의 줄거리는 다음과 같다. 파리고등사범학교에서 철학을 전공하는 주인공 베르나르 로장탈과 필립 라포르그는 친구들과 함께 공산당에 가입하지 않고도 혁명적 과업을 수행할 수 있다는 낭만적인 생각에 〈내전(La Guerre civile)〉이라는 잡지를 창간한다. 이 잡지를 통해 그들은 1차 대전 이후의 프랑스 사회를 마르크시즘의 시각에서 비판하는 글들을 발표함으로써 그들의 목적을 달성할 수 있을 것이라고 생각한다. 하지만 곧 그들은 자신들의 활동이 그다지 혁명적인 행위가 아니라는 사실을 깨닫고서는, 좀 더 급진적이고 실질적인 행동에 나서야 한다는 데 공감한다. 그래서 그들은 군사지도를 훔쳐서 소련에 넘기려는 음모를 꾸미지만 결국 실패로 돌아가고, 후에 로장탈은 연애 사건으로 자살한다. 한마디로, 『음모』는 마르크시스트 혁명에 이끌린 청년 엘리트들의 낭만적 사고와 혈기 넘치는 삶을 그린 작품이다.

이 작품에 대해 카뮈는 「독서 살롱」에서 "인간의 조건에 관한 설교를 글로 써서 출판하는 것보다는 우표나 벽보를 붙이는 게 자신이 속한 정당에 늘 더 유용한 인간이 되는 법이다"[40]라고 냉소적인 비판을 하면서도, "그렇게 니장은 우리 시대 지성인들의 주요 문제인 공산당 가입의 문제를 제기하고 있다"[41]고 지적했다. 이런 점에서, 폴 니장을 쥘리앙 방다보다는 행동하는 지성인 앙드레 말로에 비유한 카뮈는 "몇 해 전부터, 공산당 가입의 문제를 놓고 많은 글들이 쏟아졌고 많은 논란이 벌어졌다. 하지만 결국 불멸의 문제만큼이나 무의미한 문제이고, 한 인간이 자기 스스로 해결할 사안이기에, 이것을 놓고 심판해서는 안 된다. 결혼을 하듯이 공산당에 가입하는 것이다. 그리고 작가의 경우에는, 공산당 가입의 결과를 심판할 수 있는 근거는 바로 그의 작품이다"[42]라고 판단하면서, "결국, 공산당원인 니장은, 더욱이 선동적인 공산당원인 니장은 『경비견들』에서부터 『음모』까지 그의 작품들이 입증하고 있듯이 순혈 작가이다"[43]라며 지성인 작가 폴 니장에 대한 칭송을 아끼지 않았다.

작가 장-폴 사르트르는 「독서 살롱」의 특급 손님이었다고 할 수 있다. 왜냐하면 1938년 10월 20일자에서는 『구토』를, 그리고 1939년 3월 12일자에서는 『벽』을 다루었기 때문이다. "한 편의 소설은 이미지로 새겨진 하나의 철학일 뿐이다. 그래서 한 편의 좋은 소설에서는 그 철학이 온통 이미지로 전달된다"[44]라는 저 유명한 표현으로 시작되는 『구토』에 대한 서평에서 비평가 카뮈는 "위대한 소설가", "이 소설가의 감동적인 재능과 너무나도 명철하고 너무나도 준엄한 정신의 유희들", "이 기상천외한 성찰", "키르케고르, 셰스토프, 야스퍼스, 하이데거의 사상에서 단적으로 드러나는 불안의 철학에 대한 가장 절박한 삽화들 중의 하나"[45], "무한한 재능", "모든 것을 기대할 수 있는 작가의 첫 소설", "우리가 그의 다음 작품들을 애태우며 기다리는 특이하고 강렬한 정신의 소유자"[46] 등등의 표현으로 작가 사르트르를 칭송했다. 그러면서도 그는 비평가로서의 본분을 잊지 않고서 정곡을 찌르는 비판을 덧붙였다. 카뮈의 판단에 따르면,

『구토』에서는 철학이 이미지로 전달되지 못한 채 이론으로 남아 있어서, "작품 속의 사상과 이 사상이 투영되고 있는 이미지들 사이의 너무나 눈에 띄는 불균형"으로 인해, 결국 이 작품은 "예술작품이 되지 못하고 있다"[47]는 것이다. 참고로, 폴 니장은 친구 사르트르의 작품에 대해 〈스 수아르〉지에 게재한 짧은 서평에서 "사르트르는 프랑스의 카프카일 수 있다"라고 지적하면서, "사르트르는 일류 철학자-소설가의 자질을 가지고 있음을 믿어 의심치 않는다"[48]라고 평가한 바 있는데, 카뮈 역시 사르트르와 카프카의 "유사성"[49]을 언급했다.

　『구토』에 대한 이 서평은 급조한 게 아닌 것으로 보인다. 왜냐하면 1938년 7월 말경, 즉 〈알제 레퓌블리캥〉 기자가 되기 이전에 여자 친구인 뤼세트 뫼레에게 보낸 편지에서 다음과 같이 말하고 있기 때문이다. "몇 주 전에 장-폴 사르트르의『구토』를 읽었어요. 나는 이 책에 대해 얘기할 게 많을 것 같아요. 이 책은 나의 어느 일부분과 너무나 가까워서 좋아하지 않을 수가 없어요. 하지만 바로 이 부분에 대해서 반발하고 싶어요. 하기야, 한 편의 소설을 쓸 때, 하나의 철학을 이미지로 담는 것이고, 모든 성공은 오로지 이 철학을 이미지들로 전달하고 있는가에 달려 있는 거예요. 『구토』에는 하나의 철학과 이미지들이 있는데, 병렬되어 있어요. 이것이 내게 거슬려요. 왜냐하면 내가 동조하는 철학인데, 책을 읽다 보면, 그 철학의 힘이 상실되는 게 보여서 조금 안타까워요. […] 나는 이 책에 대해서 많은 생각을 깊이 했어요."[50] 이 편지를 보면, 결국 「독서 살롱」에 실린 카뮈의 서평은 이미 세 달 전에 친구에게 보냈던 독후감의 핵심 내용을 발전시킨 것이라고 볼 수 있다.

　한편, 1939년 3월 12일자 「독서 살롱」에 실린 사르트르의 단편소설집 『벽』에 대해서는 부정적인 비판 없이 높은 점수를 주고 있다. 사형수, 미치광이, 성도착증 환자, 남색가 등 사회적 아웃사이더들의 부조리한 삶들을 그려낸 작가의 탁월한 글쓰기 능력을 높이 평가하면서, 카뮈는 등

장인물들에 대해 다음과 같은 설명을 덧붙이고 있다. "이 등장인물들은
사실 자유롭다. 하지만 그들의 자유가 그들에게 아무런 도움을 주지 못
한다. 적어도 바로 이것이 사르트르가 보여 주고자 하는 것이다. 이 작품
이 주는 너무나 충격적인 감동과 처절한 비장감은 아마도 거기에서 나
오는 것 같다. 왜냐하면 사르트르의 세계에서는 인간이 자신의 편견에
서 오는 모든 족쇄들로부터 해방되어 있고, 때로는 인간 본성으로부터
도 해방되어 있으며, 자기 자신을 관조하는 데에만 빠져 있는 인간은 자
기가 아닌 모든 것에 대한 뿌리 깊은 무관심을 의식하고 있기 때문이다.
인간은 외롭고, 인간은 다음과 같은 자유 안에 갇혀 있다. 오로지 시간
속에 위치해 있다는 자유 말이다. 그리고 죽음이 인간에게 이에 대한 반
증, 간결하면서도 혼란스러운 반증을 안겨 준다. 인간 조건은 부조리하
다."[51] 불과 3년 뒤에 부조리 작가로 명성을 날리게 될 『시지프 신화』의
저자가 바라본 사르트르의 작품 세계라고나 할까.

이어서 비평가 카뮈는 『구토』 서평에서 언급했던 철학소설에 대한 자
신의 문학론을 거듭 거론하면서 다음과 같은 결론을 내리고 있다. "이와
같은 강렬하고 드라마틱한 세계와 눈부시면서도 동시에 색깔 없는 묘사
가 독자를 유혹하고, 사르트르 작품의 성격을 제대로 규정하고 있다. 그
리고 두 권의 책으로, 강박적인 등장인물들을 통해서 본질적인 문제에
로 직행하여, 이 문제를 생생하게 부각시킬 줄 알았던 한 작가에 대해,
우리는 이미 성공이라고 말할 수 있다. 위대한 작가는 늘 자신의 세계와
함께 그 안에 자신의 예언을 담지하고 있는 법이다. 사르트르의 예언은
무(無)로 향하고 있지만, 또한 명철함을 지향하고 있기도 하다. 그리고
그의 등장인물들을 통해서 끊임없이 보여 주고 있는 이미지, 즉 자기 삶
의 폐허 속에 앉아 있는 한 인간의 이미지는 이 작품의 위대함과 진실을
꽤나 잘 형상화시키고 있다."[52] 문학적 차원에서 『구토』보다는 『벽』이
훨씬 더 인정받는 사실을 감안하면, 카뮈의 비평적 혜안과 통찰력은 충

분히 높이 평가받을 만하다. 아무튼, 카뮈가 지중해 건너편에서 사르트르와의 일면식도 없이 『구토』와 『벽』을 읽고 찬사를 보냈던 것과 마찬가지로, 머지않아 사르트르가 카뮈의 첫 소설 『이인』을 읽고 나서 장문의 서평 「『이인』 해설」로 보답했던 것은 우연의 일치였을까?

　지금까지 보았듯이, 「독서 살롱」의 서평들은 문학기자 카뮈의 역량과 자질을 여실히 보여 주고 있을 뿐만 아니라, 문학예술에 대한 비판적 안목과 미적 판단력에 바탕을 둔 고유의 문학론을 드러내고 있다는 점에서, 『이인』의 작가 카뮈의 탄생에 서광을 비춰 주는 전조였다고 할 수 있을 것이다. 한 가지만 덧붙이자면, 1939년 5월 28일자 「독서 살롱」에는 서평 대신 한 출판사의 책 광고가 오롯이 자리 잡고 있었는데, 바로 에드몽 샤를로 출판사에서 갓 출간된 카뮈의 두 번째 산문집 『결혼』이었다.

1.7. 〈파리 수아르〉편집국 기자

1940년 1월 9일 총독부에 의해 〈르 수아르 레퓌블리캥〉이 강제 폐간 조치를 당하자, 파스칼 피아와 카뮈는 하루아침에 백수 신세가 되었다. 파스칼 피아는 한 달 후인 1940년 2월 8일 알제를 떠나 파리로 귀환했다. 그리고 카뮈는 실직 직후부터 약 두 달간 알제와 오랑을 오가며 일자리를 구하려고 했으나, 총독부의 압력 때문에 어떤 일자리도 구할 수 없는 처지에 놓이게 되었다. 이로 인해 그는 식민지 총독부로터 "알제리 땅에서 쫓겨난 최초의 기자"[1]라는 '명예로운 훈장'을 달게 되었다.

카뮈가 오랑을 자주 방문한 데에는 또 다른 이유가 있었다. 바로 두 번째 부인이 될 프랑신 포르가 오랑에 살고 있었기 때문이다. 카뮈가 한 살 아래의 프랑신 포르를 처음 만난 것은 대학에 다니던 시절이었다. 친구의 소개로 인사를 나누긴 했지만, 프랑신 포르가 파리에서 공부를 했기 때문에, 둘은 다시 만날 기회가 없었다. 그 후 1938년 여름에 알제에 들른 프랑신 포르와 다시 만날 기회가 있었고, 1939년 4월 프랑신 포르가 오랑에서 수학 교사로 교편을 잡자, 카뮈는 지체 없이 그녀를 자기 여자로 만들어 친구들에게 "내 아내"라고 소개했다.

프랑신 포르는 세 딸 중 막내였다. 그녀의 아버지는 카뮈의 아버지와

마찬가지로 1914년 9월 마른 강(江) 전투에서 전사했고, 과부가 된 페르
낭드 포르가 세 딸을 키웠다. 카뮈의 집안과는 달리 경제적 여유가 있던
페르낭드 포르는 세 딸의 장래를 위해 모두 파리로 유학을 보냈다. 그런
데 막내딸 프랑신 포르는 카뮈의 매력에 반한 나머지 어머니의 반대에도
불구하고 실업자 신세인 카뮈와 결혼하기로 약속했다. 가난뱅이에다 직
장도 없고, 게다가 폐결핵 환자이자 이혼 경력까지 있는 무명작가 카뮈
와 결혼하겠다고 하자, 특히 큰 언니인 크리스티안 포르는 길길이 날뛰
면서 동생의 마음을 돌리려고 했으나 허사였다. 프랑신이 카뮈의 사진
을 보여 주자, 크리스티안 포르는 대뜸 "조그만 원숭이처럼 생겼네"라고
비꼬았고, 이에 프랑신은 "그래도 사람과 가장 닮은 원숭이잖아"[2]라고
대꾸했다고 한다.

　다행하게도 카뮈에게 희소식이 날아왔다. 파리로 오라는 파스칼 피
아의 편지였다. 파리로 돌아가 석간지 〈파리 수아르(Paris soir)〉의 편집
국 데스크를 맡게 된 파스칼 피아가 사장인 피에르 라자레프에게 카뮈
를 편집국 교열기자로 추천한 것이었다. 당시 〈파리 수아르〉지는 약 백
만 부를 발행할 정도로 최대 부수를 자랑하는 대중 일간지였는데, 권
력과의 밀접한 유착관계 때문에, 좌파 지성계에서는 곧잘 〈푸리수아르
(Pourrissoir)〉['썩은 저녁'이라는 뜻으로 '부패한 석간지'를 빗대는 표현]라고 비
꼬곤 했다. 〈르 피가로〉지에는 훨씬 못 미치는 수준의 신문이었지만, 프
랑수아 모리악, 레옹 블룸, 조르지 뒤아멜, 조셉 케셀 등 유명인사들도
기고하던 일간지였다. 하지만 카뮈는 1940년 말까지 편집국 기자로 일
하는 동안, 단 한 줄의 기사도 쓰지 않았다. 훗날 그는 장 다니엘과의 인
터뷰에서 "기자라는 직업은 스스로 자기 자신을 심판해야 하기 때문에,
내가 알고 있는 가장 멋진 직업들 가운데 하나"[3]라고 하면서, "자기 직업
에 최소한의 자부심을 가지고 있는 작가라면 아무 데나 글을 쓰지 말아
야 할 것이다"[4]라고 대답한 바 있다. 지성인 카뮈의 올곧음을 단적으로

보여 주는 한 예이다.

카뮈는 1940년 3월 16일에 파리에 도착했다. 1937년 여름에 닷새 동안 잠시 들른 적이 있었으므로, 첫 방문은 아니었다. 파스칼 피아가 카뮈를 위해 예약한 호텔은 파리 18구 몽마르트르 언덕에 위치한 라비냥가(街) 16번지에 있는 푸아리에 호텔이었는데, 주로 매춘부와 뚜쟁이들이 이용하는 지저분한 호텔이어서, 카뮈는 곧 파리 6구의 생-제르맹-데-프레 교회 맞은편에 위치한 매디슨 호텔로 거처를 옮겼다. 낮에는 신문사에서 일하고, 밤에는 허름한 호텔에서 작품 집필에 몰두했는데, 바로 이때 쓴 작품이 『이인』이었다. 파리에 오기 전, 카뮈는 희곡 『칼리귈라』의 초고를 완성한 상태였고, 철학 에세이 『시지프 신화』의 상당 부분을 집필했고, 『이인』의 1부 1장을 쓴 상태였다. 놀라운 사실은, 파리에 온 지 불과 한 달 반 만에, 『이인』의 초고를 완성했다는 것이다.

카뮈는 프랑신 포르에게 보낸 1940년 4월 12일자 편지에서 곧 태어날 『이인』의 산고를 토로하고 있다. "조금 전에 내가 쓴 소설을 읽어 봤어요. 난 혐오감에 빠졌고, 처음부터 끝까지 실패작인 것 같고, 그렇다고 『칼리귈라』가 더 나은 것 같지도 않아요. 나는 슬픔에 젖어 원고에서 눈을 돌렸어요. 마치 이미 엎질러진 물이라고 체념하듯이 말이에요. 모든 게 안 좋아요."[5] 그리고 며칠 후 4월 18일자 편지에서는 "많은 사람들이 나를 초대하고, 내게 부탁을 해요. 다섯 번에 한 번은 승낙하지만, 나머지는 거절하고 있어요. 그렇다고 투덜대진 않아요. 왜냐하면 그게 바로 글을 쓰기 위한 조건이기 때문이에요. 그리고 내 안에서 커다란 기쁨을 느끼면서 글을 쓰고 있기 때문이기도 해요. 지금까지 내가 그토록 작업에 몰두해 본 적은 없어요."[6]라며 소설 원고에 매달리고 있음을 전했다. 그리고 마침내 1940년 5월 1일자 프랑신에게 보낸 장문의 편지에서 카뮈는 다음과 같이 『이인』의 초고가 완성되었음을 알리고 있다.

한밤중에 당신에게 편지를 쓰고 있어요. 방금 내 소설을 완성했고, 너무 흥분되어서 잠을 잘 생각조차 못하고 있어요. 아마도 작업이 끝난 것은 아닐 거예요. 다시 보아야 할 것들도 있고, 덧붙여야 할 것들도 있고, 다시 써야 할 것들도 있어요. 하지만 끝을 냈다는 것, 그리고 마지막 문장을 썼다는 것은 사실이에요. 그런데 왜 곧바로 나 자신을 되돌아보게 되는 걸까요? 지금 내 앞에 있는 원고를 보면서, 나는 이 원고가 내게 요구했던 그 모든 노력과 의지들을 생각해 보고 있어요. 얼마나 이 원고에 매달려야 했던지. 그 분위기 안에 머물러 있으려고 다른 생각들과 다른 욕망들을 얼마나 희생해야 했던지. 나는 이 원고가 가치가 있는지는 모르겠어요. 어느 순간에는, 최근에는 말이죠, 일부 문장들, 그 어조, 그리고 그 박진감이 마치 섬광처럼 스쳐 지나가곤 해서, 나는 그 때문에 너무나 자만에 빠지곤 했어요. 하지만 다른 순간에는, 서투른 표현과 찌꺼기들만이 보이기도 했어요. 나는 이 이야기에 너무 젖어 있어요. 이제 이 원고를 서랍에다 넣고 내 에세이 집필을 시작할 거예요. 2주 후에 꺼내서 이 소설을 다시 손보려고 해요. 그러고 나서 다른 사람들에게 읽혀 볼 작정이에요. 이 원고에 너무 매달리고 싶지는 않아요. 왜냐하면 사실은 벌써 2년 전부터 이 소설을 끌어안고 있었기 때문이에요. 이 소설을 쓰면서 보니, 이미 내 안에 모든 게 그려져 있었다는 걸 알게 되었어요. 매일 밤 이 작업을 한 게 곧 두 달이 되어 가요. 참으로 신기한 것은 신문사에 가려고 반쯤 쓰다 만 페이지를 그대로 둔 채로 집을 나섰다가, 집에 돌아와서는 아무런 노력도 없이, 너무나도 명철한 정신으로 다음 문장을 이어 가면서 계속 써 내려갔어요. 내가 이처럼 연속성 있게, 그리고 이처럼 쉽게 글을 써 본 적은 없어요. 요즘 잠을 잘 못 자요. 불면증이 있어요. 아침에 눈을 뜨면, 내가 써야 할 일련의 작품들 모두가 선명하게 보이곤 해요. 내가 이 작품을 받아쓰기 하듯이 쓴 것처럼 말이죠. 이제는 마치 내가 품고 있는 구상들과 내가 그리고자 하는 세계의 모든 것이 선명한 듯해요. 오늘 저녁은 너무 피곤해요. 요 며칠 동안은, 〈파리 수아르〉의 일 때문에 너무 피곤한 게 아닌가 하고 의심하곤 했어요. 하지만 사실은 이 소설도 한몫했던 거예요. 왜냐하면 내게

지속적인 노력을 요구했으니까요. 겉으로 보기에는 쉬운 듯했지만, 사실은 나
를 지치게 만든 거였어요.[7]

이 편지로 볼 때, 『이인』은 마치 "받아쓰기 하듯이" 저절로 써진 작품이
라 할 수 있다. 물론 이 초고를 탈고하고 나서 갈리마르 출판사에 최종
원고를 넘기기까지는 그 뒤로도 1년 반 이상의 시간이 지나야 할 터이긴
하지만 말이다. 중요한 것은 이 작품의 구조와 줄거리가 한 달 반 남짓
사이의 집필 기간 동안에 틀이 잡혔다는 사실이다. 어떤 점에서 보면, 흔
히 걸작이라고 하는 작품은 작가가 쓰는 게 아니라, 작품이 저절로 써지
는 것인지도 모른다. 아무튼, 계속해서 이어지는 같은 편지에서 카뮈는
"너무도 우스꽝스러운 것은 내가 만족하고 있는지조차 모른다는 거예
요. 하지만 나의 능력을 넘어설 수 있는 유일한 것이에요. 그리고 그렇게
내가 하던 일에 전적으로 몰두해서 살 수 있었기에, 나는 파리의 모든 걸
용인할 수 있으리라 생각해요"[8]라고 자가진단하면서, "비록 이게 가치가
없다고 하더라도, 이 작업에서 얻은 기쁨 그 자체만은 어느 누구도 파괴
할 수 없는 것이고, 바로 이런 이유 때문에, 오늘 저녁 피곤하지 않았더
라면, 내가 누리고 싶은 기쁨이에요"[9]라고 덧붙이고 있다.

또한 카뮈는 "그런데 내가 생각하기에, 이 원고의 독자들은 적어도 나
만큼이나 피곤할 테고, 이 작품에서 느껴지는 지속적인 긴장감 때문에,
많은 독자들이 이탈할지도 모르겠어요. 나는 그런 긴장감을 의도적으로
원했고, 그런 긴장감을 표현하려고 애썼어요. 난 그 긴장감이 이 작품에
담겨 있음을 알고 있어요"[10]라고 자평하고 있다. 그리고 나서는 "그르니
에 선생이 내게 전하길, 몽테를랑이 『결혼』에 대해 언급하면서, 나에 대
해 '아주 온정적으로' 얘기했다고 해요. 몽테를랑은 그르니에 선생이 나
를 알고 있다는 사실을 모르고 있어서, 그르니에 선생에게 내 직업이 무
엇인지를 물었다고 해요. 이런 말을 듣고 보니, 세 작품의 원고가 완성

되면, 몽테를랑에게 보내서 내가 원하는 게 무엇인지를 그에게 설명해야 겠다는 생각이 들었어요. 내 생각에, 오직 몽테를랑만이 세 원고를 한꺼 번에 출판할 수 있도록 도와줄 수 있는 유일한 사람인 것 같아요"[11]라고 앞으로의 계획을 언급했다. 하지만 몽테를랑은 『이인』, 『시지프 신화』, 『칼리귈라』 세 작품을 출판 전이 아니라 출판 후에 읽게 될 것이다.

　카뮈가 『이인』의 초고를 완성한 지 2주 후인 1940년 5월 15일, 독일군 이 네덜란드를 함락하고 나서 점차 프랑스와의 전선을 확대해 나가자, 프랑스에도 전운이 감돌기 시작했다. 5월 말 파스칼 피아가 징병되어 전 선으로 떠나자, 카뮈는 또다시 징병 지원서를 당국에 제출했으나, 폐결 핵 환자라는 이유로 거부당할 수밖에 없었다. 6월 14일에 독일군이 샹 젤리제 대로에서 정복자의 행진을 펼치며 파리를 점령했고, 나흘 뒤인 6 월 18일에는 드 골 장군이 영국의 BBC 라디오를 통해 프랑스 국민들에 게 대독 저항을 호소하는 저 유명한 연설을 했고, 1차 대전의 영웅이었 던 페탱 원수는 7월 10일 비쉬에서 스스로 프랑스 정부의 국가원수임을 선포한 뒤, 나치 독일과의 협력에 들어갈 태세를 갖추었다.

　파리가 독일군에게 점령당하자 〈파리 수아르〉 신문사도 피난길에 오 르지 않을 수 없었다. 〈파리 수아르〉 제작진은 클레르몽-페랑에 임시 사 무소를 마련했다가, 9월 초에는 리용으로 이전했고, 카뮈도 제작진과 함 께 이동했다. 리용에 있던 카뮈는 1940년 9월 27일자 법원의 판결로 시 몬 이에와의 이혼이 마침내 선고되었음을 알게 되었고, 프랑신 포르와 약속했던 결혼을 할 수 있게 되었다. 카뮈는 프랑신에게 이 사실을 알리 면서 그녀에게 리용으로 오라고 했고, 12월 3일 카뮈와 프랑신은 징병에 서 해제되어 돌아온 파스칼 피아와 몇몇 친구들만 참석한 가운데 조촐 한 결혼식을 올렸다. 12월 말에 〈파리 수아르〉는 전시 이후 세 번째 정 리해고를 단행했고, 자녀가 없던 카뮈도 대상자에 포함되어 있었다. 이 것으로 10개월간의 〈파리 수아르〉 편집국 기자생활은 마감되었다.

신혼 부부 알베르와 프랑신은 1941년 1월 초 리옹을 떠나 마르세이에서 배를 타고 오랑에 도착했다. 오랑에 도착한 카뮈 부부는 프랑신의 큰 언니인 크리스티안이 살고 있던 아파트에 신혼살림을 꾸렸고, 미혼인 크리스티안은 어머니 집으로 거처를 옮겼다. 우체국 직원인 장모 페르디낭드 포르는 매우 권위적이어서 카뮈와 종종 충돌을 일으키곤 했다. 프랑신이 정교사가 아니라 보조교사로 근무했으므로, 카뮈는 생활비를 충당하기 위해 일자리를 구해야 했다. 카뮈는 『안과 겉』과 『결혼』을 출판했던 에드몽 샤를로 출판사의 편집위원 직을 맡았지만, 소규모 영세 출판사의 형편상 제대로 된 급료를 받을 수는 없었다. 투고된 원고를 심사해서 출판 결정을 내리는 대가로 약간의 급료를 받는 데에 만족해야 했다. 따라서 카뮈는 그의 거처인 오랑과 어머니와 가족이 살고 있던 알제를 오가는 생활을 지속해야 했다. 이 시기에 카뮈는 생활비를 벌기 위해서 과외교사를 하고, 잠시 일용직 고등학교 교사로 일하고, 폐결핵이 재발되어 고초를 겪는 등 매우 힘들고 불안정한 나날을 보내야 했다. 특히, 1941년 초에서 1942년 8월까지 카뮈가 오랑에 머물던 시기에는 세 편의 부조리 작품, 즉 『이인』, 『시지프 신화』 그리고 『칼리귈라』의 출판을 놓고 많은 서신들이 오고갔는데, 이와 관련된 일부 서신들을 가능한 한 자세하게 소개하고자 한다. 『이인』의 작가가 탄생하는 과정을 독자들에게 알리고자 하는 목적도 있지만, 무엇보다도 이를 통해서 프랑스 지성계의 이면과 풍토를 접할 수 있기 때문이다.

1.8. "대단한 물건"

1.8.1. 카뮈와 그르니에 간의 '설전'

"『시지프 신화』 탈고. 세 편의 부조리 작품이 완성됨. 마침내 자유."[1]
1941년 2월 21일자 작가수첩에 적힌 메모이다. 『칼리귈라』, 『이인』 그리
고 『시지프 신화』의 초고가 완성되었음을 알리고 있다. 카뮈는 장 그르
니에 선생에게 『이인』과 『칼리귈라』 원고를 보냈고, 원고를 읽은 그르니
에는 카뮈에게 보낸 1941년 4월 19일자 편지에서 "『이인』은 매우 성공
작이에요. 특히 2부는 말이죠. 카프카의 영향이 내게 거슬리긴 해요. 감
옥에 관련된 페이지들을 잊을 수가 없어요. 1부는 아주 재미있긴 하지
만, 너무나 짧은 문장들과 이따금 통일성의 결여로 인해 주의력이 산만
해지곤 해요"[2]라고 평가한 반면에, "쥘 라포르그식의 낭만적인 칼리귈라
는 마음에 들지 않아요. [⋯] 자네의 칼리귈라는 복합적이고, 어쩌면 모
순적이기도 해요. 나는 그게 결점이라기보다는 장점이 아닌지에 대해선
모르겠어요"[3]라고 『칼리귈라』에 대해서는 전반적으로 유보적인 입장을
표명했다.

　장 그르니에의 편지를 받은 카뮈는 스승이 지적한 카프카의 영향에 대

해 5월 5일자 답장에서 조목조목 반박했다. 카뮈는 이 편지에서 "선생님의 편지에 대단히 감사드립니다. 『이인』에서 좋은 점들을 찾아냈다니 저는 만족합니다. 하지만 전체적으로 보면, 선생님께서는 제 원고를 전적으로 좋아하시지는 않는 것으로 이해됩니다"[4]라고 인사치레를 하고 나서, 카프카의 영향과 관련된 부분에 대해 다음과 같이 해명하고 있다. "저는 『이인』을 쓰기 전에 이 문제를 저 자신에게 제기한 적이 있습니다. 저는 소송이라는 주제를 택하는 게 옳은지 생각해 보았습니다. 겉으로 보기에는 그렇지 않을지도 모르지만, 제 머릿속에서는 이 주제가 카프카와는 동떨어져 있었습니다. 그런데 소송 문제는 제가 직접 겪은 경험이고, 강도 높게 맛보았던 경험입니다. 선생님께서도 아시다시피, 저는 법정에 참석해서 많은 소송들을 취재한 바 있고, 그중 몇몇은 매우 큰 소송들이었습니다. 저는 제 경험이 그다지 반영되지 않을 그 어떤 소설적 구성을 위해서도 제 경험을 포기할 수는 없었습니다. 그렇기 때문에 저는 같은 주제를 놓고 과감하게 뛰어들기로 작정했습니다. 카프카 고유의 영향을 지적할 수는 있겠지만, 『이인』의 에피소드들과 등장인물들은 너무나 개성이 강하고, 너무나 '일상적'이어서 카프카의 상징들과 겹칠 가능성은 없습니다. 하지만 제 판단이 그릇될 수도 있습니다."[5] 카뮈는 〈알제 레퓌블리캥〉 시절에 오당 사건과 엘 오크비 사건을 취재했던 자신의 경험을 역설하면서, 카프카와는 다른 차원의 소송을 그리고 있다는 점을 강조한 것이었다.

카뮈의 반박 편지에 놀란 장 그르니에는 5월 11일자 답장에서 "자네 편지를 읽고 안타까웠어요. 나는 자네의 두 원고가 아주 성공작이라고 표현했다고 생각하고 있었는데, 자네는 반대로 읽었어요. 내가 표현을 잘못했기 때문이에요"라고 해명하고 나서, "『이인』은 탁월해요. 나는 지금도 그렇게 생각하고 있어요. 『이인』은 뭔가 심오하고 개인적인 것을 표현하고 있어요. 나는 자네에게 어떤 여지를 염두에 두고서 내 소견을 전한 것인데, 이건 너무나 당연한 거예요. 왜냐하면 그런 여지가 없다면, 『이인』은 가치가 없는 작품이에요. 아마도 내 머리에 떠올랐던 약간의 유보적인 입장에 대해 강조한 것은 내 불찰이에요. 카프카와 관련해서 말하자면, 카프카를 떠올리게 하는 게 소송이라는 주제만이 아니라, 자네의 등장인물이 내비치는 익명조도 있어요. 게다가 나는 이것이야말로 자네의 독창성들 가운데 하나라고 생각해요. 하지만 카프카가 이 익명성을 끝까지 밀고 나갔듯이, 독자들은 이 점을 떠올리지 않을 수가 없어요"[6]라고 덧붙였다. 사실, "익명성"이 도드라지게 눈에 띄는 『이인』의 글쓰기와 관련된 장 그르니에의 지적은 매우 적확한 분석이었다. 왜냐하면 『이인』의 독창성은 바로 그 글쓰기에 있는데, 후에 롤랑 바르트가 지적한 "무색의 글쓰기", 즉 마치 화자가 나를 그리면서 남을 그리듯이, 또는 남이 나를 그리듯이 하고 있는 글쓰기가 이 작품을 불후의 명작으로 만든 가장 큰 요인들 중의 하나이기 때문이다.

장 그르니에의 해명 편지에 대한 답장에서 카뮈는 "결국 제가 선생님의 편지를 잘못 이해한 것이라고 생각됩니다. 하지만 저 역시 제 편지에서 제 의견을 잘 표현했는지는 확신하지 못하겠습니다. 안타깝지만 대수롭지 않은 일입니다. 선생님의 비평은 제게 와 닿지 않습니다. 단지 유용하고 써먹을 수 있을 따름입니다"[7]라고 토를 달고 나서, "파스칼 피아가 이 원고들을 갈리마르 사에 보낼 것입니다. 저는 거기에다 저의 세 번째 원고를 첨부할 것이고, 선생님께서 읽을 수 없다고 하시지 않는 한, 선생님께도 보내 드리겠습니다. 그러고 나면, 저는 더 이상 제 원고에 매달리지 않아도 될 것입니다"[8]라고 덧붙였다.

카뮈가 위 편지에서 "세 번째 원고"라고 지칭한 『시지프 신화』를 읽은 장 그르니에는 카뮈에게 보낸 1941년 7월 9일자 편지에서 "자네의 에세이를 다시 읽고 싶어서 여전히 곁에 두고 있어요. 내가 보기에 너무나도 뛰어나고 일류에 속하는 작품이에요. 자네의 다른 원고와 비할 바가 못 돼요. 명료함, 즉 **강렬한 선명도**를 보여 주는 몇몇 페이지들은 찬탄할 만해요. 게다가 소설과 희곡은 이 에세이를 잘 설명해 주고 있어요. 그래요. 정말이지 뛰어나요."[9]라고 칭찬을 아끼지 않았다. 7월 28일자 답장에서 카뮈는 "선생님의 말씀이 제게 많은 기쁨을 안겨 주었습니다. 선생님께 받은 인정이기에, 제게 도움이 되고 용기를 불어넣어 줍니다"[10]라고 감사의 뜻을 전한 뒤, 원고와 관련된 소식을 전하고 있다. "파스칼 피아가 『이인』에 관해서 장 폴랑과 앙드레 말로에게 말했다고 합니다. 『이인』과 『칼리귈라』를 읽어 본 앙드레 말로는 마음에 들어서, 적어도 소설은 갈리마르 사에 추천하는 일을 맡았습니다. 피아에게 온 폴랑의 편지를 보면, 『이인』은 받아들여졌다고 합니다. 그래서 피아는 폴랑에게 나머지 두 원고도 갈리마르 사에 추천해 달라고 요구했다고 합니다. 이미 한 달 반 전의 일입니다. 그런데 그 이후로는 제 원고들에 대해 아무런 소식도 없고, 행방도 전혀 모르고 있습니다. 저는 피아를 통해 소식을 알고 있었는데, 피아가 아무런 연락이 없어서 매우 걱정하고 있습니다. 피아의 편지가 갑자기 끊겨 버렸습니다. 적어도 선생님께서 제가 방금 거명한 사람들 중의 어느 누구와 관계가 있거나, 아니면 알고 계시다면, 어떻게 돌아가고 있는지 알아봐 주시겠습니까? 아무튼, 선생님께서는 제가 『시지프 신화』를 갈리마르 사에 보내도 괜찮다고 생각하십니까?"[11]

카뮈의 편지를 받은 장 그르니에는 7월 31일자 답장에서 "자네의 에세이는 너무나도 진정성이 담긴 어조로 인해서 훌륭하고도 감동적이에요. 처음에는 아래에 첨부하는 주석들을 자네에게 보낼 생각이 아니었는데, 자네에게 보내요"[12]라면서 편지 말미에 상세한 주석들을 덧붙였다. 또한 그르니에는 가브리엘 마르셀이나 마르셀 아를랑에게 세 원고를 보낼 수 있다고 제안하면서, 이미 그들에게 카뮈에 대해서 말을 했고, 카뮈가 원한다면 자신이 직접 『시지프 신화』 원고를 가브리엘 마르셀에게 전달하겠다고 제안했다. 장 그르니에는 8월 8일자 편지에서도 "폴랑에

게 자네 원고들에 대해서 편지를 썼어요. 현재 남불에 있는 앙드레 말로
는 자네를 도와줄 수 없을 거예요. 자네를 위해 모든 게 잘 되기를 바라
요. 그런데 자네가 이미 갈리마르 측과 교섭한 것은 내가 모르고 있었지
만, 자네가 잘한 거예요"[13]라며 그간의 정황을 알렸다.

카뮈는 1941년 8월 18일자 장 그르니에에게 보낸 답장에서 "폴랑에게
편지를 해 주신 선생님께 감사드립니다. 여전히 피아에게서는 소식이 없
고, 제 원고들에 대한 소식도 없습니다. 선생님께서 제게 갈리마르 사에
연락해 보라고 제안할 당시, 피아는 제게 자기가 그렇게 하기를 바라느
냐고 물었었습니다. 저는 피아에게 백지위임했고, 모든 게 저의 개입 없
이 이루어졌습니다. 이제 와서 제가 직접 끼어들기는 어렵습니다. 같은
이유로, 제가 직접 마르셀 아를랑과 접촉할 수는 없습니다. 가브리엘 마
르셀이 제 작업에 관심을 가질 것이라고 생각하신다면, 선생님께서 그
에게 『시지프 신화』를 보내 주시면, 제가 나머지 두 원고를 그에게 보내
겠습니다"[14]라고 제안했다. 장 그르니에는 9월 13일자 답장에서 "폴랑의
엽서를 받았는데, 자네한테서 원고들을 받지 못했다고 해요"라고 전하
면서, "가장 좋은 것은 세 원고를 한꺼번에 아를랑이나 폴랑에게 보내는
것"[15]이라고 새로운 제안을 했다.

이에 대해 카뮈는 9월 23일자 답장에서 다음과 같이 원고와 관련된
자신의 답답한 심경을 피력하고 있다. "선생님의 편지 잘 받았습니다.
선생님께서 애써 주신 데 대해 감사드립니다. 제 원고와 관련된 이야기
들이 잘 이해가 가지 않습니다. 마침내 한 달 전에 피아가 제게 편지를
해서, 제 원고들을 자기한테 3부씩 보내면, 그것들을 폴랑에게 보내겠다
고 했습니다. 저는 그때 어떻게 폴랑이 읽어 보지도 않은 텍스트[『시지프
신화』를 말함]를 받아들일 수 있는지 이해가 되지 않았습니다. 게다가 그
이후로 피아는 아무런 소식도 없습니다. 선생님께서 『시지프 신화』를
파리로 보낼 필요는 없다고 생각합니다. 아마도 피아에게 보낸 원고들

이 전달될 것입니다. 가브리엘 마르셀이 제 에세이에 관심을 가질 것이라고 여전히 생각하고 계시다면, 선생님께서 그에게 보내셔도 될 것입니다."[16] 이 편지 이후, 장 그르니에와 카뮈 사이의 서신은 한동안 끊겼고, 세 원고의 행방도 오리무중이었다. 단지, 카뮈가 장 그르니에에게 보낸 1942년 2월 21일자 엽서에서, 카뮈는 또다시 폐결핵이 재발해서 심각한 상태에 직면해 있다는 소식을 전하고 있을 뿐이다. 그리고 카뮈에게 보낸 1942년 3월 10일자 엽서에서 장 그르니에는 "방금 니스에서 말로를 만났는데, 특히 『이인』을 좋아해요"[17]라고 짤막하게 언급하고 있을 뿐이다.

1.8.2. 파스칼 피아, 앙드레 말로, 장 폴랑

1941년 1월 초, 리옹을 떠나기 전에 카뮈는 파스칼 피아의 제안으로 문학잡지 〈프로메테우스〉를 창간하려는 계획을 품고 있었다. 알제리로 돌아온 카뮈에게 파스칼 피아는 서신을 통해 이 계획을 실천에 옮기자고 거듭 제안하면서, 세 편의 원고를 등기우편으로 보내 달라고 요청했다. 『이인』 원고를 읽은 파스칼 피아는 매우 흡족해 하면서 〈프로메테우스〉 창간호에 연재소설 형식으로 게재하자고 제안했다. 파스칼 피아는 장 폴랑과 루이 아라공 등 거물들이 잡지에 참여할 예정이라고 하면서, 카뮈의 지성을 존중한다는 사실을 에둘러 표현하려는 듯이, "키르케고르네 집에서 점심을 먹고, 하이데거네 집에서 저녁을 먹고, 후설네 집에서 밤참을 먹는 자네 같은 사람"[18]의 생각은 어떤지 물어보았다. 하지만 결국 이 잡지는 빛을 보지 못한 채 유산되고야 말았다. 왜냐하면 수완이 좋은 파스칼 피아가 금전 문제는 해결했지만, 전쟁 중이어서 잡지를 출간할 수 있는 종이를 확보할 수 없었을 뿐만 아니라, 점령군 당국의 허가를 받아 내지도 못했기 때문이었다.

카뮈는 1941년 4월 파스칼 피아에게 『이인』과 『칼리귈라』 원고를 발송했다. 두 작품을 읽은 피아의 답장은 매우 고무적이었다. "정말이지 진심으로 말해서, 이렇게 수준 높은 글을 읽어 본 지가 아주 오래되었어요. 확신하거니와, 조만간 『이인』은 자기 자리를 찾을 것이라 생각해요. 최고의 자리들 가운데 하나 말이지요. 기소 과정과 독방생활 그리고 재판으로 이어지는 2부는 완벽한 기계장치처럼 작동되는 부조리를 적나라하게 보여 주고 있어요. 그러면서도 억지로 구성되었다는 느낌은 하나도 주지 않아요. 마지막 15쪽은 감탄스러워요. 카프카나 루돌프 카스너가 쓴 글들 중에 최고의 글과 맞먹어요. 나는 앙드레 말로가 감탄하리라고 전적으로 확신하기에, 자네의 두 원고를 다시 읽고 난 후 말로에게 보낼 거예요"[19]라고 알리면서, "솔직히 말해서, 뫼르소의 사건을 기술하고, 칼리귈라의 고삐 풀린 독백을 동시에 쓸 수 있는 자네의 대가다운 재능에 감탄하고 있어요"[20]라며 극찬을 아끼지 않았다. 또한 피아는 "『이인』에서 내가 감동 받은 점은 어조의 적확함이 일관성 있게 유지되고 있을 뿐만 아니라, 게다가 이미지의 산뜻함까지 가미되어 있다는 거예요. 이를테면, 페레즈 영감의 얼굴에 흐르는 눈물과 땀방울을 묘사하면서 '눈물방울들이 퍼져 나가다가 다시 합류하면서 일그러진 얼굴 위에서 물광택을 내고 있었다'라고 표현할 때 말이에요"[21]라며 섬세하고 세밀한 묘사에 대해서도 아낌없는 찬사를 보냈다. 그리고 『칼리귈라』에 대해서는 "자네의 『칼리귈라』에 대해 말하자면, 나는 이미 이 작품에 대해 내가 생각하던 온갖 좋은 점을 다 자네에게 말한 바 있어요. 자네가 추가한 막(幕)은 차치하고라도, 나는 새로운 버전이 이전 버전보다 훨씬 더 알차다고 생각해요. 이게 착각일까요? 나는 새 버전의 칼리귈라가 더 웅변적이고, 그러기에 훨씬 더 '헛소리를 하고' 있다는 느낌이 들어요. 내가 보기에, 첫 번째 버전에서는 관객이 1막과 2막을 관람하면서 칼리귈라가 사기꾼인지 아니면 악마에 들린 자인지를 궁금해 할 수 있는 데 반해서, 두 번째 버전에서는 그런 궁금증이 없어진 것 같아요"[22]라고 매우 구체적인 해석을 덧붙였다.

한 달 후인 1941년 5월 어느 금요일에 카뮈에게 보낸 편지에서 파스칼 피아는 카뮈의 원고와 관련해서 장 폴랑과 앙드레 말로와 접촉하고 있음을 알렸다. "최근에 앙드레의 동생인 롤랑 말로가 리용에 들렀기에, 자네의 원고들을 형에게 전해 달라고 건넸어요. 내가 앙드레 말로에게 편지를 쓸 거예요. 3주 전에 받은 편지에 답장을 해야 해요. 말로가 자네 주소를 가지고 있는지는 모르겠어요. 아무튼 내가 말로에게 자네 주소를 알려줄 거예요. 당연한 일이지만, 나는 폴랑에게 보낸 여러 편지에서 『이인』과 『칼리귈라』에 대해서 언급했어요. [5월] 5일자 편지에서 폴랑이 내게 말했어요. '아주 기꺼이 『이인』을 읽고 싶네. 내게 넘겨 주도록 애써 보게. 내가 가스통 갈리마르에게 출판하도록 할 테니.' 이어서 다시 14일자 편지에서 스스로 내게 말했어요. '카뮈 건은 알겠네. 가스통 갈리마르가 받아들일 거네. 칸에 있는 갈리마르에게 원고를 보내게.' 그래서 나는 서둘러서 장 폴랑에게 자네한테 출판할 원고가 세 편 있으며, 가능하면 세 편을 동시에 출판하기를 자네가 원한다고 통보했어요."[23] 아울러 파스칼 피아는 계약을 성사시키기 위해서는 타자로 친 원고를 보내는 것이 나을 것이라는 조언도 첨부했다. "아마도 『시지프 신화』의 타자 원고를 제시함으로써 계약의 성사를 용이하게 할 수 있을 거예요. 내 생각에 가스통 갈리마르가 육필 원고만을 읽고 결정하리라고는 보지 않기 때문이기도 하지만, 그를 설득하기가 더 용이할 것이기 때문이에요."[24] 이어서 편지 말미에 피아는 드리외 라 로셀이 〈NRF〉의 발행인을 맡아 대독 협력에 나선 이후, 앙드레 지드가 〈NRF〉에 더 이상 글을 쓰지 않기로 했으며, 지드의 거부가 문단의 화제가 되고 있다는 지성계 소식을 전하는 것도 잊지 않았다.

파스칼 피아는 카뮈에게 보낸 1941년 5월 27일자 편지에서 "방금 말로의 편지를 받았어요. 내가 말로의 동생을 통해서 자네의 원고들을 전달했었고, 자네 주소를 알려 주겠다고 했었지요"라고 지난 번 편지에서 언급했던 사실을 상기시키고 나서, 앙드레 말로가 『이인』을 읽고 난 후 몇 가지 지적한 사항들을 아주 상세하게 전달하고 있다. 아래는 앙드레 말로가 피아에게 보낸 편지 내용을 피아가 카뮈에게 그대로 전사한 부분이다.

나는 방금 카뮈의 원고들을 읽었어요. 내가 리용에 가지 못하는 게 참으로 안타깝네요. 왜냐하면 이 원고들에 대해 얘기를 나누는 게 그래도 편지나 간단한 개요 형식으로 말하는 것보다 훨씬 더 진지할 것이기 때문이에요.

나는 먼저 『이인』을 읽었어요. 주제가 아주 명확해요. 내 생각에는 『칼리귈라』의 주제가 명확한 것도 『이인』이 그걸 밝혀 주고 있기 때문이에요. 대강 말하자면, 『이인』이나 다른 작품이 카뮈와 대중과의 관계를 친숙하게 하기 전까지는 『칼리귈라』는 장롱 속에 넣어 두어야 할 것 같아요. 자네가 원한다면, 이에 대해서는 추후에 다시 논의하기로 하지요.

분명, 『이인』은 대단한 물건(une chose importante)이에요. 글쓰기의 힘과 단순함이 끝내 독자로 하여금 그의 인물의 입장을 받아들이도록 하고 있는데, 더욱 주목할 만한 점은 이 책의 운명이 설득력이 있느냐, 아니면 설득력이 없느냐에 달려 있다는 것이에요. 카뮈가 독자를 설득시키면서 자기 말을 해야 하는 게 중요해요.

세부적인 얘기를 하자면,

1. 문장이 약간은 지나치게 기계적이에요. 주어, 동사, 목적어, 마침표. 때로는 문장이 상투적이에요. 때때로 문장부호를 수정하면, 아주 쉽게 해결될 문제.

2. 교화신부 장면은 좀 더 가다듬는 게 나을 것 같아요. 명확하지가 않아요. 표현된 것은 명확한데, 카뮈가 말하고자 하는 것은 일부분만 표현되어 있어요.

게다가 이 장면은 중요해요. 나는 이 장면을 기술하기가 매우 어렵다는 걸 알고 있어요. 말하자면, 그렇기 때문에 더욱 가다듬어야 할 이유가 되지요.

3. 살인 장면에 대해서도 같은 지적이에요. 좋아요. 하지만, 설득력이라는 말을 거듭 거론하자면, 이 책 전체에 비해서는 설득력이 떨어져요. 아마도, 태양과 아랍인의 칼의 관계에 대해서 한 단락을 더 집어넣어 강조하는 게 간단한 방법일 거예요.

4. 어머니와 관련된 모든 것으로 말하자면, 압축할 것. 이와 관련된 어투는 필요하고 좋아요. 그런데 그 어투들 사이에 약간은 뭔가 막혀 있어요.

자네에게 지혜로운 말을 하려는 것도, 정곡을 찌르는 말 따위를 하려는 것도 아니에요. 나는 단지 유용한 점들을 자네에게 말하려고 하는 것뿐이에요. 현학적인 체하는 것. 어쩔 수 없는 거지요. 카뮈가 찾고자 했던 근본적인 문제 제기로 말하자면, 부족한 게 없어요. 이미 들어 있으니까.

이 원고를 훌륭한 조언자인 로제 마르탱 뒤 가르에게 건네주려고 해요. 그런 다음에, 그를 통해서든 아니면 다른 경로를 통해서든, 카뮈가 원한다면, 갈리마르한테 전달하려고 해요. 어느 출판사가 되든지, 출판사 측에서는 사르트르와 연관시키지 않을 수 없을 거예요. 외면적인 이유 때문에 말이지요. 무시해 버리면 그만이에요. 카뮈는 이 책을 썼다는 데에 만족하면 돼요.[25]

위 인용문은 적어도 두 가지 점에서 시사하는 바가 크다. 첫째로, 불후의 명작이 될 작품을 앙드레 말로가 단번에 알아보고 "대단한 물건"이라고 평가한 점이다. 앙드레 말로의 전기를 쓴 쉬잔 샹탈의 증언에 의하면, 말로는 『이인』 원고를 단숨에 읽고 나서, "대단함(important)"이라는 단 한 마디의 코멘트와 함께 레이몽 갈리마르에게 원고를 건넸다고 한다. 둘째로는 당대 프랑스 문단의 거목으로 꼽히던 말로가 무명작가의 원고에 대해서 그토록 세세한 지적과 조언을 아끼지 않았다는 점인데, 지성인들 간에 이런 서신이 오갈 수 있는 프랑스 지성계의 풍토를 보여 주는 사례이다. 아무튼, 앙드레 말로의 몇 가지 지적들, 즉 『이인』의 독특한 글쓰기, 단속적이고 기계적인 문장 형식, 사르트르와의 연관성 등은 대작가의 예리한 비평적 심미안을 돋보이게 한다. 후에 사르트르가 「『이인』 해설」에서 "『이인』의 문장 하나하나는 하나의 섬이다. 그래서 우리는 문장에서 문장으로, 무에서 무로, 위험천만한 건너뛰기를 한다"라고 설파해서 더욱 유명해진 『이인』의 문장 특성은 사르트르 이전에 이미 앙드레 말로가 간파했던 사실도 상기해 둘 만하다.

이어지는 편지에서 "이 모든 것을 지체 없이 자네한테 전하고 싶었어요. 앙드레 말로에게는 그렇게 긴 편지를 쓰는 습관이 없어요. 그러니 자네의 원고들이 말로에게 커다란 감명을 준 것은 분명해요. 자기가 좋아하는 원고에 대해서는 늘 그렇게 하니까요. 말로는 자네 원고에 대해 오래 생각했고, 굳이 말하자면, 다시 반추하고 있어요. 그리고 말로는 형식상의 수정을 제안하고 있는 거예요"[26]라고 덧붙이고 나서, 파스칼 피아 역시 자신의 소견을 첨부했다.

1. 말로가 『칼리귈라』에 대해 제기한 반론은 갈리마르 사나 아니면 다른 출판사가 자네의 세 편의 원고들을 동시에 출판한다면 저절로 무의미하게 될 거예요.

2. 문장의 건조함이 내겐 거슬리지가 않았어요. 그런데 내 생각으로는, 문체와 관련해서 작가에게 진정으로 제기할 수 있는 유일한 반론은 그 문체가 적절하지 못할 때라는 거예요. 하지만 그런 경우가 아니에요. 그 나머지는 취향의 문제이고, 따라서 개인적인 문제예요.

3. 내가 잘 파악한 바로는, 교화신부 장면에서 자네는 자네가 하고 싶은 말을 다 한 것은 아니고, 그렇다고 하고 싶은 말을 다 쏟아 낼 수 있다고 생각하지도 않아요. 그러려면, 한 장(章)이 아니라 여러 장들이 필요할 거예요. 말하고자 하는 모든 것을 책 한 권에 다 담으려는 구실이 아니라면, 그 책을 불균형하게 할

수는 없는 거예요. 『이인』은 그 저자의 다른 작품들을 기다리게 하고 있는가? 그래요. 이렇게 말할 수 있는 작품들은 그다지 많지 않아요.

4. 살인 장면에 대해서는 앙드레 말로와 동감이에요. 나 역시 동일한 지적을 하고 싶었어요. 아마도 나도 똑같은 지적을 했을 거예요.

5. 어머니와 관련해서는 다시 한 번 원고를 읽어 봐야겠어요. 하지만 내가 읽었을 때는 전혀 거슬리지 않았어요.

분명, 앙드레 말로는 폴랑이 내게 쓴 편지 내용을 모르고 있어요. 폴랑은 아직 자네 원고를 읽지 못했어요. 『이인』은 이미 가스통 갈리마르가 받아들였어요. 나는 폴랑에게 세 권의 책들이 동시에 출판될 수 있는지에 대해 문의했어요. 답장을 기다리고 있어요. 가스통 갈리마르가 선험적인 판단에서 세 권의 책에 대해 미온적인 태도를 보인다면(이건 정상적인 일일지도 몰라요), 아마도 세 원고를 읽어 본 말로와 마르탱 뒤 가르가 개입해서 사태를 수습할 거예요. 나에게 답장 주고, 앙드레 [말로]에게도 편지를 써요.[27]

파스칼 피아는 앙드레 말로가 지적했던 부분에 대해서 조목조목 자신의 견해를 덧붙여 카뮈에게 전달했다. 실제로, 카뮈가 앙드레 말로와 파스칼 피아의 조언을 받아들여 『이인』 원고를 더욱 가다듬고 섬세하게 손질했다는 사실을 상기해 보면, 한 편의 작품이 출간되기 전에 지인들의 읽기를 통해 수정되고 보완되는 과정이 얼마나 소중한 것인지를 상기시켜 주는 일화이다. 그리고 1941년 5월 31일자 편지에서도 파스칼 피아는 카뮈의 원고에 대해 다음과 같은 소식을 전하고 있다. "자네의 세 번째 원고가 타이핑될 것이라니, 그 타자 원고를 내게 보낼 때, 가능하면 『이인』과 『칼리귈라』의 원고를 내게 한 부씩 더 보내 줘요. 지금 이 순간, 『이인』은 마르탱 뒤 가르의 수중에 있을 거예요. 나는 오늘 폴랑과 말로에게 편지를 쓸 일이 있어서, 그들에게 자네가 원하는 바대로 가스통 갈리마르가 동시에 세 원고를 출판하도록 압력을 넣어 달라고 요청했어요. 그들이 주선한 결과가 어떻게 될는지는 두고 보면 알겠지요. 나는 또한 어제 자네 텍스트들을 놓고 리용에 잠시 들른 프랑시스 퐁쥐와 다시 얘기할 기회가 있었어요. 퐁쥐가 말로의 반론에 유일하게 동조한 점은 살인 이야기와 관련된 것이었어요. 이야기가 약간 짧고, 특히 나머지 부분보다는 설득력이 미흡하다는 거예요. 물론 자네는 이야기를 하는 자는 바로 이인(異人)이라고 반론을 제기할 수 있을 테고, 이 이인은 남을 설득하는 데에 거의 괘념치 않는다는 점을 충분히 보여 주고 있다는 반박을 할 수도 있을 거예요. 하지만 독자들이 소설보다 소설가에게 더 많은 것을 요구하는 이상한 기벽이 있다는 건 사실이에요. 자네의 『시지프 신화』를 빨리 읽고 싶어요."[28] 이 편지 이후, 파스칼 피아는 한동안 카뮈에게 편지를 쓰지 않았다. 그러다가 카뮈가 폐결핵이 재발해서 프랑스로 건너와 남불의 바르 도(道)에 있는 툴롱 근처의 투르브에서 보낸 편지를 받고 나서야, 파스칼 피아는 1941년 12월 1일에 카뮈에게 답장을 보냈다. 이 편지에서 파스칼 피아는 또다시 앙드레 말로가 『시지프 신화』의 원고를 읽고 나서 작성한 소감을 카뮈에게 그대로 전달하고 있다.

카뮈의 에세이를 다 읽었어요. 굉장해요. 그리고 그가 하고 싶은 말이 잘 전달되고 있어요. 이건 그렇게 쉬운 일이 아니에요. 이 책은 그의 소설을 완벽하게 조명하고 있고, 내가 소설에 대해 제기했던 부분적인 이의 제기들의 가치를 많이 떨어뜨리고 있어요. 이제는 나도 자네 생각처럼 가스통 갈리마르가 두 책을 동시에 출판하는 게 아주 바람직하다고 생각해요. 어쩌면 종이 문제 때문에 승낙하기가 쉽지는 않을 거예요. 두고 보지요. 이 책의 골자에 대해서는 얘기할 게 많을 수도 있어요. 하지만 이의 제기를 해서 이 책의 가치를 떨어뜨리고 싶지는 않아요. 하기야 그런 이의 제기가 내가 카뮈에게 하고 싶은 말에 종지부를 찍어 줄 근거도 가지고 있지 못할 거예요. 다시 말해서, 카뮈는 매우 만족하기만

하면 돼요. 첫 번째 작품보다 훨씬 더 말이죠.[29]

앙드레 말로는 『이인』이 『시지프 신화』에 담긴 부조리 철학을 훌륭하게 그려 내고 있다는 사실을 제대로 파악하고 있었다. 말하자면, "한 편의 소설은 이미지로 새겨진 하나의 철학일 뿐이다. 그래서 한 편의 좋은 소설에서는 그 철학이 온통 이미지로 전달된다"라는 카뮈의 문학론을 오롯이 간파해 냈다는 것이다. 다시 말해서, 앙드레 말로는 후에 사르트르가 「『이인』 해설」에서 『이인』과 『시지프 신화』의 긴밀한 연관성을 지적하기 훨씬 이전에 이미 두 작품의 상호보완적 관계를 완벽하게 파악하고 있었다. 이어지는 편지에서 파스칼 피아는 앙드레 말로가 "카뮈에게 좋은 소식이 있어요. 갈리마르의 공식적인 확답이에요. 갈리마르는 소설을 접수하고 계약서를 발송했어요. 이런 상황에서라면, 소설 출판과 동시에 에세이 출판을 따내는 것은 그다지 어려운 일이 아니라고 생각해요. 우리가 힘써 봅시다"[30]라고 전한 희소식도 카뮈에게 그대로 전했다. 또한, 파스칼 피아는 같은 편지에서 카뮈의 원고들을 읽은 장 폴랑의 의견도 곧이곧대로 카뮈에게 전달하고 있다.

마침내 카뮈의 원고들을 읽었네. 난 단숨에 『이인』을 읽었어. 이 작품을 어떻게 해야 할까? 물론 가스통 갈리마르는 이 작품을 출판할 준비가 되어 있네. 그에 앞서 〈NRF〉나 〈코메디아〉에 게재하도록 해야 하나? 자네가 〈코메디아〉를 알고 있는지 모르겠네. 꽤나 정직한 잡지야. 그렇게 되면 카뮈에게 5-6천 프랑은 돌아갈 거야. 내 생각이네.

아주 훌륭해. 정말이지 너무 훌륭해. 제르맨[장 폴랑의 아내]과 나는 너무나 감동을 받았어.

『시지프 신화』는 그다지 좋아하지 않네. 지적인 작품이야. 하지만 결국 말이지, 최근 십 년간의 '형이상학적 사건들'에 대한 지적인 시평에 지나지 않아. 한 가지 지적하자면, 말로와 셰스토프의 영향을 지나치게 많이 받았어. 밑바닥에 하나의 문제가 없어. 굳이 말하자면, 개인적인 비밀 같은 게 없다는 거야. 그런데 자네는 어떻게 생각하나?

아직 『칼리귈라』는 읽지 못했네. 읽어 볼 참이야. […]

그래요. 『이인』은 지독하게 좋아. 그리고 사건들을 기술하면서, 어느 순간, 내면의 이야기를 드러내는 방식이 진지하면서도 자연스러워서 놀라워.[31]

『이인』에 대해서 앙드레 말로가 "대단한 물건"이라고 표현했다면, 장 폴랑은 "지독하게 좋아"라는 직설적인 평가로 화답했다. 당시 프랑스 문단의 숨은 실권자로 통하던 장 폴랑으로부터 이런 평가를 받았다는 것만으로도 『이인』의 작품성은 출간 이전에 이미 충분히 인정받고 있던 셈이다. 게다가 『인간 조건』과 『정복자』의 작가 앙드레 말로에게서 최고의 평가를 받았다는 사실을 상기하면, 적어도 『이인』은 출판되기 이전에 이미 걸작으로 남을 운명을 안고 있었다고 해야 할 것이다.

위 편지에서 파스칼 피아는 장 폴랑의 비평을 카뮈에게 전달하면서, 여느 때와 마찬가지로, 이에 대한 자신의 견해도 첨부했다. "나는 아직 이 편지에 답장할 시간을 갖지 못했어요. 조만간 답장할 참이고, 『시지프 신화』에 대한 그의 판단이 조금은 단편적이니, 다시 생각해 보라고 요구하려고 해요. 폴랑의 주장과는 반대로, 게다가 나는, 폴랑의 말대로, 개인적인 어떤 '문제'를 도외시한 상태에서, 단순한 지적 호기심에서 나온 책이 『시지프 신화』라고 생각하진 않아요. '문제'가 없다면, 해명하려는 시도조차 없는 법이니까. 기껏해야 철학 교수의 강의만이 있을 테니까. 그런데 바로, 『시지프 신화』는 그런 경우가 아니에요."[32] 파스칼 피아는 폴랑의 견해에 맞서서 『시지프 신화』를 옹호했을 뿐만 아니라, 폴랑이 〈NRF〉에 『이인』을 연재할 수도 있다는 제안에 대해서 부정적인 입장을 분명하게 표명했다. "자네도 드리외 라 로셸의 〈NRF〉를 알고 있지

요. 자네가 그 잡지에 자네의 이름이 오르는 것을 진지하게 고려해 보리
라고는 생각하지 않아요. 그 어느 때보다도 더 냄새가 나는 곳이에요."³³

실제로, 파스칼 피아의 조언대로, 카뮈는 『이인』의 〈NRF〉 연재를 거
부했다. 왜냐하면 친독지로 전락한 잡지에 자신의 글을 게재할 수는 없
기 때문이었다. 독일군이 파리를 점령한 후 가장 먼저 착수했던 일들 가
운데 하나가 당시 프랑스 지성계를 대표하던 〈NRF〉를 장악하는 것이었
고, 이 과정에서 극우파의 거물인 드리외 라 로셀이 발행인을 맡자, 심지
어 이 잡지의 공동 창립자인 앙드레 지드마저도 기고를 거부한 상황이
었다. 비록 무명작가에서 벗어나 대가들의 틈에 낄 기회가 주어졌음에도
불구하고, 카뮈는 자신의 사상과 지론에 배치되는 매명 행위를 받아들
일 수 없었다. 지성인의 가장 큰 덕목이자, 지성인이라면 반드시 지켜야
할 지적 정직성이 걸려 있는 문제였다. 이와 관련해서 파스칼 피아는 카
뮈에게 보낸 1942년 3월 16일자 편지에서 다음과 같이 자세하게 언급하
고 있다. "자네가 드리외의 제안을 거부한 게 자네 책들이 출판되는 데
에 걸림돌이 되리라고 보진 않아요. 갈리마르가 어느 작가가 자신의 잡
지를 무시할 때마다 매번 열을 받거나 흥분한다면, 그는 이미 몇 달 전
에 수치심이나 화에 못 이겨 죽었을 거예요. 그와 반대로, 갈리마르 출판
사 전체가 작가들로부터 완전한 보이콧을 당하지 않는 게 천만다행이라
고 생각하고 있을 거라는 충분한 증거를 내가 가지고 있어요. 갈리마르
는 말로의 원고를 받기 위해서 손발이 닳도록 빌었어요. 현재까지는 성
공하지 못했어요. 말로는 조만간 출판될 소설들(정확하게 말하자면 차기
삼부작)을 스위스 출판사와 계약했기 때문에, 가스통 갈리마르에게는 로
렌스에 관한 책을 주겠다는 막연한 약속밖에 해 줄 수 없었어요. 적어도
카프카만큼이나 미묘한 문제이긴 한데…… 폴랑에 관해서 말하자면, 자
네가 거부했다고 해서, 그의 체면이 구겨졌다거나 그의 심기를 건드렸다
고 하는 건 말도 안 되는 소리에요. 폴랑 자신이 그 잡지에 자기 이름을

올리는 걸 아주 꺼려하고 있어요."[34] 이 편지는 독일 점령하의 프랑스 좌파 지성인들이 어떻게 처신했는지를 단적으로 보여 주는 하나의 일화이다.

마침내, 파스칼 피아로부터 카뮈의 주소를 건네받은 앙드레 말로가 카뮈에게 편지를 했다. 1941년 10월 30일자 편지에서 앙드레 말로는 "『이인』과 『시지프 신화』의 상호연관은 내가 예상했던 것보다도 훨씬 더 많은 결과를 낳고 있어요. 에세이가 소설에 그 충만한 의미를 안겨 주고 있어요. 특히, 소설에서 무엇보다도 단조롭고 거의 의미 없는 것처럼 보이는 것들을 긍정적이면서도 어떤 원초적인 힘을 품고 있는 단순함으로 바꿔 주고 있어요"[35]라고 평가하면서, "그러니까 작품들이 서로서로 조명해 주는 경우가 있는데, 특히 귀하의 경우에는 그게 훤히 보여요. 일주일 후에 가스통 갈리마르를 만날 예정인데, 두 책이 차례로 출판될 수 있도록 내가 할 수 있는 모든 걸 다할 작정이에요"[36]라며 자신이 직접 나서서 출판을 주선하겠다는 의사를 전했다. 이어서 말로는 "중요한 것은 두 권의 책과 더불어 현존하는 작가들, 자기 목소리를 내고, 머지않아 독자들과 영향력을 가진 작가들 가운데 귀하가 자리를 차지하게 되리라는 점이에요. 그런 작가들이 그렇게 많지는 않아요"[37]라고 무명작가의 재능을 치하하는 동시에 그의 밝은 미래를 예견했다. 카뮈와 앙드레 말로의 첫 만남은 이렇게 편지를 통해 이루어졌다. 앙드레 말로는 문학청년 카뮈가 가장 존경했던 지성인 작가였다.

앙드레 말로의 편지를 받은 카뮈는 말로에게 보낸 11월 15일자 편지에서 "귀하는 제가 인정받고 싶어 했던 작가들 가운데 한 분이십니다. 그리고 귀하께서 저를 인정해 주는 표현에 저의 감사한 마음은 더욱 큽니다"라고 사의를 표하고 나서, 말로의 지적을 거론하면서 "어떤 작품들은 서로서로 조명을 하곤 합니다. 저는 바로 이런 토대 위에서 작업하고 있습니다"[38]라며 말로의 견해에 전적으로 동조했다. 아니 좀 더 정확하게 말하자면, 앙드레 말로의 의견에 동조했다기보다는 카뮈가 자신의 문학론을 말로에게 분명하게 표명했다고 해야 적절할 것이다. 왜냐하면 애초부터 『이인』과 『칼리귈라』 그리고 『시지프 신화』는 '부조리'라는 동일한 주제를 각각 다른 언어형식을 빌려 표현하려는 의도에서 출발한 삼부작이기 때문이다. 이러한 카뮈의 문학론은 훗날 피에르 베르제와의 대담에서도 확인할 수 있다. "나의 경우에는 내 책들이 서로 무관하게 고립되어 있다고 생각하지 않는다. 어떤 작가들의 경우는 내가 보기에 작품 전체가 하나의 작품을 이루고 있는 것 같다. 작품 한 편 한 편이 다른 작품들에 의해 조명되고, 또한 모든 작품들이 서로 마주보고 있다는 말이다."[39] 아무튼, 이렇게 말로와 카뮈의 인연이 맺어졌고, 두 지성인은 서로의 재능을 존중하는 관계로 발전하게 될 터이고, 훗날 카뮈가 노벨 문학상 수상자로 선정되었을 때, 카뮈는 공개적으로 "앙드레 말로가 탔어야 하는데"라는 자신의 입장을 밝히기도 할 것이다.

  장 폴랑도 마침내 카뮈에게 직접 서신을 보내왔다. 1942년 2월 2일자 우편엽서에서 폴랑은 『이인』 원고의 행방에 대해 다음과 같이 간략하게 언급하고 있다. "이미 오래 전에 귀하에게 제가 얼마나 『이인』을 좋아하는지 편지를 했어야 했습니다. 하지만 제게 귀하의 주소가 없었어요. 제가 가스통 갈리마르에게 『이인』을 건넸는데, 갈리마르도 저만큼이나 좋아했습니다. 곧 출판되리라고 생각합니다. 제가 보기에 대단히 위대한 작품입니다. 『이인』을 읽으면서 때로는 카프카가 떠오르고, 때로는 외젠 쉬가 떠오르긴 했지만, 이건 단지 이 작품 전체가 풍기는 다름과 너무나도 낯선 통일성을 더욱 돋보이게 하는 것에 지나지 않습니다."[40] 이 엽서를 보면, 결국 『이인』 원고를 가스통 갈리마르에게 넘긴 장본인은 장 폴랑이었다는 사실을 알 수 있다. 파스칼 피아를 통해 앙드레 말로와 장 폴랑을 거쳐 가스통 갈리마르에게 전달된 『이인』은 이제 출판 날짜만을 기다리고 있는 셈이었다. 그리고 앙드레 말로가 『이인』의 원고를 두고

"대단한 물건"이라고 표현했다면, 장 폴랑은 "대단히 위대한 작품"이라고 화답했던 사실도 기억해 둘 만하다.

그런데 사실은, 장 폴랑의 엽서를 받기 두 달 전, 이미 카뮈는 가스통 갈리마르로부터 출판계약 제안서를 받은 상태였다. 가스통 갈리마르는 카뮈에게 보낸 1941년 12월 8일자 편지에서 『이인』을 서둘러 출간하고 싶다는 의사를 다음과 같이 강력하게 피력하고 있다. "저는 방금 귀하의 소설을 읽었습니다. 즉시 이렇게 귀하에게 편지를 쓰고 있다는 게 제겐 크나큰 즐거움입니다. 저는 이 작품이 훌륭하다고 생각합니다. 그러니까 저는 이 작품을 가능한 한 가장 빠른 시일 내에 출판할 수 있으면 매우 기쁘겠습니다. 저는 귀하에게 통상적인 조건의 계약서에 서명해 주기를 제안합니다. 즉, 5천 프랑의 선지급금에다 1만 부까지는 인세 10%, 그 이상은 1천 부마다 인세 12%입니다. 귀하가 동의한다는 답장을 주면, 아마도 두 달이나 걸리게 될 계약서 인준 절차를 기다리지 않고, 즉시 『이인』을 제작할 수 있을 것입니다."[41] 『이인』의 탄생을 알리는 순간이었다.

당시 갈리마르 출판사의 편집국장이던 작가 레이몽 크노는 1942년 2월 5일자 카뮈에게 보낸 편지에서 『이인』의 제작 상황에 대해 다음과 같이 자세히 전하고 있다. "우리는 귀하의 소설 『이인』 제작에 들어갔습니다. 초교 수정을 위해 누구에게 보내야 할까요? 귀하에게 초교를 전달하는 것은 불가능합니다. 교정을 담당할 누군가를 우리에게 알려 주실 수 있습니까? 저자 교정을 염두에 두고 계셨습니까? 갈리마르 씨는 귀하의 책이 가능한 한 가장 빠른 시일 내(3월이나 4월초)에 출간되기를 바라고 있습니다."[42] 그리고 추신에는 "귀하의 에세이는 '지엽적인' 어려움에 처해 있습니다"[43]라고 덧붙였다. 레이몽 크노가 "지엽적인 어려움"이라고 에둘러 표현한 이유는 『시지프 신화』 원고에 있는 「프란츠 카프카 작품 속의 희망과 부조리」라는 글 때문인데, 유태인 작가인 카프카에 관한 글이 포함될 경우, 검열당국의 허가를 받기 어렵다는 점을 상기시킨 것이다. 결국, 『시지프 신화』는 『이인』이 출간된 지 다섯 달 후인 1942년 10월에야 빛을 보게 되었고, 카프카와 관련된 글을 삭제한 상태로 출판되었다가 나중에야 부록으로 삽입되었다. 반면에, 『이인』의 경우는 검열상 아무런 문제도 없었다. 오히려 정반대였다. 당시 검열관이던 독일군 중위 게르하르트 헬러는 『이인』 원고를 받고서는 하룻밤에 다 읽었다면서, 심지어 종이 문제로 인한 어려움이 생길 경우, 기꺼이 도와주겠다고 나섰다고 한다. 『이인』은 적군까지도 사로잡은 작품이었던 셈이다.

한 달 반 뒤인 1942년 3월 20일 카뮈에게 보낸 편지에서 레이몽 크노는 "저는 3월 10일자 귀하의 엽서에서 제시한 근거에 따라 『이인』 텍스트를 확인했습니다. 안심하셔도 좋습니다. 우리가 인쇄에 들어간 것은 최종본이 맞습니다. 현재 장 폴랑이 2차 교정을 보고 있습니다. 출판 문제는 제쳐 두고, 제가 귀하의 작품들을 얼마나 존중하고, 얼마나 좋아하는지 귀하에게 말씀 드리고 싶습니다. 아주 위대한 작품들입니다. 귀하의 에세이에 대해서는 가스통 갈리마르가 귀하에게 편지를 썼을 것입니다. 귀하의 작품이 우리 출판사에서 출간되어 기쁩니다"⁴⁴라고 밝히고 있는데, 여기에서 "최종본"이라고 명시한 이유는 카뮈가 파스칼 피아, 앙드레 말로, 장 폴랑의 조언을 받아들여 최종적으로 수정한 원고임을 확인하기 위한 것이었다. 이 수정본과 관련해서는 파스칼 피아가 카뮈에게 보낸 1942년 3월 16일자 편지에서 상세하게 설명하고 있다. "내가 칸에 있는 갈리마르 주소로 지난 9월에 보낸 『이인』 원고는 수정본이에요. 레이몽 갈리마르가 받고 나서, 내게 등기우편으로 잘 받았다는 소식을 보내 왔어요. 거기에는 『시지프 신화』와 『칼리귈라』도 포함되어 있어요. 또 다른 원고[첫 번째 버전]는 당시 말로한테 있었어요. 말로가 그 원고를 가스통 갈리마르에게 넘기지 않았는지를 확인해 볼 참이에요. 그랬다면 당연히 혼선이 빚어졌을 테지요. 하지만 정황증거로 볼 때, 폴랑이 읽고 나서 인쇄소에 넘긴 원고는 수정본이 맞다고 생각해요. 자네 편지를 받기 며칠 전에 크노의 엽서를 받았는데, 파리에 있는 갈리마르 사에서 제작에 들어간 것 같고, 크노는 제작에 들어간 원고가 수정본이 아닐까 봐 걱정이라고 했어요. 나는 즉시 크노에게 답장해서 레이몽 갈리마르가 칸에서 받은 원고를 사용해야 한다고 알렸어요. 혹시나 갈리마르가 한 편의 원고가 아니라 두 편을 가지고 있을 경우, 자네가 제시한 근거에 따라 폴랑과 크노가 출판되어야 할 원고를 확인할 수 있을 거예요. 걱정하지 않아도 돼요."[45]

드디어, 가스통 갈리마르는 1942년 5월 19일자 카뮈에게 보낸 편지에서 『이인』이 출간되었다고 통보했다. "『이인』이 인쇄되었고, 귀하에게 몇 부를 발송했습니다. 저는 제작에 들어간 귀하의 에세이가 나오기를 기다리지 않고, 즉시 판매에 들어갈 생각입니다. 그리고 폴랑이 아직 에세이의 교정쇄를 제게 건네지 않은 상태입니다. [⋯] 귀하의 이익을 위해 최선의 노력을 할 테니, 저를 믿어 주십시오. 제가 얼마나 귀하의 작품들을 좋아하고, 그 성공에 관심을 두고 있는지를 헤아려 주십시오."[46] 카뮈가 초고를 완성한 지 2년 만에 마침내 『이인』이 탄생한 것이었다. 초판 4,400부가 인쇄되었는데, 갈리마르 출판사가 제작한 1942년 6월 신간 광고 전단지에는 맨 위에 알베르 카뮈의 『이인』, 그 아래로 프랑시스 퐁쥐의 시집 『사물 편들기』, 제임스 조이스의 『율리시스』, 앙드레 지드의 『사전꾼들』과 『신 지상의 양식』 등이 배열되어 있었다. 카뮈가 위대한 작가들의 반열에 올랐음을 알리는 첫 신호탄인 셈이었다.

지금까지 살펴본 것처럼, 『이인』이 출판되기까지의 과정은 시사하는 바가 크다. 왜냐하면 한 편의 걸작이 탄생하기까지에는 적어도 세 가지 조건은 충족되어야 한다는 점을 유추해 볼 수 있기 때문이다. 첫째로 걸작이 될 수 있는 원고가 있어야 하고, 둘째로 이 원고의 가치를 오롯이 평가할 수 있는 조언자들이 있어야 하고, 셋째로 조언자들의 제안을 받아들여 원고를 완성하는 작가의 능력이 있어야 할 것이다. 다행하게도 『이인』은 이 세 가지 조건 모두를 충족시킨 작품이었다. 아무튼, 작품 『이인』은 탄생 이전에 이미 훌륭한 독자들을 만나 걸작임을 인정받았던 셈이니, 그의 운명은 이미 결정되어 있었던 것이나 다름없었다. 여기에는 '다름'을 인정해 주는, 더 나아가 '다름'을 추구하는 고유하고 독특한 프랑스의 지적 문화가 한몫 기여했다는 사실도 상기해야 할 것이다.

1999년, 20세기를 마감하면서, 〈르 몽드〉 신문사와 FNAC[프랑스의 대표적인 서점]이 공동으로 프랑스 독자들을 대상으로 실시한 설문조사 끝에 20세기 세계명작 100선을 발표한 바 있는데, 『이인』은 2위에 오른 마르셀 프루스트의 『잃어버린 시간을 찾아서』를 물리치고 당당 1위에 선정되었다. 그것도 프란츠 카프카의 『소송』(3위), 존 스타인벡의 『분노의 포도』(7위), 헤밍웨이의 『누구를 위하여 종은 울리나』(8위), 사뮈엘 베케트의 희곡 『고도를 기다리며』(12위), 장-폴 사르트르의 『존재와 무』(13위), 기욤 아폴리네르의 시집 『알코올』(17위), 클로드 레비-스트로스의 『슬픈 열대』(20위) 등의 선정 작품들에서 확인할 수 있듯이, 철학서와 인문학 저서들을 포함해서 모든 장르를 망라한 세계명작들 중에서도 최고의 명작에 올랐으니, 앙드레 말로나 장 폴랑의 예언은 한 치의 오차도 없이 적중한 셈이다.

1.9. 『이인』의 탄생

1942년 5월 『이인』이 출간되었을 때, 카뮈는 오랑에 머물고 있었다. 폐결핵 재발이라는 건강상의 이유도 있었지만, 전시에 반드시 필요했던 통행 허가증을 발급받지 못했기 때문이기도 했다. 1942년 8월에 마침내 통행 허가증을 발급받은 카뮈 부부는 알제리를 떠나 마르세이 행 배를 타고 리용을 거쳐 오트-루아르 도(道)의 작은 마을인 샹봉-쉬르-리뇽에 도착했다. 카뮈 부부가 이곳을 택한 이유는 의사의 권고에 따른 것이었다. 왜냐하면 카뮈의 건강을 회복하기 위해서는 뜨거운 태양을 피해 천 미터 고지 이상의 휴양지에 머물러야 했기 때문이다. 다행하게도 그들에게는 갈리마르 출판사가 선지급한 인세와 프랑신의 월급을 모아 둔 여유 자금이 있었다. 카뮈는 이곳에 머물면서 다음 소설인 『페스트』 집필에 들어갔다. 그리고 프랑신은 9월까지 카뮈 곁에 머물다가 개학에 맞춰 다시 오랑으로 돌아갔고, 카뮈는 이듬해 여름까지 혼자서 요양생활을 했다. 1943년 1월 15일자 작가수첩에는 이런 단상이 적혀 있다. "병은 십자가이기도 하지만, 어쩌면 보호막이기도 하다. 이상적인 건 보호막의 힘을 빌려서 그 나약함을 거부하는 것이다. 병이 안식처가 되어 원하는 순간에 이르러서는 더욱 강해지기를. 그리고 고통과 체념의 대가를 치러야만 한다면, 대가를 치를 것."[1] 카뮈에게 폐결핵은 일생 동안 지고 가야 할 "십자가"이자 시지프의 바위였다.

카뮈가 샹봉-쉬르-리뇽에서 요양 중이던 1942년 10월, 『시지프 신화』는 카프카 부분을 삭제한 채 갈리마르 출판사의 총서 〈에세이〉의 12호로 초판 2,750부가 출간되었다. 나와 세계를 이어 주는 유일한 끈으로 부조리 개념을 설정해서, 부조리한 사고, 부조리한 인간, 그리고 부조리한 창조에 관해 부조리 철학을 설파하고 있는 이 책은 파스칼 피아에게 헌정되었다. 당시 리용에 머물고 있던 파스칼 피아는 카뮈에게 보낸 1942년 11월 4일자 편지에서 감사의 말을 전했다. "서점에서 『시지프 신화』를 발견했고, 나는 즉시 책을 샀어요. 이 책을 나에게 헌정해 준데 대해서 너무나 감사해요. 감동 받았어요. 사실 나는 헌정 받을 자격이 전무하다는 느낌이에요. 이제부터 그런 자격을 갖추려고 열심히 노력해야 하겠어요."[2] 그리고 파스칼 피아는 카뮈가 안정적인 삶을 영위할 수 있도록 애써 보겠다는 말도 덧붙였다. "나는 가스통 갈리마르가 적어도 자네가 시골에서 혼자 살 수 있을 만큼의 최소한의 비용을 대어 주리라고 확신하고 있어요. 물론 갈리마르가 귀를 쫑긋하긴 하겠지만 말이죠. 내가 말로와 협의해서 자네가 이 문제에 대해서 직접 나서지 않아도 되도록 할 거예요."[3] 실제로, 카뮈는 머지않아 갈리마르 출판사의 일원으로 월급을 받아 비교적 안정적인 생활을 하게 될 것이다.

1942년 12월 7일자 편지에서 파스칼 피아는 카뮈에게 희소식을 전했다. "오늘 지난주 수요일자 엽서를 폴랑한테서 받았는데, 폴랑이 내게 다음과 같이 말했어요. '모든 문제가 해결되었네. 카뮈는 2,500프랑의 월급을 받게 될 거야. 나는 만족하네.'"[4] 이제 카뮈는 갈리마르 사의 작가로 프랑스 지성계의 복판에서 활동할 수 있는 터전을 마련한 셈이었다. 갈리마르의 약속은 즉각 이행되었다. 카뮈는 1942년 12월 11일자 피아에게 보낸 편지에서 이 사실을 통보하면서 감사의 말을 덧붙였다. "저는 자닌 갈리마르로부터 향후 6개월간 월급을 보낸다는 편지를 받았고, 바로 오늘 우편환으로 2,500프랑이 제게 도착했습니다. 그러니까 보다시피 갈리마르가 빠르게 일 처리를 했습니다. 중간에 나서 주셔서 감사드립니다. 덕택에 앞으로 6개월 동안은 안심하고 살아갈 수 있게 되었습니다."[5]

샹봉-쉬르-리뇽에서의 요양 생활 중에 카뮈는 종종 리용이나 생테티엔 등 도시로 나가 지인들을 만나곤 했는데, 이때 시인 프랑시스 퐁쥐를 비롯해서, 루이 아라공과 그의 아내 엘자 트리올레, 청년 시인 르네 레이노, 도미니크수도회 신부인 브뤽베르제 등 적지 않은 지성인들을 알게 되었다. 특히, 카뮈를 만나기 전에 이미 파스칼 피아를 통해서 『시지프 신화』 원고를 읽고 감탄했던 프랑시스 퐁쥐는 『이인』보다는 이 철학 에세이에 더 많은 관심을 표명했다. 어느 날 퐁쥐는 카뮈에게 자신이 메모해 두었던 『시지프 신화』에 대한 쪽지를 건넸다. "내가 당신에게 말하지 못한 게 있어요. 나는 말이죠, 나는 바위의 무게 때문에 곧잘 낙담하고, 매우 게을러지곤 해요. 게으른 시지프를 상상할 수 있을까요? 이것이야말로 부조리의 절정이 아닐까요? 아니면, 단지 모순적인 것일까요?"[6] 이것은 『시지프 신화』에서 카뮈가 "행복한 시지프를 상상해야 한다"[7]라고 말한 데 대한 퐁쥐 특유의 신소리였다. 또한, 퐁쥐는 사르트르의 「『이인』 해실」이 독자들의 관심을 유발할 수 있는 비평이라는 점을 인정하면서도, 사르트르의 "고고한" 태도는 전혀 근거 없는 것이라고 지적했다.

오늘 엄마가 죽었다. 아니, 어쩌면 어제인지도 모른다. 양로원에서 전보가 왔다. '모친 사망, 명일 장례, 삼가 조의.' 이건 아무런 의미가 없다. 아마도 어제였을 것이다.[8]

저 유명한 『이인』의 첫머리이다. 『이인』이 출간되자 많은 서평들이 쏟아져 나왔다. 하지만 출간 직후에 나온 몇몇 비평들은 다분히 의례적이고, 그다지 호의적이지도 않았다. 이에 대해 카뮈는 작가수첩에서 다음과 같이 대응했다. "『이인』에 대한 비평들. '도덕률'이 창궐하고 있다. 부정(否定)이 하나의 선택일 때, 부정을 자포자기라고 믿는 바보들. 페스트의 작가는 부정의 영웅적인 면모를 보여 주리라. 신에게서 버림받은 인간에게 가능한 다른 삶이란 없다."[9] 특히, 1942년 7월 18-19일자 〈르 피가로〉지에 실린 앙드레 루소의 비평은 그야말로 혹평 수준을 넘어 악평의 진수였다. 당시 우파 지성계에서 독보적인 권위를 행사하던 비평가 앙드레 루소는 『이인』의 주인공 뫼르소를 "인간성이라곤 없고, 인간적 가치라고는 찾아볼 수 없는 인간", "인간의 가치를 이루는 모든 것으로부터 거세된 인간", "멋진 범죄자가 될 만한 능력도, 영웅이 될 만한 능력도 없는 인간", "이 가련한 족속" 등등으로 지칭하면서, "비인간성"이 아니라 "탈(脫)인간성"의 현상을 보여 주고 있는 인물로 몰아붙였다.[10]

앙드레 루소의 비평을 읽은 카뮈는 "책 한 권을 내는 데 3년, 이 책을 조롱하는 데는 고작 다섯 줄이면 족하다니"라고 비아냥거린 뒤, "발송하지 않을 편지"[11]라고 명시된 장문의 반박 편지를 작성했다. "이 책의 어디를 보아도, 내가 자연인을 믿는다고, 내가 인간을 식물과 동일시한다고, 인간 본성이란 도덕과 무관하다는 등등을 귀하께서 주장할 근거는 전혀 없습니다. 이 책의 주인공은 결코 먼저 나서는 법이 없습니다. 귀하는 그가 삶에 대한 질문이든, 인간에 대한 질문이든, 늘 질문에 대답하는 데에 그친다는 사실을 파악하지 못했습니다. 그러니 그는 아무런 주장도 하지 않는 것입니다. 나는 단지 그의 부정적인 면을 제시한 것뿐입니다. […] 귀하는 어쩌면 한 무명작가의 보잘것없는 책을 놓고 많은 사람들이 떠들고 있다고 생각할지도 모르겠습니다. 하지만 나는 그런 사태가 내 소관이 아니라고 생각합니다. 사실 말이지, 귀하는 도덕적 관점에 사로잡혀 있기에, 명철하고 재능 있는 판단을 하지 못한 것입니다. 귀하의 명철함과 재능은 정평이 나 있는데도 말입니다. 귀하의 입장은 도무지 받아들일 수가 없습니다. 귀하는 이를 어느 누구보다도 더 잘 알고 있습니다."[12]

앙드레 루소의 비평을 읽은 가스통 갈리마르는 카뮈에게 직접 쓴 8월 10일자 엽서에서 "그 비평은 사실 얼토당토하지도 않아요. 반면에 〈코메디아〉에 실린 마르셀 아를랑의 호평 기사가 있고, 또 하나는 〈NRF〉지에 실린 호의적인 기사도 있어요"[13]라며 응원의 메시지를 보냈다. 가스통 갈리마르가 언급한 〈NRF〉지에 실린 기사는 바로 모리스 블랑쇼의 「이인의 소설」이라는 글인데, 파스칼 피아 역시 9월 2일자 카뮈에게 보낸 편지에서 블랑쇼의 서평에 대해서 다음과 같이 언급했다. "『이인』에 대한 블랑쇼의 묵직한 글을 자네에게 보내요. 내가 보기에, 지금까지 자네 책에 대해서 쓴 서평들 가운데 가장 명민한 글이에요. 물론 블랑쇼가 소송 장면을 작위적이라 평가하면서 큰 실수를 범하고 있긴 하지만 말이에요. 신기한 것은 합리적이라고 하는 많은 사람들이 아직까지도 사법부의 터무니없는 행태와 법관, 변호사, 증인 등 사법기관과 관련된 사람들의 어처구니없는 짓거리를 인정하지 못하고 있다는 거예요."[14] 모리스 블랑쇼가 "소송 장면은 이따금 작위적이다"[15]라고 지적한 것은 사실이다. 하지만 이 지적은 지극히 지엽적인 사항에 지나지 않고, 블랑쇼의 서평은 『이인』의 글쓰기의 새로움과 독특함을 심층적으로 분석했다는 점에서, 그리고 『이인』의 화자가 신종 화자이자 별종 화자임을 적시하고 있다는 점에서, 오늘날까지도 『이인』의 연구에 필수적인 소중한 자료로 인정받고 있다.

「이인의 소설」에서 블랑쇼는 "주체 개념을 사라지게 하는 책이다"[16]라고 정곡을 찌르면서, 일인칭 화자인 '나'가 오로지 객관적인 시각에서, 즉 내면의 시각이 아니라 외부의 시각에서, 마치 타자가 '나'를 그리는 듯한 독특한 서술기법을 사용하고 있다는 점을 역설했다. "일반적으로 고백이나 내면의 독백에 사용되는, 또는 내면의 시각에서 끝없는 묘사를 할 때 사용되는 일인칭 소설이 알베르 카뮈에게는 내면심리 분석이나 몽상의 가능성을 일절 배제해 버리는 데에 이용되고 있다. 또한 인간의 현실과 이 현실의 사건이나 진상들이 드러나는 그 양상들 사이에 메울 수 없는 간극을 만들어 내는 데에 더욱 이용되고 있다. '나'라고 지칭하면서, 근본적으로 극적인 이야기를, 우리가 상상할 수 있는 가장 극적인 이야기를 하고 있는 인간, 그리고 이 이야기를 아무런 가감 없이 전달하고 있는 듯한 인간, 아니 그보다는 감정들을 드러내면서도 그 단순함으로 인해 우리에게서 더욱 멀어지고, 아무 말도 하지 않는 것보다도 더 우리에게 낯설게 와 닿는 인간, 이 인간은 극도의 객관성을 지향하고 있다. 그는 마치 타자가 그를 바라보듯이, 타자가 그에 대해서 말하듯이, 자기 자신과 거리를 두고 있다."[17] 『이인』의 화자의 정체성을 극명하게 드러내는 예리하고 치밀한 분석이다. 이러한 분석에 입각해서 블랑쇼는 이 화자의 전략이 "오로지 외부로부터 그려진 묘사, 주체의 모든 거짓 변명들을 배제해 버린 묘사"[18]를 지향하고 있음을 강조했다. 20세기 프랑스 최고의 비평가로 꼽히는 블랑쇼는 『이인』의 새로운 글쓰기의 낯섦과 특이함을 적시했으며, 『이인』의 화자의 의도적인 전략을 오롯이 간파했다. 『이인』이 전문가들로부터 인정받는 이유도, 마치 일인칭 화자인 '나'가 '나'가 아닌 남을 그리듯이 혹은 남이 '나'를 그리듯이, 주체의 주관성을 배제한 채 엄밀하게 객관적인 시각에서 자신의 이야기를 전달하는 데에 있기 때문이다. 그렇기 때문에 블랑쇼는 『이인』의 2부 5장의 말미에 기술된 교화신부와의 언쟁에서 뫼르소가 자신의 내면세계를 있는 그대로 드러내는 장면이 옥의 티라고 지적했던 것이다. 간단히 말해서, 모리스 블랑쇼는 훗날 롤랑 바르트가 『이인』의 글쓰기를 "무색의 글쓰기", "중성적 글쓰기", "영도(零度)의 글쓰기"[19]라고 지칭하기 훨씬 이전에, 『이인』의 글쓰기의 특징을 정확하게 분석하고 지적했던 유일한 비평가였다.

카뮈보다 두 살 아래인 롤랑 바르트는 『이인』을 읽고 나서 작가가 되기로 마음먹었다고 고백한 바 있다. 카뮈처럼 폐결핵 환자였던 바르트는, 카뮈가 이 병을 "십자가"에 비유했듯이, "폐결핵은 진정한 삶의 장르이고, 존재 양식이다. 거의 하나의 선택이라고 하고 싶다"[20]라고 표현하기도 했다. 그는 치료차 론-알프 지방의 이제르 도(道)에 있는 산간 마을인 생-틸레르-뒤-투베의 요양원에서 머물곤 했는데, 이 요양원에서 발간하는 잡지 〈실존(Existences)〉 1944년 7월호에 「『이인』의 문체에 대한 성찰」이라는 서평을 게재했다. 무명 시절의 바르트가 썼던 몇몇 글들 중의 하나이다. 이 글에서 바르트는 "훌륭한 텍스트는 바닷물과도 같다. 왜냐하면 그 색깔은 수면에 비친 해저의 반사광에서 나오기 때문이다. […] 바로 『이인』의 문체는 바닷물과 같은 뭔가를 지니고 있다"[21]고 지적하면서, "카뮈는 이야기와 언어의 조합을 이끌어 냈다. 그는 어떤 부재의 언어를 창조해 냈다"[22]라며 『이인』의 글쓰기에 대해 명철한 분석을 내놓았다. 아울러 "그의 인물만큼이나 낯선 문체", "보이지 않는 문체", "품위 있는 문체", "천재적인 문체"[23], "부조리한 문체", "침묵의 문체이자 문체의 침묵인 새로운 문체"임을 강조하면서, 마지막으로 "무색의 목소리"[24]라고 결론지었다. 바로 이 "무색의 목소리"라는 개념을 발전시켜서 훗날 바르트는 「글쓰기의 영도」['부재의 글쓰기'라는 뜻]라는 글을 발표했고, 공교롭게도 이 글은 카뮈가 편집국장을 그만둔 직후인 1947년 8월 1일자 〈투쟁〉지에 게재되었다.[25]

1943년 2월호 〈레 카이에 뒤 쉬드〉에는 『이인』에 대한 두 편의 서평이 게재되었는데, 장-폴 사르트르의 「『이인』 해설」과 장 그르니에의 「한 작품, 한 인간」이었다. 장 그르니에는 이 서평에서 "일인칭으로 이야기하는 한 인간이, 최소한의 애석함의 표현도 없이 어머니의 장례식에 참석하고, 원하지도 않았고 설마 그러리라고 생각지도 못했던 살인을 하게 되고, 감옥살이를 하다가 재판 끝에 사형선고를 받는다. 이 모든 것이 건조하고, 간결하고, 의도적인 무색의 언어로 표현되어 있다"[26]고 지적한 뒤, "프랑스 독자들은 미묘하고 끝없이 이어지는 심리분석에 길들여져 있다. 하지만 이 작품에는 그런 게 전혀 없다. 지극히 외면적이고 지극히 피상적인 외관만을 포착하는 듯한 단속적인 이야기, 끝없이 이어지는 이미지의 행렬, 오로지 이것뿐이다"[27]라며 『이인』의 언어형식의 특성에 주목했다. 흥미로운 것은 장 그르니에도 롤랑 바르트에 앞서 "무색의 언어"를 강조했다는 사실이다. 그리고 서평의 제목이 암시하고 있듯이, 저자인 옛 제자 카뮈를 잘 알고 있는 장 그르니에는 "필자는 단지 한 인간이 모든 것을 쏟아 부은 한 편의 작품, 위대한 예술가를 발견케 하는 한 작품의 가치를 적시하고 싶었을 뿐이다"[28]라고 덧붙이며 서평을 매조지었다. 그르니에의 비평을 읽은 카뮈는 스승에게 보낸 1943년 3월 9일자 편지에서 "감사한 마음으로 선생님의 서평을 읽었습니다. 왜냐하면 선생님의 서평에는 제가 보기에 선생님의 우의가 풍기기 때문입니다. 바로 이게 파리에서 뵙게 되면 제가 말씀드리고 싶은 것입니다"[29]라고 간단하게 감사의 뜻을 전했다.

사르트르의 「『이인』 해설」은 발표 직후부터 오늘날에 이르기까지 작품 『이인』에 관해 아주 체계적인 분석을 한 서평으로 정평이 나 있고, 전문가들에게뿐만 아니라 일반 독자들에게도 널리 알려진 글이다. "출간되자마자 카뮈의 『이인』은 대단한 호평을 받았다. 이구동성으로 1차 대전 종전 이후 최고의 책으로 꼽곤 했다"[30]로 시작되는 이 글에서, 비평가 사르트르는 부조리한 인간 뫼르소의 인물 특징, 『이인』의 문장 특성, 작가의 글쓰기 예술, 부조리 개념 등 이 작품의 주요 문제점들을 예리하고 치밀하게 분석했다. 그중에서도 『이인』의 문장 특성에 대한 분석은 압권으로 자주 인용되는 표현이다. "문장은 산뜻하고, 나무랄 데 없이 완벽하고, 그 문장 자체에로 닫혀 있다. 문장은 다음 문장과 무(無)에 의해 분리되어 있다. 데카르트의 순간이 이어지는 순간과 분리되어 있듯이 말이다. […] 각 문장과 다음 문장 사이에서 세계가 사라졌다가 다시 소생한다. 『이인』의 문장 하나하나는 하나의 섬이다. 그래서 우리는 문장에서 문장으로, 무에서 무로 위험천만한 건너뛰기를 한다. 카뮈가 그의 소설을 쓰면서 복합과거를 택한 이유는 바로 각 문장 단위의 고독을 강조하기 위한 것이다."[31] 1942년 당시의 독자들에게 『이인』이 충격적이었던 것은 바로 전통 소설의 시제인 단순과거를 채택하지 않고, 마치 하루하루 그날의 일기를 쓰듯이, 아니면 그날의 일들을 누군가에게 이야기하듯이, 구어체의 복합과거를 사용한 데에 있었다. 소설의 시제 형식에 코페르니쿠스적인 혁명을 불러일으킨 역사적인 사건이었다. 게다가 간결하고 단속적인 문장들이 병렬되어 있을 뿐만 아니라, 이어지는 두 문장 사이에 인과관계가 없는 특이한 글쓰기 때문에, 독자들은 낯섦을 겪지 않을 수 없었다. 사르트르는 바로 이 점을 예리하게 지적했던 것이다.

또 한 가지 사르트르의 비평이 탁월하다고 인정받는 이유는 소설 『이인』과 철학 에세이 『시지프 신화』의 연관성을 파헤쳤다는 데에 있다. 물론 이것은 소설이 출간되기 이전에 파스칼 피아, 장 폴랑 그리고 앙드레 말로가 이미 정확하게 파악하고 지적했던 사항이다. 하지만 철학자 사르트르의 명철하고 빈틈없는 비평적 혜안을 높이 평가하지 않을 수 없는 까닭은 『시지프 신화』라는 프리즘을 통해서 『이인』을 읽을 때, 비로소 이 작품의 비밀에 접근할 수 있다고 강조한 데에 있다. "『시지프 신화』는 이 개념[부조리 개념]을 우리에게 제시하고, 『이인』은 이 감정[부조리한 감정]을 우리에게 불어넣고자 한다고 말할 수 있을 것이다. 두 작품의 출판 순서가 이러한 가설을 입증해 주는 것 같다. 먼저 출간된 『이인』은 아무런 설명 없이 우리를 부조리의 '분위기' 속에 빠트리고, 이어서 그 상황을 밝혀 주는 에세이가 출간되었다. 부조리란 곧 단절이고, 괴리(乖離)이다. 따라서 『이인』은 괴리와 단절과 낯섦의 소설이다."[32] 비록 두 작품이 시차를 두고 출판된 게 카뮈의 의도에 따른 것은 아니었지만, 사르트르의 분석은 부조리 개념을 한 편의 소설(『이인』), 한 권의 철학 에세이(『시지프 신화』) 그리고 한 편의 희곡(『칼리귈라』)에 각각 서로 다른 언어형식으로 그려 내고자 한 저자의 구상을 정확하게 짚어 내고 있다. 그리고 『이인』을 "괴리와 단절과 낯섦의 소설"로 규정한 것도 사르트르 가 부조리의 특질들이 이 작품에서 오롯이 구현되어 있다는 사실을 파 악했기에 가능했던 것이다.

카뮈는 『시지프 신화』에서 "부조리란 본질적으로 단절이다"[33]라고, 또 한 "부조리는 희구하는 정신과 좌절시키는 세계 사이의 단절이다"[34]라 고 정의했다. 아울러, 카뮈는 "인간의 호소와 세계의 몰지각한 침묵 사이 의 충돌에서 탄생하는"[35] 부조리의 "본질적 특성"을 "대립과 분열과 단 절"[36]이라고 규정하면서, "인간과 세계를 잇는 유일한 끈"[37]이라고 강조 했다. 다시 말해서, 부조리는 '나'에게 있는 것도 아니고, '세계'에 있는 것도 아니라, '나'와 '세계' 사이에 존재한다. 바로 이러한 부조리의 특 질들, 즉 대립과 분열, 단절과 충돌을 체화하고 있는 인물이 이인 뫼르 소이다. "부조리의 포도주와 무관심의 빵"[38]을 일용할 양식으로 삼아 차 이와 다름, 낯섦과 기이함의 화신(化身)이 되어 버린 뫼르소는 부조리한 이인의 숙명을 안고 태어난 인물이었다. 요컨대, 사르트르가 이런 뫼르 소의 정체성과 숙명을 적시할 수 있었던 것은 『시지프 신화』를 통해서 『이인』을 읽었기에 가능했다. 또한, 사르트르가 『이인』의 화자의 전략 을 『시지프 신화』에 나오는 "칸막이 유리창"[39]에 비유하면서, 부조리한 서술기법을 사용한 새롭고 다른 글쓰기라고 지적한 것도 아주 명쾌하고 예리한 분석이었다.

그런데 사르트르는 작품 『이인』의 가치와 위대함에 대해서는 찬사를 아끼지 않으면서도, 『시지프 신화』의 저자에 대해서는 "제대로 이해하지 못한 것처럼 보이는 야스퍼스, 하이데거 그리고 키르케고르의 텍스트들을 인용하는 멋부리기"[40]를 하고 있다거나, 작품 『이인』을 한 편의 장편소설이 아니라 볼테르의 『캉디드』나 『자디그』와 유사한 "모럴리스트 단편소설"[41]이라고 규정하는 등, 다분히 의도적으로 꼬투리를 잡는 비판을 하기도 했다. 사르트르의 서평을 읽은 카뮈는 장 그르니에 선생에게 보낸 1943년 3월 9일자 편지에서 다음과 같은 생각을 피력했다. "사르트르의 글은 '해체적 분석'의 모델입니다. 거두절미하고, 모든 창조에는 사르트르가 고려하지 못하는 본능적 요소가 있는 법입니다. 지성이라는 게 그다지 큰 자리를 차지할 몫이 없는 것이거든요. 하지만 비평에서는 그게 철칙이고, 그렇게 하는 것은 아주 좋습니다. 왜냐하면 여러 번에 걸쳐 사르트르는 제가 말하고 싶었던 것이 무엇인지에 대해서 저를 깨우쳐 주고 있으니까 말입니다. 저는 또한 사르트르가 지적한 대부분의 비판들이 정당하다는 것을 알고 있습니다. 하지만 왜 그렇게 어투가 신랄하죠?"[42] 카뮈가 『구토』 서평에서 표명했던 유보적이고 비판적인 입장을 상기한다면, 장군멍군이라고 해야 할까. 아무튼, 카뮈와 사르트르는 훗날 "가깝지도 멀지도 않은" 친구가 되기 이전에, 각자 상대방의 작품을 통해서 호의적인 만남을 가졌던 것만은 사실이다.

　『이인』에 대한 두 개의 비평만 더 언급하고 넘어가기로 하자. 우선, 1955년 4월호 〈최고의 책 클럽 회보(*Bulletin du Club du Meilleur Livre*)〉에 게재한 롤랑 바르트의 서평이다. 「『이인』, 태양의 소설」이라는 제목의 서평에서 바르트는 글쓰기 형식상 코페르니쿠스적인 혁명을 일으킨 새로운 소설 『이인』의 탄생을 "건전지의 발명"[43]에 비유하면서 극찬을 아끼지 않았다. "10년 전 『이인』에 대한 관심은 엄청났다. 프랑스인들이 좋아하는 문고판으로도 나온 이 조그만 책은 하나의 보석처럼 섬세하고 정교한 소설로 오늘날에도 여전히 때 묻지 않은 흡인력을 지니고 있다. […] 여전히 『이인』은 싱싱한 작품이고, 이 책은 출간 당시의 유행

을 넘어서서 명성을 날리고 있다. […] 출간된 지 10년이 지난 오늘날에
도, 이 책의 무엇인가가 계속해서 노래하고 있고, 무엇인가가 우리의 가
슴을 찢어 놓고 있다. 이것이야말로 모든 아름다움이 지니고 있는 이중
의 매력이다."[44] 바르트가 『이인』을 두고 "때 묻지 않은 흡인력"으로 독
자들을 유혹하는 "싱싱한 작품"이고 "하나의 보석처럼 섬세하고 정교한
소설"이라고 칭한 것은 아마도 한 편의 문학작품에 대해 표현할 수 있는
최고의 찬사가 아닐까 한다.

한편, 알랭 로브-그리예는 그의 책 『반사하는 거울』에서 『이인』이 프
랑스 문학사에서 차지하고 있는 위상에 대해 다음과 같이 지적했다. "나
는 거듭 이 자리를 빌려서 내가 문학에 입문하는 데에 너무나도 지대
한 영향을 끼쳤다고 지금도 여전히 확신하고 있는 『이인』에 대해서 언
급하고자 한다. 첨단을 걷는 지성계에서는 카뮈의 첫 소설이 한 세대 전
체, 그리고 그 세대를 훨씬 뛰어넘어 막대한 영향을 끼쳤다고 인정하는
게 그다지 달가운 일은 아니다. […] 하지만 내 나이 또래, 아니 훨씬 더
젊은 작가들 가운데서도, 자신의 습작기에 만났던 작품들 중에 『이인』
을 최고라고 지명하는 작가는 나뿐만이 아니다. 50년대 중반에 이 작품
에 대해, 그리고 또한 『구토』에 대해 가볍게 칼날을 세운 적이 있긴 하지
만, 그것은 두 작품과 거리를 두고서 나 자신의 작업의 방향을 설정하기
위한 것이기도 했고, 또한 내가 두 작품에 진 빚을 알리기 위한 것이기도
했다. 하기야 지금도 내가 이 작품(특히 『이인』의 경우가 그러한데, 왜냐하면
『구토』 텍스트의 구성은 내가 보기에 늘 훨씬 더 빈약했기 때문이다)을 읽을 때
마다, 『이인』의 때 묻지 않은 매력은 새록새록 다가온다."[45] 로브-그리
예의 표현대로, 『이인』이 오늘날에도 "때 묻지 않은 매력"으로 독자들을
유혹하고 있는 것은 엄연한 사실이다. 심지어 오늘날에도 『이인』이 프랑
스의 수많은 문학도들에게 하나의 전범으로 꼽히고 있다는 사실은 공공
연한 비밀이다.

　익히 알려져 있듯이, 로브-그리예는 『이인』의 새로운 글쓰기를 모방해서 『질투』를 비롯한 일련의 실험소설들을 발표함으로써 일약 누보로망의 기수로 떠올랐던 작가이다. 또한, 롤랑 바르트는 『이인』의 글쓰기를 "무색의 글쓰기", "중성적 글쓰기", "영도의 글쓰기"로 지칭하면서 『글쓰기의 영도』라는 처녀작을 발표함으로써 일약 신비평의 기수로 떠올랐던 비평가이다. 지나가는 길에 잠시 생각해 보기로 하자. 과연, 한 편의 문학작품이 동시대의 탁월한 비평가 한 사람과 누보로망이라는 새로운 문학사조를 탄생케 했던 경우가 20세기 문학사에서 『이인』 이외에 또 있을까?

2부

제2기(1942-1952):

저항에서 **반항**으로

카뮈의 삶에서 제2기에 해당하는 이 시기는 그의 일생에서 가장 왕성한 활동을 했을 뿐만 아니라 프랑스 지성계의 대표적인 인물로 등극했기에 지성인 카뮈의 황금기라 할 수 있다. 1942년에 갈리마르 출판사에서 첫 소설 『이인』과 철학 에세이 『시지프 신화』를 발간해서 일약 프랑스 문단을 대표하는 작가로 떠올랐고, 1943년에는 지하신문 〈투쟁(Combat)〉의 편집국장을 맡아 저항투사로서 레지스탕스에 가담해서 나치 독일의 점령하에서 좌절과 실의에 빠져 있던 프랑스 국민들에게 저항 정신을 고취시키기도 했다.

　1944년 8월 파리 해방 직후에는 〈투쟁〉지의 사설을 통해서 "인간의 정의"에 따라 부역 지성인들을 준엄하게 심판해야 한다고 주장했고, 이로 인해 "신의 자비"를 외친 〈르 피가로〉지의 논설위원인 가톨릭 작가 프랑수아 모리악과 치열한 논쟁을 벌여야 했다. 특히, 해방 직후의 〈투쟁〉지는 편집국장 카뮈의 수준 높은 사설 덕분에 흔히 '지성인 신문'으로 통했고, 비판적 저널리즘을 주장하는 그의 지론에 따라 언론의 자유와 독립을 실천했던 대표적인 일간지로 프랑스 언론 역사에 남아 있다. 이 시기에 카뮈는 프랑스 지성계의 '사상적 지도자'로 등극했다.

　1946년 11월 〈투쟁〉지에 8회에 걸쳐 게재된 「희생자도 도살자도」는 무고한 인간의 생명을 희생시키는 어떤 전체주의 이데올로기도 부정하는 카뮈 사상의 핵심을 보여 준 연재기사이다. 이 연재기사를 필두로, 카뮈는 당시 소련에서 벌어지고 있던 스탈린식 공산주의 혁명의 실상을 정면으로 비판하면서 좌파 지성인으로서는 거의 유일하게 마르크시즘과의 투쟁에 나섰고, 마침내 1951년에는 『반항인』을 발표하여 공산주의 이데올로기의 허구를 신랄하게 비판했다. 하지만 이로 인해 사르트르와의 정면충돌이 빚어졌고, 1952년 8월에 벌어진 이 『반항인』 사건은 20세기 프랑스 지성인사에서 가장 유명한 논쟁들 중의 하나로 남아 있다. 그러나 『반항인』 사건 이후, 카뮈는 프랑스 지성계에서 고립되어 오랫동안 침묵과 고독의 세월을 보내야 했다.

2차 대전 직후, 프랑스 지성계는 두 가지 면에서 새로이 재편되었다. 첫째로, 앙드레 지드와 앙드레 말로를 비롯한 노장파 지성인들을 대신해서 카뮈와 사르트르를 필두로 모리스 메를로-퐁티, 레이몽 아롱, 시몬 드 보부아르 등 소장파 지성인들이 무대의 전면에 등장했다. 둘째로, 독일 점령하에서 레지스탕스 활동에 가장 적극적으로 가담했던 공산당계 지성인들이 그 정당성에 힘입어 프랑스 지성계를 장악하면서 좌파 내에서 독보적인 권력을 행사하게 되었다. 이러한 상황에서 좌파 지성계의 샛별로 떠오른 카뮈가 20세기 프랑스 지성인사에서 어떤 위상을 차지하고 있는지를 알아보기 위해서는 20세기 전반의 프랑스 지성계를 개괄적으로나마 되돌아볼 필요가 있다.

2.1. 20세기 전반의 프랑스 지성계

2.1.1. 지성인이란?

20세기 프랑스사의 대표적인 전문가인 미셸 비눅은 프랑스의 20세기를 "지성인들의 세기"[1]라고 지칭했는데, 1898년의 드레퓌스 사건 이후 적어도 1980년 사르트르의 죽음에 이르기까지 지성인들이 20세기 프랑스 역사를 찬란하게 수놓았기 때문이다. 프랑스 대혁명이 19세기 프랑스 사회를 지배하게 될 역사적 사건이라고 한다면, 드레퓌스 사건은 20세기 프랑스 역사를 여는 사건이었다. 특히, 드레퓌스 사건은 향후 프랑스 지성계의 좌파와 우파를 고착시키는 계기가 되었다는 점에서, 그리고 프랑스 사회 전반에 걸쳐 막대한 영향력을 행사하는 지성인 집단을 탄생케 했다는 점에서 그 역사적 의의가 크다.

드레퓌스 사건 당시, 작가와 기자 그리고 교수들을 중심으로 드레퓌스 대위를 구명하기 위한 대대적인 운동이 펼쳐졌는데, 프랑스 지성계는 이 구명운동에 반대한 보수 지식인들과 구명운동에 참여한 진보 지식인들로 양분되었다. 국수주의와 애국주의를 앞세운 보수 지식인들은 인권과 정의에 입각한 보편주의를 주창하는 진보 지식인들을 두고 그 당시까지 통용되던 "지식인(clerc)"이나 "학자(savant)" 또는 "엘리트"라는 용어 대신에 "지성인들(intellectuels)"이라는 새로운 용어로 지칭했는데, 이를 계기로 지성인이라는 "현대적 동물"이 탄생하게 되었다.[2] 당시까지만 해도 '지성인'이라는 낱말은 프랑스어에서 형용사로만 쓰일 뿐 실사로서는 쓰이지 않았고, 그 뜻도 긍정적이기보다는 부정적인 의미인 '잘난 체하는' 또는 '고지식한'이라는 뜻으로 쓰이곤 했다. 따라서 '지성인'이라는 낱말은 애초에 반드레퓌스파 지식인들이 드레퓌스파 지식인들을 빈정거리고 폄훼하기 위해서 사용한 용어인데, 드레퓌스파 지식인들이 이 용어를 받아들임으로써 프랑스어 사전에서 한 자리를 차지하게 되었다.

『"지성인들"의 탄생』의 저자인 크리스토프 샤를에 의하면, 1890년대 중반부터 일부 작가들과 기자들이 '지성인'이라는 실사를 간혹 쓰기는 했지만, 일반적으로 통용되던 용어는 아니었다. 20세기 프랑스 지성인사의 전문가인 파스칼 오리와 장-프랑수아 시리넬리는 공저 『프랑스의 지성인들, 드레퓌스 사건에서 현재까지』에서 '지성인'이라는 낱말이 통용되기에 이르는 상황을 아주 간략하게 정리했다. 두 저자에 따르면, 1898년 1월 13일자 일간지 〈여명〉에 에밀 졸라의 저 유명한 「나는 고발한다!」가 발표된 뒤, 연일 많은 지식인들이 이에 동조하는 성명서에 서명했으나, '지성인'이라는 낱말은 그 어디에서도 찾아볼 수 없었다고 한다. 그로부터 열흘 뒤인 1월 23일자 기사에서 〈여명〉지 편집국장이던 조르지 클레망소가 드레퓌스 옹호 지식인들을 "이 모든 **지성인들**"[3]이라고 호칭하긴 했지만, 굵은 글씨로 강조한 것이 보여 주듯이, 특수한 의미로 쓰인 여전히 낯선 용어에 지나지 않았다.

하지만 일주일 후인 2월 1일자 일간지 〈르 주르날〉에 실린 모리스 바레스의 글 「지성인들의 항변!」은 '지성인'이라는 용어가 통용될 결정적인 계기를 제공했다. 졸라의 「나는 고발한다!」를 연상시키는 제목의 글

「지성인들의 항변!」은 일부러 느낌표까지 붙임으로써 독자들이 '지성인들의 항변이라고?'라는 의미로도 받아들일 수 있도록 하려는 저의가 담겨 있었다. 당시 프랑스 우파 지성계의 총아였던 작가 모리스 바레스는 이 글에서 "결국, 유태인들과 개신교도들을 제외하면, 소위 지성인들이라고 하는 자들의 리스트는 대부분이 멍청이들과 외국인들 그리고 몇몇 못난 프랑스인들로 짜여 있다"[4]라고 드레퓌스파 지식인들을 비아냥거리면서 정면으로 공격했다. 이 공격에 대한 응수로 뤼시앙 에르[일명 '알랭'으로 유명한 고등사범 출신의 철학자로 드레퓌스파의 주역들 중의 일인]가 〈라 르뷔 블랑쉬(*La Revue blanche*)〉에 「모리스 바레스 씨에게」라는 글을 발표했는데, 뤼시앙 에르는 의도적으로 '지성인'이라는 낱말을 기꺼이 수용하면서 모리스 바레스에게 역공을 펼쳤다. 파스칼 오리와 장-프랑수아 시리넬리에 따르면, 바로 이 뤼시앙 에르의 역공 이후, 드레퓌스파 지식인들을 가리키는 "지성인들"이라는 용어가 통용되기 시작했다고 한다. 다시 말해서, 원래 '지성인'이란 용어는 드레퓌스를 옹호하는 진보 지식인들만을 지칭했는데, 이런 배경 때문에 초기에는 좌파 지식인들만을 지성인이라 불렀고, 흔히 단수보다는 복수로만 사용되곤 했다.

　지성인에 대한 명확한 정의를 내리기는 쉽지 않지만, 프랑스에서는 대체로 작가, 기자, 교수, 예술가, 연구자들을 비롯해서, 자기 분야에서 능력을 인정받는 이들이 사회문제에 참여할 때, 그들을 지성인이라 통칭한다. 한마디로, '참여 지식인'이라고 할 수 있다. 따라서 지식인이 지성인이 될 수는 있지만, 그렇다고 모든 지식인이 곧 지성인인 것은 아니다. 20세기 프랑스 지성인의 상징으로 통하는 장-폴 사르트르는 그의 책 『지성인들을 위한 옹호』에서 지성인을 다음과 같이 간략하면서도 명쾌하게 정의한 바 있다. "지성인이란 자기 일이 아닌 일에 뛰어드는 자이다."[5] 다시 말해서, 자신과 이해관계가 없는 사회적인 문제, 소위 장터의 일에 뛰어드는 자가 지성인이다. 무엇이 지성인으로 하여금 자기와는 무관한 남의 일에 뛰어들게 하는가? 흔히 프랑스 최초의 지성인이라 불리는 볼테르가 칼라스 사건을 만들어 냈듯이, 졸라가 드레퓌스 사건을 야기했듯이, 카뮈가 오당 사건과 엘 오크비 사건을 일으켰듯이, 진실과 정의, 자유와 인권과 같은 보편적 가치가 위기에 처했을 때, 자기 일이 아닌데도 불구하고, 게다가 자신에게 돌아올 불이익을 무릅쓰고, 지성인들은 대의를 위해 장터의 일에 참여해서 불의에 맞서서 투쟁을 벌인다. 요컨대, 지성인이란 진실과 정의, 자유와 인권을 위해 투쟁하는 참여 지식인이라고 할 수 있다.

2.1.2. 지성인의 요람 〈NRF〉

드레퓌스 사건은 20세기 프랑스 역사의 서막이었을 뿐만 아니라, 향후 프랑스 지성계를 좌파와 우파로 고착시키는 계기가 되었기 때문에, 드레퓌스 사건에 참여했던 지성인들이 어떤 부류의 인물이고, 어떻게 행동했으며, 그리고 어떤 수단을 동원했는지를 살펴보는 것은 프랑스 지성인 문화의 풍토를 파악하는 데에 중요한 열쇠이다. 첫째로, 드레퓌스 사건에 참여한 인물들을 크게 세 부류로 분류하면, 작가와 기자 그리고 교수(학자)로 나눌 수 있다. 물론 학생이나 일반 시민들도 참여했지만, 위의 세 부류에 속한 인물들은 그들이 누리는 사회적 지명도로 인해 파급효과가 더 클 수밖에 없었다. 둘째로, 드레퓌스 사건에 참여했던 지성인들은 개인으로서가 아니라 집단을 이루어 투쟁했는데, 바로 여기에서 '참여'와 '연대'라는 지성인들의 행동 양식이 설정되었다. 셋째로, 드레퓌스 사건의 지성인들이 택한 최대의 투쟁 수단은 좌우파를 불문하고 '성명서'였는데, 이러한 전통은 오늘날에도 프랑스뿐만 아니라 전 세계에 남아 있다.

드레퓌스 사건 이후 이어지는 십여 년은 프랑스 지성계가 좌파와 우파로 분리되어 고착되는 시기였다. 드레퓌스 사건이 생산자 계급 대 유산자 계급 사이의 이데올로기적 충돌이 아니라, '보편적 정의' 대 '프랑스의 국익'이라는 가치의 대립이었다는 점에서, 그리고 이러한 대립이 향후 프랑스 지성계의 풍향계와 방향타 역할을 하게 된다는 점에서, 프랑스의 좌우파 개념은 원래 마르크시스트 이데올로기와 무관하다는 점을 상기해야 할 것이다. 프랑스 대혁명의 보편적 가치를 계승하는 공화주의자들이 의회주의를 옹호하면서 좌파 지성계를 대변했던 반면에, 민족과 조국의 수호자임을 자처하는 국수주의자들은 왕정의 전통을 계승 발전시킬 것을 주장하면서 우파 지성계를 형성했다. 드레퓌스파가 창설한 단체인 인권연맹은 이 사건이 종결된 이후에도 좌파 지성인들의 거점으로서 반군국주의와 반교권주의를 주창하면서, 정교분리와 평화주의 그리고 정치적 민주주의를 실현하기 위한 투쟁에 나섬으로써 프랑스 제3공화국의 정치에 상당한 영향력을 행사했다. 한편, 1902년 총선에서 좌파가 승리하자, 반드레퓌스파가 창설했던 조국프랑스연맹은 해체의 길에 접어들었으나, 왕당파이자 우파의 거물인 샤를 모라스가 1898년에 창설했던 프랑스행동은 2차 대전 때까지 극우파의 거점이 되었다.

드레퓌스 사건에서 비롯된 좌우파 지성인들 간의 대립과 갈등이 가시지 않은 1908년, 우파를 대표하는 샤를 모라스와 레옹 도데는 프랑스행동의 기관지인 일간지 〈프랑스 행동(*L'Action française*)〉을 창간하여 우파 지성인들의 활동의 장을 마련했다. 반면에, 청년작가로서 드레퓌스파에 가담했던 앙드레 지드는 이데올로기적 차원에서라기보다는 문학적 차원에서 새로운 잡지를 창간하려는 계획을 품고 있었다. 마흔 살의 중년에 접어든 앙드레 지드는 장 슐룅베르제르, 자크 코포, 앙드레 뤼테르스, 앙리 게옹, 미셸 아르노와 함께 1909년 2월 1일 『좁은 문』의 첫 회가 실린 〈라 누벨 르뷔 프랑세즈(*La Nouvelle Revue française*)〉를 창간했다.

흔히 〈NRF〉로 통칭되는 이 월간지는 1939년 2차 대전이 발발해서 드리외 라 로셸과 로베르 브라지약의 손에 넘어가 친독지로 전락하기 이전까지, 20세기 프랑스 문학의 산실이었을 뿐만 아니라 지성인들의 거점으로서 막강한 영향력을 행사한 대표적인 잡지였다. 그래서 일부에서는 이 잡지의 창간 주역들을 '지드의 6인방'이라 부르기도 했다.

〈NRF〉가 20세기 프랑스 문학과 지성계에서 차지하는 위상에 대해서는, 로제 마르탱 뒤 가르, 알베르 티보데, 쥘리앙 방다, 폴 발레리, 마르셀 프루스트, 폴 엘뤼아르, 앙드레 브르통, 장 폴랑, 프랑수아 모리악, 장 콕토, 장 발, 앙드레 말로, 폴 니장, 장-폴 사르트르, 모리스 블랑쇼, 레이몽 크노, 카뮈 등 20세기 전반의 수많은 작가와 철학자들의 산실이자 무대였다는 것만으로도 충분히 짐작할 수 있을 것이다. 특히, '지드의 6인방'은 판매부수에는 신경 쓰지 않고, 오로지 잡지의 질적 수준을 높이는 데에 주력했는데, 심지어 잡지에 실릴 글들을 모두 함께 모여서 큰소리로 낭독하기까지 했다고 한다. 문학에 대한 열정과 최고의 잡지를 만들려는 의지를 엿볼 수 있는 대목이다. 또한 1925년부터 1940년까지, 그리고 2차 대전 중 친독지로 전락했다가 전후 정간되어 1953년 복간 이후 1968년까지, 〈NRF〉지의 발행인을 맡았던 장 폴랑의 탁월한 능력과 공로는 전설로 남아 있다.

〈NRF〉와 더불어 또 하나의 지성인의 요람이 탄생했는데, 바로 갈리마르 출판사이다. 〈NRF〉는 창간과 동시에 성공을 거두었는데, 1910년 12월 20호가 발간되었을 때는, 질적인 면에서나 양적인 면에서나, 지성인들과 문학 애호가들로부터 인정받는 잡지로 자리매김했다. 이에 고무된 지드와 슐룸베르제르는 아예 출판사를 차리려는 야망을 품게 되었다. 이때 자크 코포와 슐룸베르제르가 지드에게 추천한 인물이 바로 가스통 갈리마르였는데, 그의 아버지 폴 갈리마르는 대단한 장서가이자 그림 수집가로 알려진 문예 애호가였다. 당시 스물아홉 살의 가스통 갈리마르는 〈NRF〉에 연재된 지드의 『좁은 문』을 읽고 감동한 나머지, 지드에게 열렬한 존경의 편지들을 보냈고, 직접 지드의 집을 방문한 적도 있었다. 가스통 갈리마르를 추천받은 지드는 출판사 사장을 맡게 될 인물에 대해 극히 까다로운 조건을 제시했다고 한다. "자본을 투자할 수 있을 만큼 재력이 있어야 하고, 오로지 장기적으로만 이윤을 예상할 수 있을 만큼 물욕이 없어야 하고, 사업을 잘 이끌어 나갈 만큼 수완이 좋아야 하고, 수익보다는 질을 우선시할 만큼 문학에 매료되어 있어야 하고, 사장으로서 군림할 수 있을 만큼 능력이 있어야 하고, 지드의 지침을 그대로 이행할 수 있을 만큼 순종적이어야 한다"[6]는 매우 엄격한 조건이었다. 소위 프랑스어 표현으로 '보기 드문 새(un oiseau rare)', 즉 희귀동물이어야 했다. 그런데 지드가 보기에, 가스통 갈리마르는 〈르 피가로〉지의 애독자일 뿐만 아니라, 부르주아지 동네인 센 강 우안에 사는 우파 성향의 인물이었다. 하지만 슐룸베르제르의 설득에 지드는 결국 가스통 갈리마르를 받아들여, 3인이 각각 2만 프랑씩 투자하여 1911년 5월 출판사 NRF를 설립했는데, 이것이 오늘날 프랑스를 대표하는 갈리마르 출판사의 기원이다. 그리고 오늘날에도 갈리마르 출판사에서 출간되는 모든 서적들의 겉표지에 찍혀 있는 저 유명한 이탤릭체 소문자 로고 'nrf'를 고안해 낸 이는 바로 장 슐룸베르제르였다.

　NRF 출판사는 1911년 6월 세 권의 책을 처음으로 발간했는데, 그중의 하나가 지드의 단편소설 『이자벨』이었다. 인쇄된 자신의 책을 받아본 지드는 어느 쪽은 스물여섯 줄이고, 다른 쪽은 스물일곱 줄로 되어 있는 등, 조판이 엉성했을 뿐만 아니라 오타들이 발견되자, 그 즉시 가스통 갈리마르를 불러 인쇄본 모두를 폐기하도록 했고, 갈리마르는 지드의 요구에 순순히 응하지 않을 수 없었다. 하지만 지드는 자신에게 온 초판본 여섯 부는 간직해 두었는데, 이러한 사실이 알려진 뒤 희귀본을 수집하는 서적 애호가들에게 아주 비싼 값에 팔았다는 일화도 전해지고 있다.[7] 이후, NRF 출판사는 생-종 페르스, 쥘 로맹, 로제 마르탱 뒤 가르, 조셉 콩라르, 폴 발레리, 마르셀 프루스트 등의 작품들을 출간하면서 견실한 출판사로 자리 잡았다. 1919년 7월에는 가스통 갈리마르가 동생인 레이몽 갈리마르와 함께 갈리마르 출판사를 설립해서, 장 폴랑을 비롯한 브리스 파랭, 앙드레 말로, 마르셀 아를랑, 레이몽 크노, 마르셀 에메, 장 지오노, 생텍쥐페리, 장-폴 사르트르, 루이 아라공, 앙드레 브르통, 프랑시스 퐁쥐, 앙리 미쇼 등을 자사 소속 작가로 영입하여 성공적인 출판사로 키워 나갔다. 또한 1927년에는 〈사상서가(La Bibliothèque des idées)〉, 1931년에는 〈에세이(Les Essais)〉, 그리고 1933년에는 〈플레이야드서가(La Bibliothèque de la Pléiade)〉 총서를 발간함으로써 프랑스의 대표적인 출판사로 등극하게 되었다. 1929년 센 강 좌안의 파리 7구에 있는 세바스티엥-보탱 가(街) 43번지로 본사를 옮겨 현재도 그 위치에 있고, 이 거리 이름은 2011년에 갈리마르 출판사 창설 1백 주년을 기념하여 파리 시에 의해 가스통 갈리마르 가(街)로 개명되었다.

2.1.3. 민중전선과 평화주의

20세기 전반의 프랑스 지성인사를 논할 때 빼놓을 수 없는 것이 1936년에서 1939년까지 집권했던 민중전선 정부이다. 1933년 히틀러의 등장 이후, 대내외적으로 파시즘의 위협이 고조되고 있을 무렵인 1935년 7월 14일 프랑스 대혁명 기념일에, 인권연맹의 주도 하에 좌파 단체들이 총집결해서 파시즘에 대항하는 대규모 시위를 벌였는데, 바로 이 시위가 민중전선(Front populaire)이 탄생하는 출발점이 되었다. 이어 1936년 1월, 국제노동자연맹프랑스지부(SFIO)를 비롯해서 프랑스 공산당, 사회당, 급진당 등의 정치단체들과 노동총연맹(CGT)과 통합노동총연맹

(CFDT) 등 노동단체, 인권연맹과 반파시스트지성인협회 그리고 암스테르담-플레이엘협회 등 좌파 지성인 단체들이 연합하여, 그해 4월에 실시될 총선에 대비하는 공동 집권 계획을 발표함으로써 민중전선이 탄생했다.

1936년 4월 총선에서 "빵, 평화, 자유"를 구호로 내건 좌파연합인 민중전선이 압승을 거두리라고는 누구도 예상하지 못한 일이었다. 선거결과 SFIO가 제1당, 프랑스 공산당이 제2당이 되었다. 프랑스 공산당이 좌파연합 정부에 직접 참여하기보다는 장외 지원을 선언했기 때문에, 총리로 지명된 레옹 블룸은 SFIO 소속 의원들을 중심으로 내각을 구성했다. 그러나 선거 직후인 5월 11일부터 노동자들이 근로자의 권익 증진을 요구하며 파업을 계속하자 민중전선 정부는 난관에 봉착했다. 하지만 파업에 대한 반대 여론이 높아지고, 당시 프랑스 공산당을 이끌던 모리스 토레즈가 "파업을 끝낼 줄도 알아야 한다"고 호소한 직후, 노동자들은 파업을 중단했고, 마침내 정부와 노조 간에 대타협이 이루어졌다.

민중전선의 승리가 역사적인 사건으로 남아 있는 까닭은 선거 결과보다는 노조와 정부 간에 타결된 협상 결과 때문이라고 할 수 있다. 주요 내용을 보면, 7~15%의 임금 인상, 노조활동의 자유 존중, 주 40시간 노동, 유급휴가 제도(연 2주), 실업자 구제를 위한 대공사 실시, 군수공장의 국영화, 의무교육 14세까지 연장 등인데, 이러한 조치들 덕분에 근로자와 국민들은 역대 어느 정부도 실현하지 못했던 실질적인 권익을 누리게 되었다. 특히, 주 40시간 노동제와 유급휴가제는 프랑스 국민들의 생활양식을 근본적으로 바꿔 놓은 대전환점이 되어 여가생활을 즐기는 새로운 시대가 열렸다.

하지만 레옹 블룸이 이끄는 민중전선 정부는 그해 여름에 예기치 못한 난관에 봉착했다. 히틀러와 무솔리니의 지원을 받은 프랑코 장군이 스페인 내전을 일으키자, 레옹 블룸은 내정불간섭 원칙을 선언했다. 프랑스 정부의 입장으로서는 민중전선의 토대와 출발점이 파시스트 권력에 대항하기 위한 것이었으므로, 프랑코를 비난하고 스페인 공화파를 지지해야 마땅했다. 그러나 레옹 블룸은 스페인 내전 개입에 반대하는 영국과의 외교적 마찰을 우려했을 뿐만 아니라, 프랑스가 내전을 국제분쟁화 하는 역할을 담당하게 되는 상황을 꺼려했고, 더욱이 우파를 비롯한 일부 좌파 여론이 전쟁 개입에 강력하게 반대하는 점을 고려해서 불개입 원칙을 선언하지 않을 수 없었다. 이로 인해 좌파 진영 내부에 분열이 일기 시작했고, 프랑스 공산당은 앞장서서 레옹 블룸 정부를 비난했다. 게다가 민중전선 정부를 지지하는 좌파 지성인들까지 월간지 〈코뮌〉 12월호에 「스페인 사태에 대한 공화파 지성인들의 선언」이라는 제목 하에 불개입 원칙에 반대하는 성명서를 발표하기에 이르렀다. "국제 윤리의 가장 기본적인 원칙들에 의문을 제기하는 스페인 사태에 충격을 받은 아래 서명인들은……"으로 시작하는 이 선언문에서 지성인들은 "결국 불개입 원칙은 실질적으로 반군을 도와주는 매우 효과적인 개입으로 해석된다"[8]라고 지적하면서, 프랑코가 이끄는 반군에 대항해서 싸우고 있는 스페인 공화주의자들을 지원해야 한다고 강력하게 촉구했다. 무려 1,400여 명에 달하는 서명인들은 주로 교수와 작가들이었는데, 노벨상 수상자인 프레데릭 졸리오-퀴리를 비롯해서, 폴 랑지뱅, 프랑시스 페랭, 포미에 등의 저명 교수들과 로맹 롤랑, 앙드레 지드, 루이 아라공, 쥘리앙 방다, 앙드레 상송, 폴 니장, 트리스탕 즈아라 등의 작가들이 성명서에 서명했다. 한편, 행동하는 지성인 앙드레 말로가 자발적으로 스페인 내전에 참전해서 스페인 공화주의자들과 생사를 함께했던 사실은 유명한 일화로 남아 있다.

이러한 좌파 내부의 분열과 우파의 단합된 반발로 인해 레옹 블룸 정부는 약화되기 시작했다. 게다가 사회 개혁에 대한 부담과 외세의 위협에 대항할 수 있는 재무장의 필요성 때문에, 선거공약에도 불구하고 프랑화를 평가절하하자, 프랑스 공산당은 더욱 정부에 반기를 들었고, 경제상황은 악화일로를 치닫게 되었다. 1937년 2월, 레옹 블룸 정부가 사회 개혁을 잠시 중단하고 경제문제 해결을 우선하는 정책으로 전환하자, 또다시 노동자들의 반발에 부딪혔고, 프랑스 공산당과의 관계는 더욱 악화되었다. 게다가 엎친 데 덮친 격으로, 3월 6일 정부의 정책에 반대하는 좌파 시위대에 발포 명령이 떨어져 사상자를 내는 사건이 벌어지자, 좌파 연합세력인 민중전선은 사실상 와해되기 시작했다. 레옹 블룸이 사퇴하고, 쇼탕 정부와 제2의 레옹 블룸 정부를 거쳐, 1938년에 달라디에 정부가 들어서서, 주 40시간 노동제에 구애받지 않고 고용주의 재량에 따라 노동시간을 연장할 수 있는 정책을 실시하자, 노동자들의 파업이 이어지면서 민중전선은 와해되어 역사 속으로 사라지고 말았다.

민중전선을 언급할 때 떠올리지 않을 수 없는 것이 있다면, 바로 주간지 〈금요일(Vendredi)〉이다. 이 주간지는 당시 프랑스 좌파 지성계의 대변지였다는 점 외에도, 작가와 기자들에 의해 창간되어 어떤 외부 세력으로부터도 완벽한 독립을 선언하여 언론의 독립을 실천했고, 또한 민중전선과 생사를 같이했다는 점에서 프랑스 언론사의 한 장을 차지하고 있는 대표적인 지성인 잡지이다. 작가 앙드레 샹송의 제안으로 장 게에노, 앙드레 뷔름세르 등이 주축이 되어 1935년 11월에 창간한 〈금요일〉지에는 앙드레 지드, 앙드레 말로, 폴 니장, 아라공, 브르통, 로맹 롤랑, 마르탱 뒤 가르 등의 작가들을 비롯해서, 영화인 장 르누아르와 마르셀 카르네, 철학 교수 알랭, 폴 랑지뱅, 프레데릭 졸리오-퀴리 등 당대의 대표적 지성인들이 대거 참여했다. 이런 연유로 〈금요일〉은 "지성인 공화국"이라는 별칭까지 얻었고, 미래의 지성인인 학생들이 가장 애독하던 주간지였다. 예를 들어, 당시 알제리에서 고등학교를 다니던 〈금요일〉지의 애독자 장 다니엘은 훗날 다음과 같이 회고한 바 있다. "당시 우리가 보기에 중요한 인사들이 모두 이 잡지에 모여 있었다. 행동하는 지성. 참여문학. 예술과 투쟁이 하나가 된 언론. 그렇게 기자가 되고 싶은 내 꿈, 정치적으로 확고하면서도 문학적으로 엄격한 주간지를 만들어 낼 수 있는 사람들을 언젠가는 만날 수 있을 것이라는 내 꿈이 탄생했다."[9] 오늘날 프랑스를 대표하는 주간지 〈누벨 옵세르바퇴르〉의 발행인을 역임한 장 다니엘은 자신의 꿈을 이루었지만, 〈금요일〉지는 민중전선의 와해와 더불어 사라져야 하는 운명을 피할 수 없었다.

1936년 민중전선 정부가 들어선 이후 1939년 2차 대전이 발발하기까지의 3년간의 상황을 프랑스 역사학자들은 흔히 "집행유예" 기간이라고 표현한다. 왜냐하면 독일의 히틀러가 등장한 이후, 프랑스는 전쟁의 위협 속에 처해 있으면서도, 전쟁을 방지할 수 있는 어떤 대책도 마련하지 못한 채, 마치 전쟁이 터질 그날만을 기다리는 신세였기 때문이다. 히틀러가 재무장을 선언한 이후, 프랑스 지성인들이 파시즘의 위협을 경고하며 반파시즘 투쟁의 전면에 나섰지만, 전쟁을 억제하는 군사력이 뒷받침되지 않았기에, 지성인들의 선언은 한낱 사막에서의 고함 지르기에 지나지 않았다. 1939년 3월 히틀러와 무솔리니의 지원을 받은 프랑코 장군의 승리로 스페인 내전이 끝나자, 이제 프랑스는 라인 강을 경계로 독일, 알프스 산맥을 경계로 이탈리아, 그리고 피레네 산맥을 경계로 스페인이라는 전체주의 국가들로 에워싸인 불안한 처지에 놓이게 되었다.

1935년 히틀러와 무솔리니가 흔히 '로마-베를린 축'으로 불리는 파시즘 연합세력을 구축한 뒤, 그 이듬해인 1936년에 무솔리니가 에티오피아를 점령하고, 1938년에는 히틀러가 오스트리아와 체코의 보헤미아 지방을 점령하자, 유럽 대륙에는 국제질서가 무너지고 전운이 감돌기 시작했다. 이에 영국과 프랑스는 평화적인 수단으로 국제문제를 해결해 보려고 노력했지만, 이탈리아와 독일의 무력행위를 저지할 수 있는 현실적인 대책이 없었으므로, 아무런 결과도 얻어 내지 못한 것은 당연한 일이었다. 그러던 중 무솔리니의 제의로 1938년 9월 뮌헨에서 영국, 프랑스, 독일, 이탈리아 4개국이 회담을 개최하게 되었다. 전쟁보다는 평화를 택한 영국과 프랑스는 독일의 보헤미아 지방 점령을 사실상 승인하는 등 히틀러의 요구를 모두 수용하는 굴욕적인 외교를 감수해야 했다. 이 뮌헨조약으로 인해 히틀러와 무솔리니의 파시즘은 더욱 기세가 등등해져서, 1939년 3월에 가서는 히틀러가 체코를 완전히 합병해 버리고, 무솔리니는 알바니아를 점령하기에 이르렀다. 히틀러는 여기에 그치지 않고, 뮌헨조약에 참여하지조차 못한 나머지 외교 무대에서 고립되어 있던 소련의 스탈린과 공모해서 1939년 8월에 독-소 불가침 협정을 선포했는데, 이 협정의 이면에는 독일이 폴란드를 점령하는 대신에 소련은 발트 국가들을 합병한다는 비밀 약속을 담고 있었다.

뮌헨조약과 독-소 불가침 협정은 프랑스 지성계에 커다란 반향을 일으킨 사건이었다. 특히, 뮌헨조약은 프랑스 국민들에게 패배주의를 심어준 사건으로, 전쟁이냐 평화이냐를 선택해야 하는 지성인들의 논쟁을 야기했다. 전쟁의 위협에 두려워하던 당시 프랑스 국민들과 마찬가지로, 지성인들은 좌우파를 불문하고 전쟁을 택하기보다는 평화주의에 동조했다. 샤를 모라스를 비롯한 극우파 지성인들은 뮌헨조약에 적극적인 지지를 표명했고, 교원노조와 체신노조가 주동한 「우리는 전쟁을 원치 않는다」라는 선언문이 며칠 사이에 평화주의자 로맹 롤랑을 비롯한 15만 명의 서명자를 확보한 것만 보아도, 당시 프랑스의 사회 분위기를 짐작할 수 있다. 이러한 평화주의를 주장한 대표적인 지성인들 가운데 하나가 작가 장 지오노였다. "나는 어떤 평화에도 부끄러움이 없다"라고 선언한 바 있던 그는 1938년 여름부터 평화주의와 자연주의를 주제로한 「가난과 평화에 관하여 농민들에게 보내는 편지」 등의 글들을 발표하면서 가장 적극적인 반전운동의 기수로 등장했다. 하지만 장 지오노의 평화주의 정신은 2차 대전이 발발하자, 결국 패배주의 정신의 단면으로 귀결되었고, 이를 일컫는 '뮌헨 정신'이라는 표현은 프랑스 지성사에 하나의 오점으로 남게 되었으며, 오늘날에도 굴욕과 패배주의를 상징하는 정치 용어로 쓰이고 있다.

독-소 불가침 협정 또한 프랑스 지성계를 발칵 뒤집어 놓은 사건이었다. 프랑스 지성계 내부에서도 뮌헨조약에 대해 가장 강력하게 반발했던 공산주의 지성인들에게 독-소 불가침 협정은 너무나도 충격적인 사건이었다. 그렇지 않아도 스탈린의 대숙청 소식이 알려지면서 내부적으로 동요하고 있던 공산주의 지성인들은 스탈린이 공산주의의 최대의 적인 파시즘과 손을 잡았다는 사실을 도저히 인정할 수 없었다. 따라서 독-소 비밀 협정을 계기로 공산당원이었거나 친공산주의 지성인들이 프랑스 공산당을 떠나거나 멀리하기 시작한 것은 당연한 결과였다. 그 대표적인 예가 사르트르의 절친한 친구인 노르말리앵 폴 니장이었다. 폴 니장은 독-소 불가침 협정이 발표되자, 고통스러운 침묵을 감수할 수밖에 없던 대부분의 공산주의 지성인들과는 달리, 〈작품(*L'Oeuvre*)〉이라는 좌파 일간지에 이 협정에 반대하는 자신의 입장을 표명하면서, 프랑스 공산당에서 탈퇴한다는 글을 발표했다. 1927년 스물두 살의 나이에 프랑스 공산당에 가입했고, 1931년에 첫 작품 『아덴 아라비』를 발표해서, 일약 프랑스 지성계 청년 세대의 선두 주자로 각광받던 니장은 〈작품〉지에 발표한 글로 인해 공산당계 지성인들로부터 극심한 공격을 당하는 고초를 겪어야 했다.

2차 대전의 전장에 나간 니장은 1940년 5월 덩케르크 전투에서 전사한 비운의 작가였지만, 당시 프랑스 지성계에서 막강한 영향력을 행사하던 프랑스 공산당에 정면으로 반기를 들었던 용기 있는 지성인이었다. 니장은 사망 후에도 프랑스 공산당으로부터 공격을 받았는데, 공산주의 지성인들의 대부였던 루이 아라공이 해방 후 발표한 소설 『공산주의자들』에서 니장을 프랑스 공산당에 가입한 경찰의 끄나풀로 묘사했고, 프랑스 공산당은 이를 사실로 받아들여 또다시 니장을 공격했다. 그러나 이러한 누명은 아라공에 의한 조작이었음이 결국 밝혀졌고, 프랑스 공산당은 1960년대에 가서야 니장이 경찰의 끄나풀이 아니었음을 공식적으로 인정했다. 그리고 공산당과 관련해서 언급하지 않을 수 없는 인물이 바로 앙드레 지드이다. 지드는 1936년 6월 스탈린의 초청으로 작가 막심 고리키의 장례식에 초대받아 모스크바의 붉은광장에서 추도사를 한 뒤 귀국했는데, 소련에서 체류하는 동안 목격했던 소련 인민들의 비참한 현실을 도저히 묵과할 수 없었다. 지성인의 생명줄이나 다름없는 지적 정직성이 걸려 있는 문제였다. 그래서 지드는 돌아오자마자 『소련에서 돌아와서』를 출간하여 스탈린 치하에서 고초를 겪고 있는 소련 인민들의 실상을 적나라하게 폭로했고, 이로 인해 지드는 프랑스 공산당으로부터 모진 공격을 당하는 수난을 겪어야 했다.

2.1.4. 〈NRF〉의 수난

독-소 불가침 협정으로 전쟁 준비를 마친 독일이 마침내 1939년 9월 1일 폴란드를 침공하자, 영국과 프랑스는 이틀 후인 9월 3일 독일에 대해 전쟁을 선포했다. 하지만 선전포고 직후의 사소한 전초전을 제외하고는 이듬해 5월까지 약 8개월 동안 독일군과의 직접적인 충돌 없이 막연한 대치 상태에 놓여 있었다. 따라서 전선에 투입된 군인들을 제외하고는, 마치 전시가 아닌 것 같은 기이한 상황 속에서 프랑스 국민들은 일상을 유지했는데, 이를 두고 독일인들은 "앉은 전쟁"이라 했고, 영국인들은 "가짜 전쟁"이라 했으며, 그리고 프랑스에서는 작가 롤랑 도르쥴레스의 표현인 "희한한 전쟁(une drôle de guerre)"으로 불리게 되었다. 이 "희한한 전쟁"은 독일이 벨기에를 침공해서 1940년 5월 28일 벨기에가 항복하자 막을 내리기 시작했고, 6월 10일 연합군이 구축한 마지노선이 무너지자, 프랑스군은 독일군에 제대로 대항해 보지도 못한 채 와해되기 시작했다. 6월 14일 독일군이 아무런 저항도 받지 않은 채 파리를 점령했고, 프랑스는 '희한한 전쟁'에서 '이상한 패배'로 이어지는 역사를 기록하게 되었다.

전쟁이 선포되자 지성인들은 자원하든 징병되든 전선에 나섰다. 『야간비행』의 작가 생텍쥐페리는 정찰비행대에 자원해서 합류했고, 스페인 내전에 참전했던 앙드레 말로는 프로방스에 주둔 중인 기갑부대에 자발적으로 합류했다. 사르트르는 기상관측병으로 징병되었고, 폴 니장은 덩케르크 전투의 최전방에 투입된 첨병대원으로 전선에 나섰다. 독일군의 총탄에 맞아 전사한 폴 니장을 제외하고, 대부분의 지성인들은 전쟁 초기에 포로가 되어 수용소 생활을 해야 했는데, 역전의 용사 앙드레 말로는 수용소를 탈출한 뒤, 남불의 레지스탕스에 가담해서 베르제르 중령이라는 이름으로 활약하다가 파리 해방군의 일원으로 귀환했다. 바로 이때, 앙드레 말로가 군복 차림으로 레지스탕스 신문 〈투쟁〉지의 사무실을 방문해서 편집국장인 카뮈를 비롯한 기자들과 함께 찍은 사진은 20세기 프랑스 지성인사에서 유명한 사진들 중의 하나로 남아 있다.

독일군에게 점령당한 파리 지성계는 히틀러가 파리 대사로 파견한 오토 아베츠라는 인물을 중심으로 재편되는 커다란 변화를 겪게 되었다. 1903년생인 오토 아베츠는 프랑스국립미술학교를 졸업하고 독일에서 미술 교사로 재직하던 중, 당시 외무장관이던 리벤트로프에 의해 발탁되어 1940년 8월 파리 대사로 부임했다. 그는 프랑스와 프랑스 문화를 지극히 사랑하는 프랑스통이었고, 특히 알랭 푸르니에, 알퐁스 도데, 로맹 롤랑을 존경했다. 그는 파리 대사로 임명되기 이전에도 몇몇 프랑스의 우파 작가들과 친분 관계에 있었고, 게다가 프랑스 여성과 결혼한 인물이었다. 그의 임무는 프랑스의 저명인사들을 설득해서 독일에 협력하도록 하는 것이었는데, 그는 목표를 달성하기 위해서 온갖 수단들을 다 동원하는 치밀하고 영악한 인물이기도 했다.

　오토 아베츠는 프랑스 지성계를 장악하기 위해서 '오토 리스트'라는 금서목록을 작성하여 유태인을 비롯한 좌파 지성인들의 저서에 대해 판금 조치를 내렸다. 이 '오토 리스트'에는 아인슈타인, 프로이트, 마르크스, 토마스 만, 하이네, 카프카, 레옹 블룸, 조셉 케셀, 앙드레 말로, 폴 클로델, 루이 아라공, 쥘리앙 방다, 조르지 뒤아멜, 장-리샤르 블록, 롤랑 도르쥴레스 등 학자, 정치인, 작가들이 포함되어 있었다. 프랑스 문화와 사회를 잘 알고 있던 오토 아베츠는 "프랑스에는 세 개의 권력이 있는데, 바로 공산주의, 대형 은행 그리고 〈NRF〉이다"[10]라고 말하곤 했다. 따라서 프랑스 지성계를 장악하기 위해서는 지성인의 요람인 〈NRF〉를 친독지로 만드는 게 급선무라는 사실을 오토 아베츠는 어느 누구보다도 잘 알고 있었다. 파리가 독일군에 의해 점령된 직후인 1940년 6월호 이후 정간 상태에 있던 〈NRF〉는 그해 12월호부터 오토 아베츠의 후원을 받은 우파 작가 드리외 라 로셸의 손에 의해 다시 발행되기 시작했다. 1925년부터 발행인을 맡고 있던 장 폴랑은 어쩔 수 없이 드리외 라 로셸에게 자리를 내주어야 했다.

　드리외 라 로셸이 발행인을 맡은 이후 〈NRF〉는 전쟁 이전과는 성격이 전혀 다른 친독지로 전락했다. 그 결과, 우파 작가들의 독무대가 되어 독일을 찬양하는 글들을 게재함으로써 비운의 시기로 접어들게 되었다. 드리외 라 로셸은 〈NRF〉의 창립자인 앙드레 지드를 비롯해서 폴 발레리, 폴 클로델, 프랑수아 모리악 등 당시 프랑스 지성계를 대표하는 작가들에게 협조해 줄 것을 부탁했으나 거절당했고, 이로 인해 〈NRF〉는 자크 샤르돈, 로베르 브라지약, 자크 오디베르티, 마르셀 주앙도, 폴 모랑 등 대표적인 우파 작가들과 이에 동조하는 장 지오노, 마르셀 에메, 앙리 드 몽테를랑 등의 글을 싣게 되었다. 이에 장 폴랑, 사르트르, 아라공, 장 게에노, 폴 엘뤼아르, 모리악, 카뮈 등 레지스탕스 작가들은 지하신문인 〈프랑스 문예(*Les Lettres françaises*)〉를 창간하여 친독지로 전락한 〈NRF〉에 대항했다. 드리외 라 로셸은 아주 특이한 인물이었다. 앙드레 말로의 가까운 친구이기도 했던 그는 장 폴랑이 레지스탕스 활동을 하다 독일군에 체포되어 수감되자, 오토 아베츠를 통해 장 폴랑을 석방시켜 주었고, 출판 허가가 나올 수 없는 성격의 작품들을 갈리마르 출판사에서 출간할 수 있도록 주선하기도 했다. 하지만 해방 후 반역죄로 몰리자 숨어 지내다가, 두 번의 자살 미수 끝에 결국 스스로 목숨을 끊는데에 성공했다.

1940년 가을부터 파리 지성계를 장악한 오토 아베츠 대사 외에, 점령기 동안 프랑스 지성인들이 피할 수 없었던 또 하나의 인물이 있었는데, 그가 바로 게르하르트 헬러 중위였다. 오토 아베츠와 마찬가지로, 그는 프랑스 문화를 좋아하는 프랑스 애호가였을 뿐만 아니라, 프랑스어를 완벽하게 구사하는 프랑스통이었다. 하이델베르크 대학 출신으로 전쟁전에 툴루즈 대학에서 수학한 바도 있던 그는 오토 아베츠와 잘 아는 사이였고, 아베츠가 파리 대사로 부임한 후인 1940년 11월 독일 선전부 파리 지부의 문학 분야 책임자로 임명되었다. 사전 검열이라는 칼자루를 쥐고 있던 게르하르트 헬러는 지성인들에게 저승사자나 다름없었다. 그는 문학적인 재능도 뛰어난 것으로 알려져 있는데, 앞서 언급했듯이, 카뮈의 『이인』 원고를 넘겨받은 헬러는 밤을 새워 읽고 난 뒤 갈리마르 사에 전화를 걸어 즉시 출판 허가를 통보하기도 했다. 심지어 헬러는 독일에 저항을 호소하는 내용이 암시되어 있는 생텍쥐페리의 『전투 조종사』의 출판도 허가했는데, 한 친독 작가가 이 사실을 게슈타포에 고발함으로써, 갈리마르 출판사는 서점에 배포된 책들을 회수해야 했고, 헬러는 가벼운 문책을 당해야 했다.

나치 점령하의 프랑스 출판업자들에게 게르하르트 헬러의 영향력은 절대적이었다. 따라서 그와의 접촉이 불가피한 경우도 있었는데, 갈리마르 출판사의 편집위원회를 이끌던 장 폴랑의 경우가 그러했다. 이로 인해 장 폴랑은 지성인들의 구설수에 오르는 수모를 겪기도 했다. 그렇다고 해서 그가 친독 작가로 변신한 것은 아니었으며, 오히려 헬러와의 친분 관계를 십분 활용해서 저항작가들의 책을 출판하거나 레지스탕스 활동을 하다가 위험에 처한 지성인들의 목숨을 구하기도 했다. 헬러는 폴랑이 레지스탕스 활동에 참여하고 있다는 사실을 알면서도 묵인했고, 게다가 친독 작가들이 폴랑의 활동에 대해 고발해 올 때마다, 폴랑이 게슈타포에 체포당하지 않도록 최대한으로 보호해 주기도 했다. 이처럼 헬러는 지성인들의 레지스탕스 활동에 대해 비교적 관대한 편이었고, 독일 선전부가 프랑스 문화를 파괴하지 않도록 하는 데에 나름대로의 노력을 기울였던 인물로 알려져 있다. 작가 폴 레오토의 표현을 빌리면, 게르하르트 헬러는 "독일인 친구"였다. 후에 독일이 전쟁에 패배하여 프랑스군이 독일 남동부 지역을 점령했을 때, 포로 신세가 된 헬러는 프랑스군 책임자에게 출두해서 장 폴랑과 프랑수아 모리악 등과의 친분 관계를 내세우자, 즉석에서 풀려났다는 일화도 전해지고 있다.

2.1.5. 지성인들의 저항

전쟁이 발발하자 영국 런던에 피신했던 드 골 장군은 1940년 6월 18일 BBC 방송을 통해 특유의 떨리는 목소리로 "오늘 우리는 패배했지만, 내일 우리는 승리할 것입니다. 어떤 일이 일어난다 해도 프랑스 레지스탕스의 불꽃은 꺼질 수 없으며, 결코 꺼지지 않을 것입니다"라는 역사적인 선언을 했는데, '이상한 패배'에 좌절해 있던 프랑스 국민들에게 희망과 용기를 불어넣어줌으로써 대독 저항세력의 등불로 등장했다. 드 골 장군의 저항 호소문이 전파를 탄 뒤, 프랑스 전국 각지에서는 지하 레지

스탕스 단체들이 조직되었고, 지성인들도 시인 르네 샤르의 경우처럼 민
간인들이 구성한 지하단체에 가입하여 레지스탕스 활동에 적극적으로
가담했다. 하지만 지성인들의 저항은 무엇보다도 그들의 최대 무기인
붓을 통해서 전개되었다. 물론 출판의 자유가 제한된 상황에서 붓의 힘
을 발휘한다는 것은 결코 쉬운 일이 아니었다. 따라서 지성인들은 지하
조직을 결성하여 패배 의식에 젖어 있던 프랑스 국민들에게 정신적인 힘
을 불어넣고 점령군에 대한 저항을 촉구할 수 있는 지하신문이나 잡지
또는 책을 발간하는 방법을 택하지 않을 수 없었다. 장 발라르가 마르세
이에서 〈레 카이에 뒤 쉬드(*Les Cahiers du Sud*)〉, 피에르 세게르스가 빌
뇌브-레자비뇽에서 〈포에지(*Poésie*)〉, 르네 타베르니에가 리용에서 〈콩
플뤼앙스(*Confluences*)〉, 막스-폴 푸세가 알제에서 〈퐁텐(*Fontaine*)〉, 레
이몽 아롱이 런던에서 〈프랑스 리브르(*France libre*)〉를 발행했는데, 이
잡지들은 프랑스 국민들에게 저항 의식을 고취시켜 주었을 뿐만 아니
라, 주로 정치적 문제만을 다룬 레이몽 아롱의 잡지를 제외하고는 문학
적 가치의 측면에서도 높이 평가되는 잡지들이었다.

위의 잡지들 외에도 〈프랑스 문예〉와 〈투쟁〉은 점령기의 프랑스 지성
인들이 저항운동을 가장 활발하게 펼쳤던 지하신문이었다. 자크 드쿠
르, 클로드 모르강, 자크 드뷔-브리델 등 친공산주의 지성인들을 주축
으로 1942년 말에 창간된 〈프랑스 문예〉지는 곧 저항 지성인들의 중심
무대가 되었다. 〈프랑스 문예〉지에 참여한 작가로는 모리악, 엘뤼아르,
아라공, 폴랑, 사르트르, 카뮈, 장 게에노, 레이몽 크노, 에디트 토마 등이
있는데, 바로 이들을 주축으로 결성된 지하단체인 전국작가협의회는 저
항 지성인들의 구심점 역할을 했다. 이 전국작가협의회는 프랑스 남부
지역에서는 루이 아라공을 중심으로 리용 근처에 있는 시인 르네 타베
르니에의 집에서 회합을 가졌고, 파리에서는 엘뤼아르를 중심으로 젊은
여류 시인 에디트 토마의 집과 갈리마르 출판사 내에 있는 장 폴랑의 사

무실에서 모임을 가졌다. 이 협의회의 창설을 계기로 1933년에 앙드레 브르통, 르네 크르벨과 함께 프랑스 공산당에서 축출되었던 시인 엘뤼아르는 공산당계 지성인들과 다시 합류했고, 아라공과도 화해하게 되었다. 한편, 1941년 12월 저항 지성인들에 의해 창간된 〈투쟁〉지는 장 물랭이 창설한 저항단체인 전국레지스탕스협의회의 기관지 역할을 했으며, 조르지 비도, 클로드 부르데, 파스칼 피아를 거쳐 1943년 10월부터 카뮈가 편집국장을 맡아 지하 저항운동을 이끌었던 대표적인 신문이었다. 〈프랑스 문예〉가 점령기에도 프랑스 문학이 중단될 수 없다는 지성적인 차원에 치중한 반면에, 〈투쟁〉지는 드 골 장군의 대국민 저항 호소문을 게재하고, 프랑스 전국 각지에서 레지스탕스에 참여하고 있는 저항세력들의 활약상을 전달함으로써, 프랑스 국민들에게 저항의식을 고취시키는 데에 주력했다.

점령기의 프랑스 지성계를 논할 때, 베르코르의 소설 『바다의 침묵』과 미뉘 출판사를 언급하지 않을 수 없다. 왜냐하면 『바다의 침묵』과 미뉘 출판사는 대표적인 저항운동의 상징이었기 때문이다. 본명이 장 브륄레인 베르코르는 전쟁 이전에는 몇몇 좌파지에 풍자만화를 그리던 평범한 삽화 작가였다. 1941년 여름 어느 날, 파리 시내를 걷고 있던 장 브륄레는 작가이자 비평가인 앙드레 테리브를 우연히 만나게 되었다. 테리브가 친독 작가로서 친독지에 글을 발표하고 있다는 사실을 알고 있던 브륄레는 그와의 조우를 달갑지 않게 여겼으나 어쩔 수 없이 동행하게 되었다. 앙드레 테리브는 "융거와 같은 독일 작가들과는 말이 통한다"고 하면서, 허리춤에 끼고 있던 에르네스트 융거의 작품 『정원과 길』을 브륄레에게 내밀었다. 집에 돌아와서 이 작품을 읽어 본 브륄레는 고등학생 수준이면 누구든지 독일 정신을 찬양하는 글을 쓸 수 있다는 사실을 깨닫고서, 프랑스 국민들을 위해 무엇인가를 써야 하겠다는 생각을 품게 되었다.

이렇게 단순한 동기에서 출발하여 삽화가 장 브륄레가 쓴 작품이 바로 대독 저항운동의 상징이 된 『바다의 침묵』이다. 프랑스 문화를 사랑하는 한 독일군 장교와 침묵으로 저항하는 평범한 두 프랑스인 사이의 내적 갈등을 담담한 필치로 그려 낸 『바다의 침묵』을 완성하기는 했으나, 장 브륄레는 어떻게 출판할 것인가라는 현실적인 문제에 봉착하게 되었다. 사전 검열에서 통과되지 못할 것은 너무나 명백했고, 더욱이 자신의 목숨이 걸려 있다는 사실을 브륄레는 잘 알고 있었다. 마침 이 무렵에 브륄레는 친구인 피에르 드 레스퀴르를 통해서 자크 드쿠르와 조르지 폴리체 등 몇몇 저항 지성인들이 〈자유사상〉이라는 지하잡지 창간을 준비하고 있다는 소식을 접하고서, 이 지하잡지에 『바다의 침묵』을 연재하기로 작정했다. 그러나 불행하게도 잡지가 발간되기도 전에 지하조직이 발각되어 자크 드쿠르와 조르지 폴리체는 총살당하고 인쇄기는 독일군에게 압수되었다.

〈자유사상〉 창간 계획이 수포로 돌아가자, 장 브륄레는 직접 책을 제작하기로 마음먹고서, 전쟁 이전에 자신의 삽화를 인쇄하던 한 인쇄업자를 만났다. 이 인쇄업자의 도움으로 브륄레는 부고장을 전문으로 하던 작은 인쇄소에서 비밀리에 제작에 착수했다. 그러나 인쇄기가 일주일에 한 판, 즉 8쪽밖에 인쇄를 할 수 없었기 때문에, 철저한 보안을 위해 일주일마다 8쪽의 원고를 넘겨주고 찾아오는 식이어서, 책이 완성되기까지는 무려 12주나 걸려야 했다. 인쇄가 완료되어 제본 단계에 돌입했을 때, 또 하나의 큰 문제를 해결해야 했다. 본명으로 출판한다는 것은 곧 자살행위나 다름없었으므로, 우선 가명을 찾아내야 했다. 장 브륄레는 다리를 다쳐 알프스 산맥에 있는 베르코르 산에서 요양을 한 적이 있었는데, 바로 이 산 이름을 가명으로 택했다. 다음으로 지하출판물이라 하더라도 출판사명이 필요했으므로, 친구인 피에르 드 레스퀴르와 공동으로 지하출판사를 설립하기로 하고 미뉘 출판사라고 이름 지었다. 바로 이렇게 해서 탄생한 것이 오늘날 갈리마르 출판사와 쇠이 출판사와 더불어 프랑스를 대표하는 미뉘 출판사이다.

1942년 2월에 마침내 『바다의 침묵』은 제작을 완료했으나, 때마침 피에르 드 레스퀴르가 게슈타포에 쫓겨 피신한 상황이어서, 베르코르는 친구를 보호하기 위해 책의 배포 시기를 늦출 수밖에 없었다. 그래서 초기에는 자크 드뷔-브리델 등 극소수의 저항 지성인들만이 『바다의 침묵』을 읽을 수 있는 특권을 누렸다. 1942년 가을부터 『바다의 침묵』은 사람들의 손에서 손으로 배포되기 시작했고, 초판이 순식간에 팔려 재판 1,500부를 찍기도 했으나, 물밀듯한 수요에는 턱없이 미치지 못했다. 이로 인해 다른 출판사에서 찍은 해적판들이 나돌았고, 심지어는 손으로 베껴서 만든 필사본이 해방 후에 발견되기도 했다. 또한, 『바다의 침묵』은 프랑스에서뿐만 아니라 외국에도 알려져서, 영국과 미국에서는 번역판이 출간되어 프랑스의 대독 저항운동의 상징으로 인식되었다.

『바다의 침묵』이 널리 알려지면서 모든 사람들의 궁금증은 도대체 저자인 베르코르가 누구인지에 쏠리게 되었는데, 오토 아베츠가 지휘하는 독일 선전부의 색출 노력에도 불구하고, 베르코르의 정체는 끝내 알아낼 수 없었다. 베르코르 자신이 어느 누구에게도 자신의 책이라는 사실을 털어놓지 않았기 때문이었다. 항간에서는 베르코르의 정체에 대한 추측이 무성하여, 한때 앙드레 지드의 작품이라는 설이 나돌기까지 했다. 자신의 신변 보호를 위해서 베르코르는 심지어 아내에게마저도 이 사실을 감추었으며, 비로소 해방 후에야 베르코르가 미뉘 출판사를 창설한 장 브뤼엘레라는 사실이 세상에 알려지게 되었다. 해방 이전의 베르코르는 『바다의 침묵』의 작가로서가 아니라 미뉘 출판사를 창설한 출판업자로서 지하 저항운동을 벌였는데, 1943년 4월 자크 마리탱, 장 폴랑, 쥘리앙 방다 등이 쓴 글들을 모아 『금지된 연대기』라는 제목으로 출판하면서 본격적으로 지하출판에 뛰어들었다. 시인 폴 엘뤼아르가 미뉘 출판사의 고문으로 많은 기여를 했고, 모리악, 장 게에노, 앙드레 샹송, 아라공, 엘자 트리올레 등이 이 출판사를 통해 저항의식을 고취하는 작품들을 발표했다.

한 가지 특이한 사항은 미뉘 출판사에서 출간되는 책들의 저자는 모두 가명을 써야 했는데, 예를 들어 『흑색수첩』을 쓴 모리악은 포레즈, 『감옥에서』를 발표한 장 게에노는 세벤, 『그레뱅 박물관』의 저자 아라공은 프랑수아 라 콜레르 등의 가명을 사용했다. 미뉘 출판사의 가장 큰 업적 중의 하나는 아라공, 엘뤼아르, 로베르 데스노스, 외젠 기으빅, 프랑시스 퐁쥐, 피에르 세게르스, 장 타르디외, 르네 타베르니에, 에디트 토마, 샤를 빌드락 등의 시들을 모은 시 모음집 『시인의 명예』를 출간하여, 민족의 암흑기 속에서 예술을 위한 예술을 거부한 모든 예술가들의 명예를 찬양함으로써, 프랑스 국민들에게 정신적인 힘을 불어넣어 준 데에 있다. 당시 미뉘 출판사에서 출판된 모든 책에는 다음과 같은 글이 새겨져 있었다. "아직도 프랑스에는 명령을 거부하는 작가들이 있다. 그들은 한 개인의 사고가 표현되어야 한다는 것을 진정으로 느끼고 있다. 이것은 아마도 다른 사람들의 사고에 영향을 미치기 위해서이기도 하지만, 무엇보다도 정신은 표현되지 않으면 죽기 때문이다." 미뉘 출판사의 공동 설립자인 피에르 드 레스퀴르가 잠적하기 전에 남긴 이 글은 정신의 독립과 표현의 자유를 최우선으로 하는 프랑스적 지성이 추구하는 이념을 잘 반영하고 있다는 점에서 저항 지성인들의 신념과 이상을 대변하고 있었다.

2.2. 〈투쟁〉지 편집국장 카뮈

2.2.1. 저항투사 카뮈

1942년 여름 이후 1년 넘게 샹봉-쉬르-리뇽에 머물면서 희곡『오해』와 소설『페스트』를 집필하던 카뮈는 레지스탕스에 참여하는 지성인들과의 접촉에도 나섰다. 그는 당시 리용에 머물고 있던 파스칼 피아와 종종 만나곤 했는데, 파스칼 피아는 저항단체 '투쟁'을 이끄는 주요 인물들 가운데 일인이었다. 카뮈는 파스칼 피아의 소개로 레지스탕스 활동을 하던 시인 프랑시스 퐁쥐를 만났고, 또한 스물세 살의 청년 시인이자 기자인 르네 레이노를 알게 되어 가까운 사이가 되었다. 특히, 르네 레이노는 약관의 나이에도 불구하고 '투쟁'의 리용 지역 책임자로 활약하다가 1944년 10월 게슈타포에 의해 체포되어 총살을 당했던 비운의 시인이었다. 훗날, 카뮈는 나치의 제물이 된 젊은 시인을 기리기 위해서 1947년에 그의 유작들을 모아 자신이 쓴 서문과 함께 갈리마르 출판사에서『유고 시집』을 출간했다.

1943년 여름, 건강을 어느 정도 회복한 카뮈는 겨울이 오기 전에 샹봉-쉬르-리뇽을 떠나기로 작정했다. 때마침 갈리마르 출판사로부터 희소식이 날아왔다. 1943년 11월 1일자로 월 4천 프랑을 지급받는 갈리마르 출판사의 편집위원으로 위촉되었다는 소식이었다. 카뮈는 9월 말 파리에 도착해서 7구의 라 셰즈 가 22번지에 위치한 메르퀴르 호텔에 숙소를 정했다. 갈리마르 사가 있는 세바스티엥-보탱 가에서 그리 멀지 않은 곳이었다.

카뮈가 언제 어떻게 레지스탕스 활동에 참가하게 되었는지를 정확하게 명시하기란 쉽지 않다. 카뮈 자신이 이에 대해 명확하게 밝히기를 꺼려했는데, 그 이유는 자기보다 더 큰 위험을 무릅쓰면서 심지어 목숨까지 바쳐야 했던 이들에 비하면, 자신이 참여했던 레지스탕스 활동은 언급할 게 못 된다고 여러 차례나 지인들에게 강조했었기 때문이다. 이와 관련해서 카뮈가 직접적으로 언급한 유일한 문건은, 1944년 8월 파리 해방 직후, 알제리에 있던 그의 아내 프랑신에게 보낸 편지이다. 카뮈는 이 편지에서 그간의 상황을 간단히 알리면서 다음과 같이 언급하고 있다.

> 스페인으로 건너가려고 시도하다가, 그럴 경우 여러 달 동안 수용소 생활을 감당해야 했고, 당시 내 건강 상태로는 불가능했기 때문에, 이를 포기하고서 나는 레지스탕스 활동에 들어갔어요. 나는 곰곰이 생각해 보았고, 그게 내 의무였기 때문에, 아주 명철한 정신으로 결정했어요. 나는 오트-루아르 지방에서 활동하다가, 곧 이어 파리에서는 피아와 함께 '투쟁'에서 활동했어요.[1]

오트-루아르 지방의 샹봉-쉬르-리뇽에 머물고 있던 카뮈가 스페인으로 가려고 시도하다가 포기했던 때가 1943년 여름이고, 그해 9월 말에 파리에 올라와 지하 레지스탕스 단체인 '투쟁'에 합류했으므로, 카뮈가 레지스탕스 활동에 가담했던 시점은 1943년 10월경으로 추측할 수밖에 없다. 하지만 알베르 마테(Albert Mathé)라는 가명으로 1943년 5월 20일자 작성된 가짜 신분증을 소지하고 있었다는 사실을 보면, 카뮈가 레지스탕스 활동에 참여한 것은 이보다 더 빠른 시기였을지도 모른다.

한편, 카뮈가 위의 편지에서 언급한 '투쟁'은 동명의 지하신문 〈투쟁〉을 발간하던 지하단체로, 이 저항단체의 역사를 간략하게 살펴보면 다음과 같다. 1941년 초에 앙리 프르네와 자클린 베르나르를 비롯한 저항투사들은 리용에서 국가해방운동(Mouvement de Libération nationale)을 창설한 후, 그해 4월 프랑스 북부에서 활동하던 지하조직들과 합작하여 7월에 〈진실〉이라는 지하신문을 창간했다. 같은 시기에 프랑수아 드 망통은 〈자유〉라는 지하신문과 동명의 저항단체 '자유'를 창설하여 레지스탕스 활동을 벌이고 있었는데, 앙리 프르네와 프랑수아 드 망통은 1941년 11월에 만나 두 단체를 합병하여 프랑스해방운동(Mouvement de Libération française)을 결성했다. 바로 이 프랑스해방운동이 〈투쟁〉이라는 지하신문을 발간함으로써 레지스탕스 신문들 가운데 가장 유명한 신문이 탄생하게 되었다. 다시 말해서, 〈투쟁〉은 〈진실〉과 〈자유〉라는 두 지하신문의 합병으로 탄생했다는 점에서 그 상징성이 적지 않다.

지하조직 '투쟁'에 합류해서 레지스탕스 활동을 벌였던 것과는 별개로, 카뮈는 1943년 7월에 발간된 저항신문 〈라 르뷔 리브르(*La Revue libre*)〉 2호에 「독일인 친구에게 보내는 편지」를 게재함으로써, 독자적으로는 이미 레지스탕스 활동에 뛰어들어 있었다. 이 편지에서 카뮈는 "우리에게 사람들을 죽일 권리가 있는지, 이 세계의 끔찍한 불행을 더욱 가중시킬 수 있는지를 내내 물어봐야 했다"[2]면서, "우리는 비싼 대가를 치렀고, 앞으로도 치를 것이다. 하지만 우리에게는 우리의 확신이 있고, 우리의 도리가 있고, 우리의 정의가 있다. 당신들의 패배는 피할 수 없다"[3]라고 선언했다. 이어서 1943년 12월에는 〈카이에 드 라 리베라시옹(*Les Cahiers de la libération*)〉에 두 번째 편지를 발표했고, 위 두 편지에다 미발표작인 세 번째와 네 번째 편지를 덧붙여 한 권의 책으로 엮어 『독일

인 친구에게 보내는 편지들』(1945년)이라는 제목으로 해방 후 갈리마르
사에서 출간했다.

　카뮈가 레지스탕스 단체인 '투쟁'에 본격적으로 합류한 시점은 파리
도착 직후이고, 파스칼 피아가 지하신문 〈투쟁〉에 카뮈를 이끌어 들였
다는 데에는 모든 증언들이 일치하고 있다. 당시 지하신문 〈투쟁〉의 실
질적인 발행인이나 다름없던 파스칼 피아가 〈알제 레퓌블리캥〉 시절의
기자 카뮈를 끌어들인 것이었다. 카뮈는 보샤르(Bauchard)라는 가명으
로 신문 제작에 관여했고, 파리에서 편집된 〈투쟁〉지는 리옹에 있는 인
쇄업자 앙드레 볼리에에게로 비밀리에 넘겨져 인쇄된 후 손에서 손으로
배포되었다. 〈투쟁〉지 제작에 참여했던 저항투사들은 고초를 겪기도 했
다. "〈투쟁〉의 지칠 줄 모르는 편집국 여기자"로 유명했던 자클린 베르
나르의 남동생 장-기 베르나르는 1944년 1월에 체포되어 아우슈비츠
수용소에서 사망했고, 그해 3월에는 발행인을 맡았던 클로드 부르데가,
7월에는 자클린 베르나르가 체포되어 수용소에 끌려갔다가 해방 후에
생환했다.

　또한, 리옹에 있던 인쇄소가 게슈타포에 의해 발각되어서 인쇄업자 앙
드레 볼리에가 체포 직전에 자살하는 바람에 한동안 〈투쟁〉지의 제작이
중단되기도 했다.[4] 앙드레 볼리에는 파리이공과대학 출신의 수재로 당시
나이 스물넷에 불과한 청년투사였다. 그는 1944년 3월 19일 게슈타포에
의해 체포되어 고문을 당하고 사형선고까지 받았으나, 5월 2일에 탈옥
해서 다시 레지스탕스 활동을 하다가, 6월 17일 또다시 게슈타포가 인
쇄소를 급습해서 총상을 당하자, 적의 손아귀에 붙잡히는 것을 피하기
위해서, 그 자리에서 자신의 가슴에다 대고 총을 발사해서 자살했던 영
웅적인 저항투사였다. 앙드레 볼리에의 경우와 비교할 수는 없지만, 카
뮈 역시 어느 날 파리 시내에서 동지들과 등사기를 운반하던 도중, 게슈
타포에 의해 발각되기 직전 가까스로 피신할 수 있었다고 한다. 1944년

9월 아내 프랑신에게 보낸 편지에서 카뮈는 "6주 전에 체포될 뻔했고, 한동안 공개석상에서 사라져야 했어요"[5]라고 일화를 전하고 있으며, 현장에 함께 있었던 마리아 카자레스도 이를 증언한 바 있다.

1944년 6월, 연합군의 노르망디 상륙작전 성공으로 머지않은 날에 승전이 예상되자, 〈투쟁〉지 제작진은 지하신문이 아니라 해방 후의 자유신문 〈투쟁〉의 창간호를 준비하는 작업에 착수했다. 자클린 베르나르의 증언에 따르면, 1944년 6월 어느 날, 카뮈가 세 들어 살던 앙드레 지드의 아파트에서 회합을 가졌는데, 이때 카뮈가 앞으로 발간될 자유신문 〈투쟁〉은 비판적 저널리즘을 추구해야 한다고 강력하게 제안하면서, 신문 제호 바로 아래에 '저항에서 혁명으로'라는 문구를 집어넣자고 주장했다고 한다.[6] '저항에서 혁명으로'라는 표현은 레오 아몽이 〈라 르뷔 리브르〉에 게재했던 기사의 제목인데,[7] 위 회합에 참여했던 이들이 만장일치로 채택함으로써, 자유신문 〈투쟁〉지의 제호 바로 밑에 표기되어 이 신문을 대변하는 정신적인 신조로 자리 잡게 되었다.

2.2.2. 지성인 신문 〈투쟁〉의 편집국장

연합군의 파리 입성이 가시화되던 1944년 8월, 파리 시민들은 혼란과 흥분에 휩싸여 있었다. 8월 10일 철도노조가 파업을 선언했고, 15일에는 경찰노조가, 18일에는 모든 노조가 파업에 참여했다. 다음날인 8월 19일 전국레지스탕스협의회는 파리 시민들의 봉기를 호소했고, 파리 시민들은 파리 경시청과 파리 시청을 점거했다. 같은 날인 8월 19일, 파스칼 피아와 카뮈를 비롯한 지하신문 〈투쟁〉의 제작진은 파리 2구에 있는 레오뮈르 가(街) 100번지에 위치한 건물 앞에 모였다. 점령군이 발행하던 〈파리 자이퉁〉지의 사무실을 접수하기 위해서였다. 이틀 뒤인 8월 21일

월요일, 즉 파리가 해방되기 4일 전에, 58호까지 발간했던 지하신문 〈투쟁〉은 역사 속으로 사라지고, 마침내 자유신문 〈투쟁〉 첫 호가 발간되었다. 알베르 카뮈가 편집국장으로 명시된 〈투쟁〉지에는 「투쟁은 계속된다」라는 제목의 사설이 게재되어 있었는데, 바로 카뮈가 쓴 사설이었다. 이 사설에서 카뮈는 "자유와 공화국의 승리는 오로지 투쟁을 통해서 이루어질 것이다"라고 예고하면서, "나치 독일에 대한 투쟁은 계속되고 있고, 한 치의 오차도 없이 지속될 것이다"[8]라고 선언했다. 나흘 뒤인 8월 25일에 파리가 해방되긴 하지만, 전쟁이 끝난 것은 아니었고, 프랑스 전국 각지에서는 패주하는 독일군과 레지스탕스 간의 전투가 계속 이어지고 있던 상황이었다. 유럽에서 2차 대전이 끝난 것은 이듬해인 1945년 5월 8일이었다.

1944년 8월 21일자와 다음날인 8월 22일자에 연 이틀 게재된 「저항에서 혁명으로」라는 제목의 기사에서 카뮈는 "저항정신에서 탄생하여, 지하조직이 감수해야 했던 온갖 위험을 무릅쓰고 발간되었던 한 신문이 마침내 수치에서 벗어난 파리에서 백일하에 출간되기까지, 5년 동안의 끈질기고 조용한 투쟁이 필요했다"[9]고 〈투쟁〉지의 과거를 언급하면서, "공개리에 발간된 첫날, 〈투쟁〉지 제작진의 의도는 5년간의 끈기와 진실 덕분에 프랑스의 위대함과 나약함에 대해서 알게 된 사실들을 가능한 한 분명하고 우렁찬 목소리로 표명하는 것이다"[10]라고 향후 신문이 지향하고자 하는 목표를 천명했다. 이어서 〈투쟁〉지 편집국장은 "저항에서 시작했기에 우리는 혁명으로 끝나기를 바란다"[11]며 '저항에서 혁명으로'라는 슬로건에 대한 설명을 덧붙였다. 특히, 카뮈는 "우리는 지체 없이 민중과 노동자를 위한 진정한 민주주의가 구현되기를 바란다. […] 노동자 계층과 유리된 모든 정치는 무용지물이라는 것이 우리의 생각이다. 내일의 프랑스는 노동자 계층의 프랑스가 될 것이다"[12]라고 프롤레타리아를 위한 사회민주주의를 요구하면서, "현재로서는 이것이 바로 혁명이다"[13]라고 역설했다. 이와 관련하여 시몬 드 보부아르는 "'저항에서 혁명으로'라는 슬로건을 내건 〈투쟁〉지는 우리의 희망을 표현하고 있었다"[14]라고 회고한 바 있다.

1944년 8월 27일자에 실린 박스 기사는 "지하조직에서 신문을 제작했던 알베르 카뮈, 앙리 프레데릭, 마르셀 지몽, 알베르 올리비에 그리고 파스칼 피아가 현재 〈투쟁〉지의 제작을 담당하고 있다"[15]는 사실을 알렸고, 그로부터 두 달여가 지난 11월 3일자 사고(社告)는 편집인 파스칼 피아와 편집국장 알베르 카뮈와 함께 국제정치 전문가인 마르셀 지몽과 국내정치 전문가인 알베르 올리비에가 제작진의 지도부를 맡고 있다는 사실을 전하면서 신문사의 체제가 정비되었음을 고지했다. 실제로, 위의 네 기자는 자유신문 〈투쟁〉지의 초기 핵심 멤버로, 자클린 베르나르와 장 블록-미셸과 더불어 주식회사 〈투쟁〉의 지분을 동등하게 소유한 창립주주로 등록했고, 민중전선 정부 때의 주간지 〈금요일〉처럼 외부 권력으로부터 철저하게 독립된 언론을 추구하려 했다. 편집인 파스칼 피아는 〈알제 레퓌블리캥〉에서와 마찬가지로 기사를 쓰는 대신에 그의 특기인 교정과 교열, 제목 뽑기와 기사 배치 등 편집 업무에 주력했고, 편집국장 카뮈는 사설을 담당했는데, 〈투쟁〉지 1면 왼쪽에 날마다 게재된 그의 사설은 지성인 독자들에게 "오늘의 화두"라고 불릴 만큼 정평이 자자했다. 이를테면, 당시 〈르 피가로〉지의 논설위원인 노작가 프랑수아 모리악은 청년작가 카뮈가 쓴 〈투쟁〉지 사설의 열렬한 애독자였다.

카뮈는 친구인 사르트르에게도 지면을 개방했는데, 1944년 8월 28일부터 9월 4일까지 〈투쟁〉지 1면에 연재된 「반란 중인 파리의 산책자」는 해방 직후의 파리 모습을 보여 주는 르포 기사로 사르트르가 일간지에 기고한 첫 기사였다. 또한 사르트르는 1945년 1월 미국 방문 시에 〈투쟁〉지의 특파원 자격으로 파견되기도 했는데, 훗날 시몬 드 보부아르는 "카뮈가 사르트르에게 〈투쟁〉지를 대표해 달라는 제안을 했던 날만큼 사르트르가 기뻐하던 모습을 본 적이 없었다"[16]라고 회고한 바 있다. 사르트르 이외에도 〈투쟁〉지에는 앙드레 말로, 조르지 베르나노스, 엠마뉘엘 무니에 등 저명 작가들과 사상가들이 글을 게재했고, 레이몽 아롱은 1946년 4월부터 1947년 5월까지 사설을 담당하기도 했다. 카뮈는 로제 그르니에, 알렉상드르 아스트뤽, 자크-로랑 보스트, 자크 르마르샹 등 신진 기자들에게도 호의적이었는데, 자크 르마르샹은 영화평으로 명성을 날렸고, 문학비평과 르포 기사를 담당했던 로제 그르니에는 카뮈의 절친한 친구가 되어 훗날 『알베르 카뮈, 빛과 그림자』를 펴내는 등 카뮈에 대해 많은 글들을 쓰기도 했다. 이처럼 〈투쟁〉지는 당시 "정계와 지성계에 가장 강력한 영향력을 행사하던 신문"[17]으로, 장니브 게랭의 표현을 빌리면, "집단 지성의 모험"[18]을 추구하던 지성인 신문으로 통했다.

2.2.3. 언론의 자유와 독립을 위한 투쟁

해방 직후의 혼란한 환경 속에서도 〈투쟁〉지의 편집국장 카뮈가 관심을 기울였던 두 가지 문제가 있었는데, 하나는 자유를 되찾은 새 시대의 새로운 언론이었고, 다른 하나는 부역 지성인들에 대한 숙청 문제였다. 〈알제 레퓌블리캥〉 시절부터 어떤 정치권력이나 금권세력으로부터도 자유로운 독립언론에 대한 꿈을 품었던 카뮈는 1944년 8월 31일자 〈투쟁〉에 「새로운 언론에 대한 비판」이라는 기사를 게재했다. "반란과 전쟁 사이에서 한때의 휴지기가 오늘 우리에게 주어졌기에, 나는 내가 잘 알고 있고, 내 정신을 사로잡고 있는 일, 즉 언론에 대해 언급하고자 한다"[19]로 시작되는 이 기사에서 카뮈는 "우리는 경험을 통해서 전쟁 이전의 언론이 그 원칙과 윤리를 상실했었다는 사실을 알고 있다. 돈에 대한 탐욕과 위대한 가치들에 대한 무관심이 동시에 발로한 까닭에, 몇몇 예외를 제외하면, 일부 권력을 키워 주는 것 외에 다른 목적이 없고, 모든 이들의 도덕성을 타락시키는 것 외에 다른 결과를 낳지 않았던 언론들이 이 나라에 등장했었다. 따라서 그러한 언론들이 1940년부터 1944년까지 어떤 언론이 되리라고 예상하는 건 어려운 일이 아니었다. 조국의 수치였다"[20]라며 나치에 부역했던 우파 언론을 정면으로 비판한 반면에, "레지스탕스에 참여했던 기자들은 모든 이들의 존경을 받을 만한 용기와 의지를 보여 주었다"[21]고 지하신문의 저항정신을 치하했다.

특히, 카뮈는 "한 국가의 가치는 그 나라 언론의 가치로 매겨진다"[22]라고 선언하면서, "그런데 단 한 마디로 툭 터놓고 말하자면, 파리에서 십여 호가 발간된 해방기의 언론을 있는 그대로 보면 너무나 만족스럽지 못하다"[23]고 진단한 뒤 다음과 같이 덧붙였다. "내가 이 글과 이어지는 글들에서 제안하고자 하는 것을 잘 받아들여 주었으면 한다. 나는 함께 투쟁하는 형제애의 이름으로 말하는 것이고, 어느 누구를 특별하게 지명하는 게 아니다. 우리 자신을 포함해서 예외 없이 모든 언론에 제기할 수 있는 비판이다."[24] 이어서 새 시대의 새로운 언론상을 제시하기 위해서, 카뮈는 "우리가 바라는 것은 무엇인가? 존경받을 만한 언어로 제작된 분명하고 힘이 있는 언론이다"라고 강조한 뒤, "구시대의 표현들을 재탕하고 지나친 수사학이나 천박한 감수성에 호소하는"[25] 언론을 지양하고, "우리 자신과 조국에 대해 온전한 책임"을 다하고 "언론의 고유한 정신"을 가다듬으면서 "이 나라에 그 저변의 목소리를 되돌려주는 것"[26]이 새 시대의 언론이 완수해야 할 급선무라고 역설했다.

다음날인 1944년 9월 1일자 「언론개혁」이라는 기사에서는 "언론의 윤리에 대한 모든 개혁은 자본을 상대로 한 실질적인 독립을 보장해 주는 정치적 조치들을 취하지 않는다면 공염불이 될 것이다. 거꾸로, 정치개혁은 기자들 스스로가 언론에 대해 심각한 문제 제기를 하고 있다는 사실에서 영감을 받지 못한다면 아무런 의미가 없을 것이다. 언론개혁에서나 정치개혁에서나, 정치와 윤리가 상호 의존하고 있다"[27]고 지적하면서, "기자란 무엇인가? 무엇보다도 이념을 가진 자로 간주되는 인간이다. 이 점에 대해서는 특별한 검토가 요구되기에 다른 기사에서 다룰 것이다. 다음으로, 기자는 날마다 전날의 사건들에 관해 독자에게 정보를 제공하는 일을 맡고 있는 자이다. 요컨대, 그날그날의 역사가이므로, 그의 관심사는 진실이어야 한다"[28]라고 기자의 본분과 사명에 대한 소견을 개진했다. 이어서 카뮈는 "오늘날 우리 언론이 신중한 태도를 견지하고 오로지 진실에만 관심을 두고 있는가? 그렇지 못한 것은 너무나 분명하다"[29]라고 언론개혁의 당위성을 제시하면서, "편의성을 추구하거나 독자의 감수성을 자극하는 제작진"의 그릇된 행태를 개혁할 수 있는 "우리에게 주어진 유일한 기회"를 놓치지 않기 위해서는, "돈이나 명예를 어느 정도 희생하더라도, 신문이 그 품위를 지키는 데에 충분할 만큼의 성찰과 양심을 지키려는 매일 매일의 노력"[30]이 필요하다는 점을 역설했다.

1944년 9월 8일자 〈투쟁〉지에 실린 「비판적 저널리즘」은 새로운 시대의 언론을 정보지(journal d'information)가 아니라 여론지(journal d'opinion)로 규정하고 있다. 카뮈는 "올바른 정보를 제공하기보다는 신속하게 정보를 전달한다고 해서 진실이 얻어지는 것은 아니다"라고 단언하면서, "비판적 논평"[31]을 지향하는 언론은 독자들에게 제공되는 정보의 신뢰성을 독자들이 판단할 수 있도록 "비판적인 정보"를 제시해야 하고, 이와 아울러 이에 대한 "정치적이고 윤리적인 논평"[32]을 곁들여야 진정한 여론지로서의 사명을 수행하는 것이라고 강조했다. 또한 "새로운 시대에는, 비록 새로운 낱말들은 아닐지라도, 적어도 낱말들에 대한 새로운 재능들이 필요하다"[33]고 강조하면서, 그래야 "국민들이 귀를 기울이게 될 언어를 이 나라에 안겨 주는 것"이라며 새로운 언어로 새로운 언론을 창안해 내야 한다고 역설했다. 마지막으로, 카뮈는 다음과 같이 자신의 언론관을 밝히면서 기사를 마무리했다. "보다시피, 이것은 논평 기사에 논조가 담겨 있어야 하고, 허위나 의문스러운 뉴스가 진실한 뉴스로 포장되어서는 안 된다는 것을 요구하는 것이나 다름없다. 바로 이러한 일련의 작업들을 나는 비판적 저널리즘이라 부르고자 한다."[34] 요약하자면, 온갖 권력으로부터 독립한 자유정신과 분명한 언어로 진실을 추구하면서 윤리적이고 비판적인 논평을 담은 여론지를 지향하는 것이 카뮈가 비판적 저널리즘이라 부른 새로운 언론이었다.

정부의 언론검열에 대해서도 편집국장 카뮈는 줄기차게 비판을 제기했는데, 1944년 9월 22일자 사설에서 "오늘날의 신문들이 기꺼이 군부의 검열에 응하고 있다는 사실은 모두가 알고 있다. 우리 모두가 적의 계획에 도움이 될 수 있는 어떤 정보도 게재되어서는 안 된다는 사실을 인지하고 있다. 우리는 그런 사실을 너무나 잘 인지하고 있기에, 가능한 한 매번 우리 스스로 검열을 하고 있다"[35]라고 자조적인 입장을 표명하면서도, "우리는 적에게 이용당할 수 있는 뉴스에 대해 군부의 검열을 자유로이 받아들이고 있다. 하지만 단 한 순간도 정치적인 검열은 인정하지 않는다"[36]며 정치적 성격의 언론검열에는 완강하게 반대했다. 그로부터 한 달 후인 10월 24일자 사설에서도 카뮈는 "우리는 이 자리에서 검열 방식에 대해 신중하면서도 단호한 항의를 표하고자 한다. 이 항의는 낱말 상으로는 신중하지만, 우리의 정치적 논평 기사들을 게재한다는 결정에서는 단호할 것이고, 또한 이 사설이 검열에 걸린다고 해도 검열당국의 조치에 대항해서 이 사설을 게재한다는 결정에는 단호할 것이다"[37]라고 선언하면서, 군사 문제 이외의 기사를 검열하지 않는다는 1944년 9월 24일자 법령에 위배되는 검열에 대해서는 일절 인정하지 않겠다는 〈투쟁〉지의 입장을 천명했다.

위에 인용한 몇몇 기사들에서도 충분히 감지할 수 있듯이, 기자 카뮈에게 '진실'은 곧 언론의 생명이자 젖줄이나 다름없었다. 하지만 진실한 정보를 제공한다고 해서 언론의 사명을 다하는 것은 아니다. 정보의 의

미와 가치를 부각시키는 논평이 첨부되어야 하고, 역사가이자 이념가이
기도 한 기자의 비판정신이 담긴 여론지를 추구할 때 비로소 진정한 언
론의 사명을 완수하는 것이다. 바로 이것이 〈알제 레퓌블리캥〉 시절부터
기자 카뮈가 줄기차게 주창했던 비판적 저널리즘이다. 하지만 비판적 저
널리즘을 실천하기 위해서는 한 가지 조건이 필수적인데, 모든 외부 세
력으로부터 자유로운 독립언론을 지향해야 한다. 실제로, 언론의 자유
와 독립은 편집국장 카뮈뿐만 아니라 편집인 파스칼 피아를 비롯한 〈투
쟁〉지의 모든 구성원들이 공유하던 절대적 가치였다. 카뮈는 그가 쓴 수
많은 기사와 사설들에서 정신의 자유와 표현의 자유를 부르짖으면서,
재정적인 독립과 정치권력으로부터의 독립을 사수해야 한다고 줄기차
게 역설했다. 카뮈는 자유신문 〈투쟁〉의 첫 호인 1944년 8월 21일자 사
설 「투쟁은 계속된다」에서도 이미 "1939년의 프랑스가 만족해야 했던
겉치레 자유를 다시 쟁취하는 것으로는 충분치 않다. 내일의 프랑스공
화국이 금권과 밀접하게 유착했던 3공화국과 같은 상황에 처한다면, 우
리는 우리의 사명의 극히 일부만을 수행하는 것이다"[38]라고 정경유착의
폐해를 강조하면서, 금권으로부터의 독립이 진정한 자유를 가져다준다
고 역설한 바 있었다.

하지만 〈투쟁〉지는 어느 정당도 지지하지 않았으므로, 당연히 어느
정당으로부터의 도움도 받지 못했을 뿐만 아니라, 어느 정당도 〈투쟁〉
지의 보호막이 되려고 하지도 않았다. 〈투쟁〉지가 의지할 데라고는 오
로지 독자들이었고, 레지스탕스 정신으로 재무장하는 것이었다. 게다
가 해방 후 새로 재편된 프랑스 언론 현실에서 수익을 남기는 독립언론
으로 자리 잡는 것은 결코 녹록치 않은 일이었다. 또한, 전후 신문용지
의 결핍으로 인해서, 임시정부가 〈투쟁〉지에 할당한 18만 부는 사회당
을 지지하는 〈르 포퓔레르(Le Populaire)〉지의 25만 부나, 프랑스 공산
당 기관지 〈뤼마니테(L'Humanité)〉의 30만 부에 비해서는 턱없이 모자

란 수준이었다. 더욱이, 임시정부 수반인 드 골 장군의 제의를 받아들여 위베르 뵈브-메리가 1944년 12월 19일에 창간한 〈르 몽드(Le Monde)〉지의 급속한 성장과 피에르 라자레프가 이끄는 대중 일간지 〈프랑스-수아르(France-Soir)〉와의 경쟁에 직면해야 했다.

뿐만 아니라 엎친 데 덮친 격으로, 지하신문 〈투쟁〉의 발행인을 맡았던 클로드 부르데가 1945년 8월 수용소에서 귀환한 뒤, 앙리 프르네와 함께 레지스탕스사회민주주의연합이라는 좌파 정당을 창설하여 정치활동을 하면서 〈투쟁〉지의 지원을 요청했으나, 파스칼 피아와 카뮈가 이끄는 〈투쟁〉의 제작진은 이를 거부했고, 이로 인해 1945년 10월에 이르러서는 〈투쟁〉지의 소유권을 놓고 옛 지도부와 현 지도부 사이에 소유권 다툼이 벌어지게 되는 등 〈투쟁〉지는 내우외환에 시달려야 했다. 이런 연유로 해서 1944년 8월 21일 이후 정기적으로 사설을 쓰던 카뮈는 1년이 지난 1945년 9월 이후 점차 〈투쟁〉지와 거리를 두기 시작했고, 1947년 4월에 가서는 드 골 장군 지지를 공개적으로 선언한 알베르 올리비에를 카뮈가 정면으로 비난함으로써 제작진 사이에 불화가 생겼고, 역시 드 골 지지자로 변신한 파스칼 피아와 카뮈 사이에도 불신의 골이 깊어졌다. 게다가 사법부의 결정에 따라, 1947년 6월 2일에는 자유신문 〈투쟁〉지의 창립주주이던 파스칼 피아, 카뮈, 알베르 올리비에, 마르셀 지몽, 자클린 베르나르, 장 블록-미셸은 지하신문 〈투쟁〉지의 발행인이었던 클로드 부르데와 사업가인 앙리 스마자에게 전 주식을 넘겨주어야 하는 지경에 이르렀다. 이것으로 카뮈는 〈투쟁〉지와의 관계에 종지부를 찍어야 했다.

카뮈는 〈투쟁〉지에 대한 열정과 애착이 어느 누구보다도 컸기에, 그만큼 회환과 미련도 클 수밖에 없었다. 〈투쟁〉지를 떠난 후, 카뮈는 여러 차례에 걸쳐 "가슴 아프게 떠났던 〈투쟁〉지"[39]가 "비할 데 없는"[40] 신문이었기에, 더욱 아쉬움이 남는다고 토로했다. 카뮈를 비롯한 6인방이

〈투쟁〉지를 떠났다는 소식이 알려지자, 이들에 대한 동료 언론의 찬사가 이어졌다. 1947년 6월 4일자 〈로브(*L'Aube*)〉지는 "〈투쟁〉지의 훌륭한 제작진이 새로운 언론에 얼마나 큰 명예를 안겨 주었는지를 지적하지 않고서는, 〈투쟁〉지에 그 품위와 그 외관을 심어 주었던 제작진을 떠나보내지 맙시다"며 6인방의 떠남을 애석해했고, 같은 날짜 〈프랑-티뢰르(*Franc-Tireur*)〉지도 "그 정직함과 진지함을 높이 평가받던 기자들로 구성된"[41] 수준 높은 일간지였다고 칭송했다. 심지어 영국의 〈더 맨체스터 가디언〉지는 1947년 6월 5일자 기사에서 "〈투쟁〉지는 오랜 역사도 없고, 많은 부수를 발행하지도 않았지만, 11만 7천 명의 독자들 가운데 이 소식을 자신의 일처럼 느꼈을 독자가 한둘이 아닐 것이다. 3년 만에 〈투쟁〉지는 국제적인 명성을 얻었다"면서, "정치 노선이 너무나도 공정했고, 지적인 농도가 너무나 탁월한 신문"[42]이었다고 치하했다.

1944년 8월 21일부터 1947년 6월 3일까지, 카뮈는 〈투쟁〉지에 모두 138편의 사설과 27편의 기사들을 게재했다. 특히, 그의 사설은 지성인들은 물론 일반 시민들이 애독하던 기사였다. 1946년 3월 앙드레 말로의 추천에 의해 〈투쟁〉지의 논설위원으로 위촉되어 1년여 동안 사설을 담당했던 레이몽 아롱은 그의 『회고록』에서 〈투쟁〉지를 "당시 파리의 정계와 문단에서 가장 명성이 높은 신문"이었다고 평가하면서, "알베르 카뮈의 사설들은 유일한 권위를 누리고 있었다. 진정한 작가가 그날의 사건들을 논평하고 있었다"[43]라고 회고한 바 있다. 카뮈가 추구하던 비판적 저널리즘이 구현되었다는 점을 확인해 주는 평가이다.

〈르 누벨 옵세르바퇴르〉의 발행인을 역임한 장 다니엘은 〈투쟁〉지 시절의 기자 카뮈를 회고하는 글 「〈투쟁〉을 위한 투쟁」에서, 〈투쟁〉지는 "대학생, 교사, 지성인 그리고 노조원들이 탐독하던"[44] 신문이고 "프랑스 언론 역사상 글쓰기가 가장 탁월한 수준에 오른 신문들 중의 하나였다"고 평가하면서 "카뮈는 사설이라는 글이 어떤 것인지를 규정하기 위해서 '하나의 주제, 두 개의 예, 세 장의 종이'라고 말하곤 했다"[45]고 전하기도 했다. 프랑스의 대표적인 풍자 주간지 〈르 카나르 앙셰네〉의 기자 모르방 르베스크는 "〈투쟁〉지의 편집국장 카뮈는 진정한 언론헌장을 공표했다. 신속한 정보보다는 올바른 정보를 제공할 것, 적절한 논평을 덧붙여 뉴스의 의미를 명시할 것, 비판적 저널리즘을 도입할 것, 그리고 어떤 경우에도 정치가 도덕을 묵살하거나, 도덕이 도덕주의에 빠지는 걸 인정하지 말 것, 바로 이러한 것들이 카뮈가 그의 동료들에게 제안한 지침이었고, 그 자신이 몸담고 있던 신문에 우선적으로 적용한 지침이었다"라고 상기하면서, "확실한 사실은 그 품위와 문체, 정보의 가치와 독자 존중이라는 면에서, 당시의 〈투쟁〉지에 비견할 만한 신문은 프랑스 역사에서 매우 드물었다"[46]라고 기자 카뮈의 역량과 〈투쟁〉지의 질적 수준을 칭송했다.

이처럼, 해방 직후의 〈투쟁〉지는 곧잘 "카뮈의 신문"[47]이라고 불릴 정도로 편집국장 카뮈의 영향력이 대단했고, 그가 내세운 비판적 저널리즘을 실천하고 언론의 자유와 독립을 최대한 추구하던 신문이었다. 그리고 카뮈 자신도 뭔가 새로운 것을 할 수 있고 세상을 바꿀 수 있다는 "원대한 희망"[48]을 품고 있었으므로, 모든 열정과 노력을 다 바쳤던 신문이었다. 훗날 카뮈는 월간지 〈칼리방〉 1951년 8월호에 실린 장 다니엘과의 인터뷰 「내가 알고 있는 가장 멋진 직업들 중의 하나」에서 〈투쟁〉지와 관련해서 다음과 같이 언급했다. "언젠가 경제상황이 안정되면, 우리는 〈투쟁〉지나 그에 버금가는 신문을 다시 만들 것이다. […] 우리는 2년 동안 완벽한 독립언론을 구가했었다. 나는 그 이상 더 바랄 게 없었다. […] 우리는 직업기자들이었다. 하지만 언뜻 보기에 가장 어려운 일은 자기가 종사하는 직업을 멸시하지 않는 것이다. 기자라는 직업은 내가 알고 있는 가장 멋진 직업들 중의 하나이다. 스스로 자기 자신을 심판하도록 하기 때문이다."[49] 안타깝게도 카뮈는 "〈투쟁〉지나 그에 버금가는 신문"을 다시 만들려던 꿈을 이루지는 못했으나, 그에게 기자는 "가장 멋진 직업들 중의 하나"였던 것만은 사실이었다. 그리고 적어도 편집국장 카뮈 시절의 〈투쟁〉지는, 베테랑 기자로 이름난 장 라쿠튀르의 표현을 빌리자면, "세련미와 엄정성과 독립의 절대적인 모델"[50]이었다. 『프랑스 언론통사』의 집필진이 〈투쟁〉지의 카뮈를 "빛을 발하는 사설들을 쓴 편집국장"[51]이라고 기록하고 있듯이, 그리고 그의 "비판적 저널리즘"을 상세하게 설명하기 위해서 그의 사설들을 직접 인용하고 있듯이,[52] 20세기 프랑스 언론사에서 카뮈는 언론의 자유와 독립을 위해 투쟁했던 진정한 기자로 남아 있다.

2.2.4. 반역 지성인 숙청

독일 점령하의 프랑스 지성계는 드레퓌스 사건 때와 마찬가지로 양분된 형국이었다. 반드레퓌스파의 거점인 조국프랑스연맹의 전통을 계승하는 우파 지성인들은 페탱의 비쉬 정권에 협력하거나 점령군 나치에 부역한 반면에, 드레퓌스파가 창설했던 인권연맹의 이념을 존중하는 좌파 지성인들은 레지스탕스에 가담했다. 1944년 8월 파리가 해방되자, 레지스탕스에 참여했던 좌파 지성인들은 조국을 반역하고 나치에 동조했던 우파 지성인들을 단죄하는 데에 나섰다. 보복과 응징의 시간이었다. 반역 지성인들에 대한 숙청을 주도한 것은 전쟁 중에 저항 지성인들이 설립해서 레지스탕스 활동을 벌였던 전국작가협의회였다.

〈프랑스 문예〉지 1944년 9월 9일자 1면에는 「프랑스 작가들의 선언」이라는 제목 하에 전국작가협의회가 발표한 성명서가 게재되었다. "전국작가협의회는 프랑스 작가들을 대변하던 행동하는 유일한 조직이었다. 이들은 조국과 문명을 위협하던 치명적인 위험에 맞서서, 모든 세대,

모든 학파 그리고 온갖 정당 출신으로, 자신들을 분열시킬 수도 있었던 모든 점들을 결연히 접어두고서, 하나로 똘똘 뭉쳤던 작가들이다. 점령기의 암흑 속에서도 우리의 양심을 지키고 정신의 자유를 부르짖을 수 있었던 것은 전국작가협의회 덕분이었다. […] 고통과 핍박 속에서도 그랬었듯이, 승리와 자유에서도 하나로 뭉칩시다. 프랑스의 부활을 위해서, 그리고 위선자와 반역자들에 대한 정당한 처벌을 위해서 하나로 뭉칩시다."[53] 이 성명서에 서명한 작가는 루이 아라공, 쥘리앙 방다, 카뮈, 엘뤼아르, 장 게에노, 미셸 레리스, 말로, 마르탱 뒤 가르, 모리악, 폴랑, 사르트르, 발레리 등 60여 명에 이르렀다. 일주일 후인 1944년 9월 16일자 〈프랑스 문예〉지에는 전국작가협의회가 처음으로 작성해서 공개한 반역 지성인 명단이 발표되었는데, 드리외 라 로셸, 샤를 모라스, 로베르 브라지야크, 장 지오노, 루이-페르디낭 셀린, 앙리 드 몽테를랑, 마르셀 주앙도, 사샤 기트리, 뤼시앙 르바테, 알퐁스 드 샤토브리앙, 자크 샤르돈 등 150여 명의 우파 작가들과 기자들이었다. 9월 중순에 발표된 2차 명단에는 로베르 드노엘, 베르나르 그라세 등 주로 출판업자들이 올랐고, 10월 중순에 발표된 3차 명단에는 165명의 우파 지성인들이 추가되었다.

전국작가협의회는 어떤 법적 지위나 권한도 지니고 있지 않았지만, 이 협의회가 작성한 리스트에 이름이 올라가는 것만으로도, 해방 직후의 시대적 분위기에서는 지성인으로서의 생명이 끝난 것이나 다름없었다. 그래서 전작협 내부에서도 리스트 작성에 신중을 기해야 한다는 지성인들이 있었는데, 그 대표적인 경우가 장 폴랑이었다. 장 폴랑은 레지스탕스 운동에 가장 적극적으로 가담했던 공산당계 지성인들에 의해 전작협이 주도되고 있음을 잘 알고 있었으므로, 「레지스탕스 지도자에게 보내는 편지」라는 공개서한에서 지성인들에게도 "실수할 권리"를 인정해 주어야 한다고 역설했다. 그러나 그의 입장에 동조하는 지성인들은 거의 없었고, 장 폴랑은 끝내 전작협을 탈퇴하지 않을 수 없었다. 한편, 반역 지성인들에 대한 재판이 파리지방법원에서 열렸는데, 드리외 라 로셀, 로베르 브라지약, 뤼시앙 르바테는 그들의 명성과 영향력으로 인해, 지성계는 물론 프랑스 국민들의 관심을 불러일으켰다. 독일 점령 기간에 프랑스를 대표하는 잡지 〈NRF〉의 발행인을 맡았던 드리외 라 로셀은 경찰을 피해 은신생활을 하다가 스스로 목숨을 끊었고, 나치즘을 가장 적극적으로 옹호했던 극우지 〈즈 쉬 파르투〉의 기자 뤼시앙 르바테는 독일에 피신해 있다가 체포되어 1946년 11월 사형선고를 받았다.

재능 있는 젊은 작가로 인정받던 로베르 브라지약은 반역 지성인 숙청의 대표적인 경우였다. 1909년생으로 파리고등사범학교를 나온 수재인 브라지약은 소설가이자 극작가이자 비평가로서 우파 지성계의 샛별로 인정받던 인물이었다. 2차 대전 발발 이전에 『기막힌 도둑』과 『시간이 지남으로』 등 다섯 권의 소설을 발표해서 문단의 찬사를 받았던 브라지약은 반드레퓌스파의 거물인 샤를 모라스의 영향을 받아 민족주의와 고전문화에 심취했고, 독일과 이탈리아를 여행하면서 나치즘과 파시즘이 민족주의를 대변하는 이데올로기라고 인식하게 되었다. 특히 뉘렘부르크에서 화려하게 거행된 나치 행사 때, 히틀러의 연설을 듣고 깊은 감명을 받기도 했다. 극우지 〈프랑스 행동〉에서 민족주의를 찬양하던 그는 능력을 인정받아 1937년 스물여덟의 젊은 나이에 〈즈 쉬 파르투〉의 편집국장을 맡아 반파시스트들을 공격하는 일련의 캠페인을 벌였다.

독일과 이탈리아의 파시즘에 매혹된 브라지약은 순수하게 프랑스적인 보수 전통에 토대를 둔 프랑스 고유의 민족주의를 건설해 보려는 야망에서 유물론적 문화 거부, 프티부르주아에 대한 증오, 반유태주의 그리고 반세계주의를 기치로 내세웠다. 샤를 모라스를 추종하는 뤼시앙 르바테, 클로드 장테, 조르지 블롱 등 극우파 필진으로 구성된 주간지 〈즈 쉬 파르투〉는 독일 점령하에서 나치의 주력 기관지로 탈바꿈했고,

편집국장인 브라지약은 독일 선전부의 주선으로 여러 차례 독일을 방문했다. 그러나 1943년 여름에 이르러 브라지약은 파시즘이 결국에는 실패할 것이라 예견하고서 〈즈 쉬 파르투〉의 편집국장직을 자진 사임했다. 이후 브라지약은 자신이 구상하는 민족주의 혁명을 전파하면서, 새로운 길을 모색하던 중 해방을 맞이했다. 독일의 패배가 점점 가시화될 무렵, 폴 모랑이나 루이-페르디낭 셀린과 같은 반역 지성인들이 목숨을 건지려고 프랑스를 떠나 외국에 피신했던 것과는 달리, 브라지약은 스스로 경찰에 출두해서 의연하게 재판에 임했다. 그는 1945년 1월 13일에 사형선고를 받았고, 지성인들의 구명운동에도 불구하고 한 달 후인 2월 6일에 처형되었다.

로베르 브라지약이 사형선고를 받자, 그의 젊음과 재능을 아깝게 여기는 몇몇 지성인들이 구명운동을 전개했다. 이 구명운동의 선봉에 나선 지성인은 가톨릭계 우파 작가로 레지스탕스에 참여했던 프랑수아 모리악이었다. 모리악은 브라지약을 심판하는 법정에 탄원서를 제출하여 "이토록 재능 있는 작가를 영원히 상실한다면 프랑스 문학에 크나큰 손실이 될 것이다"[54]며 간곡한 선처를 요구했으나 허사였다. 브라지약에게 사형선고가 내려지자 모리악은 소설가 마르셀 에메, 극작가 장 아누이, 그리고 아들 클로드 모리악과 함께 브라지약 사면을 위한 서명 작업에 착수했고, 폴 발레리, 조르지 뒤아멜, 폴 클로델, 장 폴랑, 자크 코포, 장 슐룸베르제르, 롤랑 도르줄레스, 장-루이 바로, 장 콕토, 콜레트, 가브리엘 마르셀, 알베르 카뮈 등 59명의 지성인들이 이 탄원서에 서명했다. 하지만 서명 작업이 순탄하게만 이루어진 것은 아니었다.

가령, 사르트르와 보부아르는 일거에 거절해 버렸고, 클로드 루아는 서명을 했다가 취하하기도 했다. 보부아르는 훗날 이에 대해 다음과 같이 회고했다. "내가 연대감을 느끼는 사람들은 저들[카바이예스, 폴리체, 데스노스 등 저항 지성인들을 일컬음]처럼 죽었거나 죽어 가는 친구들이었다.

만일 내가 브라지약을 위해 손가락을 놀렸다면, 그 친구들이 내 얼굴에 침을 뱉어도 달게 받아들여야 했을 것이다. 나는 단 1초도 머뭇거리지 않았다. 제기할 가치조차 없는 문제였다. 카뮈도 같은 생각이었다. 카뮈는 내게 '우리는 그런 인간들과 아무런 볼 일이 없어요. 판사들이 결정하겠지요. 그건 우리와 무관한 일이에요'라고 말한 바 있었다."[55] 보부아르의 증언대로, 카뮈 역시 반역자 숙청에 대해서는 단호한 입장이었다. 카뮈에게는 지하신문 〈투쟁〉지의 인쇄를 맡았던 노르말리앵 청년투사 앙드레 볼리에가 게슈타포의 제물이 되었던 기억이 여전히 생생하게 살아 있던 때였다.

하지만, 로베르 브라지약 구명을 위한 탄원서와 관련하여 카뮈가 마르셀 에메에게 보낸 편지는 지성인 카뮈가 아니라 인간 카뮈의 면모를 여실히 보여 주었던 일화로 남아 있다. 마르셀 에메를 통해 탄원서에 서명해 달라는 요청을 받은 카뮈는 하룻밤을 새워 심사숙고한 끝에 서명에 동참하면서, 1945년 1월 27일 마르셀 에메에게 다음과 같은 장문의 편지를 썼다. "귀하 때문에 나는 지난밤을 아주 힘들게 보냈습니다. 결국 나는 귀하가 요청한 서명을 오늘 보냅니다. […] 나는 늘 사형을 끔찍하게 여겨 왔고, 적어도 개인으로서의 나는 사형에 동참할 수가 없다고 생각합니다. […] 브라지약에 대해서 말하자면, 사면을 받아 1-2년 후에 석방되었을 때, 내 편지와 관련해서 그에게 다음과 같은 뜻을 전해 주기를 바랍니다. 내가 서명에 동참하는 것은 브라지약을 위해서가 아닙니다. 내가 형편없다고 생각하는 브라지약이라는 작가를 위해서도 아니고, 또한 내가 온 힘을 다해 경멸하는 브라지약이라는 개인을 위해서도 아닙니다."[56] 카뮈가 브라지약을 위한 탄원서에 서명을 한 것은 반역 지성인을 구명하기 위한 것이 아니라, 사형제도에 반대하는 자신의 신념에 따른 것이었다. 그래서 카뮈는 사형선고를 받은 뤼시앙 르바테 구명 탄원서에 동참하면서 "내가 끝까지 무찔러야 할 인간"임에도 불구하고 "사형수를 구제해야 한다"는 생각에 이끌려 "한 인간을 죽이기보다는 자신의 잘못에 대해 깊이 생각할 기회를 주는 것이 더 시급하고 더 본보기가 되기에"[57] 서명을 승낙한다는 말을 덧붙이기도 했다. 지성인들의 탄원서에도 불구하고, 드 골 장군은 사면을 거부했고, 결국 브라지약은 사형대의 이슬로 사라져야 했다. 브라지약은 사형되기 전날 자신을 위한 탄원서에 서명한 지성인들에게 감사의 뜻을 전하는 장문의 편지를 작성했고 변호사를 통해서 서명 지성인들에게 전달했다.[58]

2.3. 정의 대 자비 : 카뮈 대 모리악 논쟁

레지스탕스 운동에서 탄생한 〈투쟁〉지가 카뮈를 비롯한 일군의 젊은 기자들에 의해 발간되고 있었던 데 반해서, 1942년 11월 이후 정간되었다가 1944년 8월에 복간된 유서 깊은 일간지 〈르 피가로〉는 발행인 피에르 브리송의 주도 하에 유명 기자와 작가들에게 지면을 제공하고 있었는데, 그런 인물들 중의 하나가 노작가 프랑수아 모리악이었다. 〈르 피가로〉의 논설위원으로 사설을 쓰던 모리악은 〈투쟁〉지의 편집국장 카뮈가 쓴 사설에 대해 최고의 칭찬을 아끼지 않았다고 한다. 심지어 피에르 브리송의 증언에 따르면, 카뮈의 사설이 게재된 〈투쟁〉지를 들이대며 "내 파트너"[1]라고 부를 정도로 카뮈를 옹호했고, 카뮈가 주장하던 정치개혁과 언론개혁에 대해서는 전적으로 동의했다. 하지만 부르주아 출신의 대표적인 가톨릭계 우파 작가로 명성을 날리던 노년의 모리악과 알제리 빈민가 출신의 프롤레타리아에다 신을 믿지 않는 청년작가 카뮈 사이에는 넘을 수 없는 벽이 가로막고 있었다. 전국작가협의회의 주도로 "위선자와 반역자들에 대한 정당한 처벌"을 주장하는 「프랑스 작가들의 선언」과 반역 지성인 로베르 브라지약을 구명하는 탄원서에 나란히 서명을 하기도 했지만, 숙청 문제를 놓고 "신의 자비"를 외치는 모리악과 "인간의 정의"를 내세우는 카뮈가 벌인 논쟁은 20세기 프랑스 지성인사의 대표적인 사건들 중의 하나이다.

카뮈는 1944년 8월 22일자 〈투쟁〉지에 게재한 기사 「정의의 시간」에서 반역자들이 조국 프랑스로부터 "망각이나 선처를 기대할 수 없다"고 선언하면서, "우리는 증오의 인간들이 아니다. 반면에 정녕 우리는 정의의 인간들이 되어야만 한다. 그리고 정의가 원하는 것은 사람들을 죽인 자들과 살육을 허용한 자들 역시 희생자에 대해 책임을 져야 한다는 것이다"[2]라며 반역자들에 대한 정의의 심판을 주장했다. 8월 24일자 사설 「자유의 피」에서도 편집국장 카뮈는 "정의는 사람들의 피의 대가를 치러야 구현된다"[3]고 하면서, "오늘 저녁 프랑스 국민이 무장하고 있는 것은 내일의 정의를 희구하기 때문이다"[4]라고 조국의 미래를 위한 정의의 심판을 거듭 요구했다. 8월 30일자 사설에서도 "어느 누가 감히 이 마당에 용서라는 말을 언급할 수 있겠는가? 검(劍)은 오로지 검에 의해서만 무찌를 수 있다는 것을 깨달았기에, 그래서 무기를 들고 승리를 쟁취했기에, 어느 누가 잊어버리라고 요구할 수 있겠는가? 내일이 요구하는 것은 증오가 아니라, 기억에 근거한 정의 자체이다"[5]라고 주장했고, 9월 4일자 사설 「윤리와 정치」에서도 "프랑스 국민에 의해 이미 처단 받은 인간들이 무고함의 미소를 지으면서 정치 무대에 다시 등장하는 일은 정의에 어긋나는 처사일 것이다"[6]라며 줄기차게 정의의 심판을 역설했다.

9월 8일자 사설 「정의와 자유」의 필자 카뮈는 전날 〈르 피가로〉지에 실린 블라디미르 도르메송의 사설을 정면으로 비판하고 있는데, 교황청 대사를 역임했던 도르메송이 교황의 연설을 언급하면서 "자비의 법을 으뜸가는 법으로 섬기는 기독교만이 개인의 자유와 사회조직을 조정할 수 있다"[7]라고 주장했기 때문이었다. 이에 대해 카뮈는 "우리 모두에게는 정의와 자유를 조정하는 것이 관건이다. 개인에게는 자유롭고, 만인에게는 정의로운 삶이 되게 하는 것이 바로 우리가 추구해야 할 목표이다"[8]라고 선언하고 나서, "그런데 도르메송 씨의 견해는 기독교가 이러한 해결책을 제시했다는 것이다. 종교에는 문외한이지만, 타인의 신념을 존중하는 자가 이 점에 대한 의구심을 표명하는 것을 도르메송 씨는 기꺼이 허락해 주시기를. 기독교는 본질적으로 불의의 독트린이다(그런데 이것이 기독교의 역설적인 위대함이다). 기독교는 무고한 자의 희생과 이 희생에 대한 용인에 바탕을 두고 있다. 이와 반대로, 정의라는 것은, 최근에 파리 시민들이 봉기의 불꽃으로 어두운 밤을 환하게 밝혔듯이, 반항 없이는 구현되지 않는다는 것이다"[9]라며 기독교의 "자비"에 대해 비판적인 입장을 분명하게 표명했다.

공교롭게도 같은 날인 9월 8일 〈르 피가로〉지에는 프랑수아 모리악의 사설 「진정한 정의」가 실렸는데, 이 사설에서 모리악은 재판에 회부된 반역자들을 언급하면서, "죄인들을 두둔하려는 게 아니다. 관건은 단지 이 남녀들이 피의자이거나 피고인이라는 사실을 상기시키고자 하는 것이다. 아직 어느 법정도 그들의 기소 사유인 범죄행위나 죄악에 대해 확정하지 않은 상태이다. 오! 나는 잘 알고 있다. 게슈타포와 비쉬 경찰이 이런 미묘함을 알지 못하고 있었다는 걸 말이다. 하지만 바로 그렇기 때문에 우리는 도살자와 희생자의 자리바꿈보다는 더 나은 것을 갈망하는 바이다. 어떤 대가를 치르더라도 제4공화국은 게슈타포의 장화를 신어서는 안 된다"[10]라며 반역자들에 대한 용서가 "진정한 정의"가 될 수 있음을 시사했다. 다시 말해서, "적이 우리에게 한 짓을 우리는 하지 말자는 것이었다."[11]

사실, 전쟁이 완전히 끝나지 않은 상태에서, 프랑스 전국 각지에서 아무런 재판 절차도 거치지 않은 채, 무차별적이고 야만적인 숙청이 이루어지고 있던 상황임을 감안하면, 프랑수아 모리악의 입장은 정의에 어긋나지 않은 것으로 판단할 수도 있다. 하지만 모리악 개인의 상황을 고려하면, 또 다른 해석을 할 수도 있다. 모리악 자신은 레지스탕스에 참여했으므로, 이에 대해서는 전혀 비난받을 일이 없었지만, 그의 주변 사람들 가운데는 그렇지 못한 경우도 있었다. 가령, "그의 형인 피에르 모리악 박사는 페탱 지지자였고, 극우 단체인 프랑스행동의 열성당원이었고, 의사협회 회장으로서 공산당원이던 동료 의사의 처형에 일부 책임이 있다는 의혹 때문에, 당시 위태로운 처지에 놓여 있었다."[12] 모리악의 지론은 반역자로 지목된 사람들 가운데는 피치 못할 처지에서 어쩔 수 없이 실수를 범했던 자들이 있고, 그들도 그들 나름대로 국가에 충성하려고 애썼다는 것이었다. 그래서 모리악은 10월 17일자 〈르 피가로〉지 사설에서 "우리는 그런 프랑스인들과 반역자들을 혼동하는 걸 용인하지 않을 것이다. 자신의 형제들을 팔아먹었던 자들이나 도살자들의 하수인 노릇을 했던 자들과 혼동하는 것을 말이다"[13]라며 옥석을 가려서 처벌해야 한다고 역설했다.

이에 대해 카뮈는 바로 다음날인 1944년 10월 18일자 〈투쟁〉지 사설에서 "숙청에 대해 조금 언급하기로 하자. 우리는 이 문제를 자주 다루지는 못했다. 어려운 문제이기 때문만은 아니었다. 냉정함을 요구하는 문제이기도 했기 때문이다. 사실대로 말하자면, 이런 문제들에 있어서는 냉정함을 지키는 게 늘 가능한 일은 아니다. 무엇보다도, 숙청은 필요하다고 말하자"라고 처음으로 "숙청"이라는 낱말을 거론했다. 이어서 카뮈는 "관건은 숙청을 많이 하는 게 아니라, 숙청을 제대로 하는 것이다. 그런데 올바른 숙청이란 어떤 것인가? 각 개인들의 관점을 전혀 무시하지 않으면서도, 정의의 일반 원칙을 준수하려고 지향하는 숙청이다. 이 경우, 정의의 일반 원칙이란 무엇인가? 그것은 균형에 있다"[14]라고 단언한 뒤, "명확하게 규정된 몇 가지 원칙들"에 근거해서 "국가 차원의 숙청"을 통해서, 점령기에 특혜를 누렸던 은행이나 대기업과 같은 기관들과 사상적 지도자들에 대해서는 더욱 가차 없는 처벌을 요구했다. 이를테면, 배우이자 극작가인 사샤 기트리의 경우, "평생 동안 다시는 무대에 나서지 못하도록 하는"[15] 강력한 벌을 내려야 한다고 주장했다. 그리고 3일 전 국민 대화합을 위한 연설에서 "결코 실수를 범하지 않았던 이가 있는가?"[16]라고 했던 드 골 장군의 발언에 대해서는 다음과 같이 지적했다. "숙청 기간이 짧으려면, 숙청이 빠르게 그리고 올바르게 진행되어야 하는 게 좋다. 드 골 장군이 잘못을 범했던 이들에게 관용을 베풀자고 요구하는 것은 원칙적으로는 옳은 판단이다. 하지만 구체적으로 어떻게 적용할 것인가를 검토해야 한다. 실수가 가능한 사회적 상황들이 있다. 그리고 실수가 곧 범죄가 되는 다른 상황들도 있다."[17] 카뮈는 적어도 지성인의 경우 부역은 "실수"가 아니라 "범죄"라고 판단했다.

다음날인 1944년 10월 19일자 〈르 피가로〉지에는 모리악의 사설 「정의와 전쟁」이 게재되었다. 모리악은 이 사설에서 드 골 장군의 입장을 전적으로 지지하면서, "고통스러운 프랑스 국민은 화합과 국민 대통합을 열망하고 있다는 게 진실이다. 하루하루 프랑스 국민은 정의의 요구에 대해서가 아니라 시스템에 대해서 저항하고 있다. […] 국가 차원의 숙청 작업이라는 게 하루아침에 이루어지는 게 아니다"[18]라고 전날의 〈투쟁〉지 사설에 대한 반대 입장을 확실하게 표명했다. 뿐만 아니라 모리악은 레지스탕스 활동에서 탄생한 〈투쟁〉지를 비롯한 몇몇 신문들이 숙청을 주장하는 데 대해, "유일한 신문, 그래, 유일한 신문이지. 왜냐하면 우리나라에는 신문들이 많은 만큼이나, 단 하나의 신문만이 존재하지. 레지스탕스 신문 말이다"[19]라며 〈투쟁〉지에 대한 조롱까지도 서슴지 않았다.

〈투쟁〉지의 반응은 즉각적이었다. 다음날인 10월 20일자 사설의 첫머리는 다음과 같다. "우리는 프랑수아 모리악 씨의 견해에 동의하지 않는다. 우리는 아무런 거리낌 없이 그렇게 말할 수 있다. 왜냐하면 우리는 필요할 때마다 프랑수아 모리악 씨의 견해에 동조한다는 것을 표명해왔기 때문이다."[20] 이어서 카뮈는 모리악이 "유일한 신문"이라고 조롱한

데 대해서 다음과 같이 정면으로 반박했다.

> 아니다. 이 유일한 언론은 겉으로 보기만큼 유일하지 않다. 모리악 씨는 이 언
> 론이 오로지 레지스탕스만을 대변하고 있다고 불만을 털어놓고 있지만, 우리는
> 우둔하게도 레지스탕스가 곧 프랑스라고 믿었다. 신문이 프랑스 국민의 레지스
> 탕스 말고 다른 것을 대변해야 한다면, 도대체 무엇을 대변하라는 것인가?
> 요컨대, 모리악 씨의 주장은 프랑스에는 레지스탕스 말고도 다른 게 있다고
> 말하는 것이나 다름없다. 우리 동지들이 저항투쟁에 충실하게 참여하느라, 영
> 화관 앞에 늘어서 있는 줄을 멀거니 쳐다보거나, 지방 관리들의 자동차가 지나
> 가는 걸 물끄러미 쳐다보아야 했던 시기에는, 우리도 프랑스에 다른 게 있다는
> 사실을 믿어 의심치 않았다. 하지만, 다른 사람들이 적의 총탄 앞에 얼굴을 들
> 이대던 순간에 희희낙락했거나 반역했던 자들의 목소리도 존중해야 한다는 게
> 모리악 씨가 말하고 싶은 것은 아니라고 우리는 짐작한다.
> 지금은 레지스탕스 활동을 우려먹는다고 우리를 비난할 때가 아니다. 우리는
> 레지스탕스에 가담했던 이들에게는 권리보다는 훨씬 더 많은 의무가 있다고,
> 그리고 레지스탕스에 대해서는 미래가 판단할 것이라고 충분히 거듭해서 말한
> 바 있다. 이 나라 언론의 현실에 만족하고 있다고 의심받아야 할 이들은 우리가
> 아니다. 우리는 진실에 대한 안목을 가지고 있다. 비록 진실이 우리의 반대편에
> 있을 때마저도 말이다. 하지만 어제 진실은 모리악 씨 편에 있지 않았다는 걸
> 우리는 알고 있다.[21]

카뮈와 모리악 간의 첫 번째 직접적인 정면충돌이었다. 하지만 이것은
앞으로 전개될 치열한 논쟁의 서막에 지나지 않았다.

프랑수아 모리악도 자신의 실명까지 거론하며 반론을 제기한 〈투
쟁〉지의 사설에 즉각 응수했다. 10월 22-23일자 〈르 피가로〉지에 실린
「〈투쟁〉지에 대한 반론」이라는 사설에서 모리악은 "나의 지난번 사설

「정의와 전쟁」에 대해 길게 반박한 〈투쟁〉지 사설의 필자가 내 생각을
아주 잘 이해했는지에 대해서는 판단을 내리지 않으려 한다. 나 또한 그
의 생각을 잘 이해했는지는 더욱 확신할 수 없다. […] 그리고 그 사설의
필자가 내가 가장 존중하고, 내가 지대한 호감을 느끼는 내 후배들 중의
일인이라고 생각하기에, 그리고 내가 늘 그의 나무랄 데 없는 문체를 너
무나도 음미하고 있기에, 평소의 내 순진함과 소박함을 가지고 고백하
는 바, 곤혹스러운 상황에 내가 처해 있다"며 기자 카뮈의 재능을 아주
높이 평가하면서도, "나의 후배 동료는 내가 생각했던 것보다 훨씬 더
영적(靈的)이다. 아무튼 나 자신보다도 더 영적이다. […] 〈투쟁〉지의 젊
은 선생들에게는 기독교에 대한 초보적인 지식들이 제대로 걸러지지 않
은 채로 남아 있다"[22]고 일갈하며 이에 대한 해명을 해 주기를 바란다고
덧붙였다.

　모리악의 요청에 즉각 카뮈는 〈투쟁〉지 10월 25일자 사설에서 다음과
같이 응수했다.

　레지스탕스 언론에 대한 프랑수아 모리악의 비난은 우리에게 상처를 주었다.
　왜냐하면 우리는 그의 비난이 너무나도 정의롭지 못하다고 여겨지기 때문이다.
　이 점에 있어서는 정말이지 견해차가 크다. 그리고 우리는 모리악 씨가 그의 반
　론에서 이 문제에 대해 일언반구하지 않은 것을 유감스럽게 생각한다. 그런데
　모리악 씨는 정의의 문제라는 핵심을 건드리고 있다. 그러니 핵심으로 들어가
　보자.
　　모리악 씨가 충격을 받은 까닭은 우리 사설에서 지금은 자기 자신에 맞서는
　말도 할 줄 알아야 한다고 했기 때문이다. 그렇다고 해서 자신의 신념에 반대되
　는 말을 하라고 하는 건 물론 아니다. 하지만 정의의 문제는 근본적으로, 만인
　의 진실이 문제가 될 때, 모리악 씨가 말하는 자비를 언급하지 못하도록 하는
　데에 있다는 게 사실이다. 이게 지나치다는 것 역시 사실이긴 하지만, 정의의 문

제에 있어서는, 불가피한 희생을 감수해야 한다는 신앙을 가지기 위해서, 굳이
기독교도가 되어야 할 필요는 없다는 것이다.[23]

모리악이 "기독교에 대한 초보적인 지식"으로 무장한 〈투쟁〉지의 젊은
선생"이라고 비아냥거린 데 대한 카뮈의 직설적인 역공이었다. 모리악의
"자비"와 카뮈의 "정의"가 정면으로 충돌하는 순간이었다. 이어지는 사
설에서 카뮈는 구체적인 예를 들어 정의의 문제를 천착하고 있다.

월요일에 파리에서 첫 번째 사형이 언도되었다. 우리가 입장을 정해야 하는 것
은 바로 이 끔찍한 사례에 대해서이다. 이 사형선고를 인정할 것인가? 아니면
인정하지 않을 것인가? 바로 이것이 문제이다. 소름끼치는 문제이다.

　모리악 씨는 자기는 기독교도이고 자신의 역할은 단죄하는 게 아니라고 말
할 것이다. 하지만 우리는 바로 이 점에서 그에게 신중하라고 요구하는 바, 우
리는 바로 기독교도가 아니기 때문에, 이 문제를 떠맡고서 모든 책임을 다하려
는 결정을 내렸다는 것이다.

　우리에게는 인간을 살해하려는 욕구가 없다. 인간은 우리가 이 세상에서 존
중하는 모든 것의 상징이다. 그렇기 때문에 이 사형선고에 대한 우리의 첫 반응
은 혐오감이었다. 우리가 해야 할 일이 인간을 파괴하는 게 아니라, 단지 국익
을 위해 무엇인가를 하는 거라고 생각하는 건 우리에게 쉬운 일일 것이다. 하지
만 사실은, 1939년 이후로 그런 게 바로 국익 자체에 대한 반역이라는 사실을
우리는 알게 되었다. 프랑스에는 마치 인체 내에 침투한 이물질과 같은 자들,
즉 지난날 국가의 불행을 자아냈고, 내일도 여전히 그렇게 할 소수의 인간들이
있다. 바로 반역과 불의의 인간들이다.

　그러니까 그들의 존재 자체가 정의의 문제를 제기하고 있다. 왜냐하면 그들
은 이 나라의 현재의 일부분을 차지하고 있기 때문이고, 그들을 제거해야 하는
일이 관건이기 때문이다.[24]

개인적으로는 사형제를 거부하는 자신의 확고부동한 신념에도 불구하고, 카뮈는 국가의 미래를 위해서는 "반역과 불의의 인간들"을 처단하는 일만이 정의를 구현하는 지름길이라고 주장하면서, 신의 정의가 아니라 인간의 정의가 구현되어야 한다는 점을 강력하게 내세웠다.

> 기독교도는 인간의 정의는 늘 신의 정의에 의해 보완되는 것이라고, 따라서 관용이 더 나은 것이라고 생각할 수도 있다. 그러나 신의 심판에는 무지하지만, 인간에 대한 애착과 인간의 위대함에 대한 희망을 간직하고 있는 사람들이 처해 있는 심리적인 갈등을 모리악 씨는 깊이 생각해 보시기를. 그들은 영원히 입을 다물고 있어야 하는가, 아니면 인간의 정의에 전향해야 하는가라는 상황에 처해 있다. 이러한 상황은 쓰라린 정신적 고통 없이는 지속될 수 없다. 25년간의 열악한 삶에 이어 4년 동안 집단적인 고통을 당했었기에, 더 이상 의심의 여지가 있을 수 없다. 그래서 우리는 인간의 정의가 너무나 불완전함에도 불구하고, 필사적으로 정직성을 유지하면서 오로지 그런 불완전한 인간의 정의를 바로잡으려는 일념에서, 인간의 정의를 떠안아야 한다는 선택을 한 것이다.[25]

이미 8월 21일자 사설에서도 "불가능한 용서"[26]라는 게 있음을 역설했던 카뮈는 기독교적인 관용을 베풀 때가 아니라, 인간의 정의가 비록 불완전하긴 하지만, 인간의 정의에 따라 반역자들을 심판해야 한다는 점을 거듭 역설했던 것이다. 그리고 이 인간의 정의를 부르짖는 목소리는 1차대전 이후에 태어나 고난과 역경 속에서도 자신의 의무를 다했던 한 세대의 목소리라고 하면서 〈투쟁〉지의 편집국장은 다음과 같이 선언했다.

> 이러한 언어가 모리악 씨가 생각하듯이 그토록 혐오스러운 언어인가? 물론 은총의 언어가 아닌 건 사실이다. 하지만 이 언어는 불의가 판치는 세상에서 자라난 한 세대의 언어이고, 신에게는 무관심하지만 인간을 사랑하기에, 그토록 불

합리한 운명에 맞서면서도 단호한 마음으로 인간을 섬기고자 했던 한 세대의 언어이다. 자신들의 모든 의무를 떠맡았고, 자기 시대의 비극과 함께 살아왔고, 죄악과 어리석음이 난무하는 세상에서도, 인간의 위대함을 섬기고자 결심했던 이들의 가슴에서 우러나오는 언어이다.[27]

카뮈는 이미 9월 8일자 사설 「정의와 자유」에서 기독교를 "불의의 독트린"이라고 규정한 바 있었다. 어찌 "불의의 독트린"으로 정의를 세울 수 있겠는가? 카뮈가 판단하기에, "불의가 판치는 세상"과 "불합리한 운명"을 이겨 낸 세대가 부르짖는 언어는 은총의 언어가 아니라 정의의 언어였다. 그리고 이 정의의 언어란 "신에게는 무관심하지만 인간을 사랑하기에 단호한 마음으로 인간을 섬기고자 했던 한 세대의 언어", 즉 "인간의 위대함을 섬기고자 했던 이들의 가슴에서 우러나오는 언어"였다. "인간의 정의"와 "신의 자비"의 대충돌이었다. 카뮈의 작가수첩에는 이런 단상이 적혀 있다. "내가 기독교를 비난하는 이유는 기독교가 불의의 독트린이기 때문이다."[28]

카뮈의 10월 25일자 사설에 대해 모리악은 아무런 대응도 하지 않았다. 단지, 2주가 지난 11월 9일자 「인간의 어머니인 교회」라는 제목의 사설에서 카뮈를 거명하지 않은 채, "교회는 인간의 모든 입장에 불순함이 섞여 있음을 알고 있다. 교회는 침묵으로 비밀을 간직했다. 우리가 교회에 기대하는 것은 우리의 짐을 덜어 줄 그런 외침인데도 말이다. 교회의 오랜 적이 이편에서 저편으로 이름이 바뀌긴 했지만, 적은 여전히 존재하고 있고, 그래서 교회는 다양한 가면을 쓰고 있는 영혼의 영원한 적을 비난한다"[29]며 카뮈의 사설을 에둘러 비판했다. 이에 대해서는 카뮈 역시 아무런 대응도 하지 않았다. 사실, 카뮈 개인이나 〈투쟁〉지를 직접적으로 거명하지도 않은 글에 대해 반론을 제기할 근거도 없었다.

하지만 11월 9일자 모리악의 사설이 나오기 전에도 이미 두 논객 간의 설전은 암암리에 계속되고 있었다. 지하 저항단체 '투쟁'의 리용 지역 책임자로, 레지스탕스 운동에 그 어느 누구보다도 헌신적으로 참여했던 스물세 살의 청년 시인이자 기자였고, 카뮈의 친구이기도 했던 르네 레이노가 10월 25일 독일군에 의해 총살당했다는 소식이 AFP통신에 의해 전파되었다. 〈투쟁〉지 10월 27일자에는 르네 레이노의 안타까운 죽음을 알리는 장문의 기사와 함께, 친구의 죽음을 애도하는 카뮈의 사설이 게재되었다. 이 사설에서 카뮈는 레지스탕스 활동을 하다 적에게 죽임을 당한 이들은 프랑스 국민들 중에서도 가장 훌륭한 인재들이었으며, 르네 레이노도 이들 중의 한 명이었음을 강조하고 나서, "우리가 사랑했던 이는 더 이상 말이 없을 것이다. 하지만 프랑스에는 그의 목소리와 같은 목소리가 필요하다. 자신의 신앙과 자신의 명예 사이에서 오랫동안 침묵했던, 그 누구보다도 자부심이 강했던 그는 필요한 말을 할 줄 알았을 것이다. 하지만 이제 그는 영원히 침묵할 것이다. 그리고 그럴 자격도 없는 다른 이들은 그가 자신의 명예로 삼았던 그런 명예에 대해 떠들 테고, 또한 확고한 신념도 없는 또 다른 이들은 그가 선택했던 신의 이름으로 떠들 것이다"[30]면서 독실한 가톨릭 신자였던 르네 레이노가 목숨을 걸고 지켰던 "신앙"과 "명예"를 칭송했다. 이어서 카뮈는 "그런 인간의 죽음은 너무나 비싼 대가를 치른 것이기에, 몇몇 프랑스인들이 4년 동안 쏟아 부은 용기와 희생의 가치를 망각할 권리를 나머지 인간들에게 다시 주어서는 안 될 것이다. 이들의 행동이나 글에서 그런 가치를 망각해 버릴 권리 말이다"[31]라고 일침을 놓으면서 사설을 마무리했다.

바로 이 마지막 두 문장이 자기를 겨냥하고 있다고 여겼으므로, 모리악은 10월 29일자 〈르 피가로〉지 사설 「해명」에서 즉각적으로 강력하게 반발했다. "반론을 제기하지 않고 그냥 지나가는 것은 내 능력을 넘어서는 일이다. […] 산 자들이거나 죽은 자들 중에 어느 누구도, 내가 지난 4년 동안 결코 포기하지 않았던 권리를 내게 다시 돌려줄 이유가 없다. […] 온갖 수단을 다 동원해 한 젊은이의 죽음을 이용해서 살아 있는 한 늙은이에게 대항하는 것은 경박한 장난이다. 눈물을 흘려야만 할 이때, 한 작가가 이런 경박함에 빠지는 것은 기막힌 노릇이다."[32] 카뮈가 "나머지 인간들"에 포함시켜 버린 모리악의 신소리였다. 비록 카뮈의 실명을 거론하지는 않았지만, 모리악이 언급한 "한 작가"는 누가 보아도 카뮈를 겨냥한 것이었다. 하지만 카뮈는 모리악의 이 공격에 대해서 아무런 대응도 하지 않았다.

이후, 카뮈와 모리악 간의 설전은 숨고르기에 들어갔다. 이런 점에서 1944년 12월 5일자 〈투쟁〉지 사설은 흥미롭다. 12월 3-4일자 주말판 〈르 피가로〉지의 사설 「레지스탕스의 소명」에서, 모리악이 임시정부의 조치들에 대해 반론을 제기하는 "〈투쟁〉지의 사설 필자"라고 언급한 데 대한 응수이다. "모리악 씨와 우리 사이에는 일종의 암묵적인 계약이 있다. 즉, 우리는 서로에게 사설의 주제를 제공하고 있다는 것이다. 이것은 아마도 그의 활동과 우리의 활동이 비슷한 데에서 비롯된 것일 수도 있지만, 우리 두 사람의 기질이 다르다는 데에서 비롯된다는 점은 분명하다"[33]로 시작되는 사설에서 카뮈는 "일요일자 〈르 피가로〉지에 실린 모리악 씨의 사설로 인해, 오늘 우리는 레지스탕스와 관련해서 독자들로부터 많은 서한들을 받았다. 따라서 우리는 이에 대해 해명하지 않을 수 없다. 모리악 씨는 우리가 레지스탕스 세력에 대한 공격이 가시화되고 있다고 선언한 데 대해서, 그리고 현직 장관들 가운데 두 장관이 취한 조치들이 이런 공격에 속한다고 선언한 데 대해서, 우리를 비난하고 있다. 모리악 씨의 주장에 따르면, 우리는 레지스탕스 출신의 장관들을 비판해서는 안 된다는 것이다. 그와 반대로, 우리는 그래야만 한다고 생각한다. 왜냐하면 단지 비판일 뿐이지, 모리악 씨가 말하는 것처럼, 비난이 아니기 때문이다"[34]라고 대립각을 세웠다.

이어서 카뮈는 "레지스탕스에게는 레지스탕스의 언어가 있다. 진실의 언어이다. 하지만 문제가 훨씬 더 방대하다는 사실을 직시해야 한다. 요컨대, 우리와 모리악 씨를 갈라놓는 것이 있는데, 정부가 국내정치 현안에서 꽤나 많은 일을 하고 있다고 모리악 씨가 생각하는 데에 반해서, 우리는 그렇게 생각하지 않는다"[35]라고 견해차를 밝힌 뒤, "다른 한편으로, 모든 레지스탕스 대원들이 영웅이나 성인이 아닌 것은 사실이다. 그렇다고 해서, 그게 그들의 업적을 통째로 비난해야 할 이유가 되는가? 그들의 오점이나 결점들에 대해 지나친 감정을 품어야 할 이유가 되는가? 우리가 아는 바로는 모리악 씨도 그렇게 생각하지는 않을 것이다. 바로 그렇기 때문에, 우리는 레지스탕스를 옹호하는 바이다. 당연히 했어야 할 일을 했던 레지스탕스의 업적 때문이 아니라, 레지스탕스 세력이 하고자 하는 것, 즉 우리가 보기에 정당하고 옳다고 여기는 것 때문에, 우리는 레지스탕스를 옹호하는 것이다. 바로 이것이 우리가 지키고자 하는 것이다. 왜냐하면 바로 이것이 최악의 사태로부터 프랑스를 보호해 줄 것이기 때문이다"[36]라며 레지스탕스 세력을 옹호하는 이유에 대해서 명확하게 해명했다. 카뮈가 보기에 레지스탕스 세력은 과거가 아니라 프랑스의 미래를 책임져야 할 세력이었다. 이 사설에 대해서 모리악은 아무런 응수도 하지 않았다.

카뮈가 말한 "암묵적인 계약"을 존중해서였는지는 모르지만, 〈투쟁〉지와 〈르 피가로〉지는 한동안 공방전을 벌이지 않았다. 그러던 중 12월 29일에 극우파 작가인 앙리 베로에 대한 재판이 열렸다. 극우 주간지 〈그랭구아르(*Gringoire*)〉의 논설위원 실장이었던 앙리 베로는 독설로 유명한 논객이었고, 반유태주의, 반공산주의, 반좌파의 선봉에 선 극우 중의 극우였다. 좌파 인사들치고, 전쟁 이전에는 물론이고 점령기에도, 그의 모함과 독설에 피해를 당하지 않았던 사람이 없을 정도로 극우를 대표하는 인물이긴 했지만, 골수 외국인 혐오주의자였던 그는 점령군에게도 직접적인 부역은 하지 않았다. 그러나 그는 일종의 '괘씸죄'로 인

해, 재판 개시 다음날인 12월 30일 사형선고를 받았다. 그런데 사형이
언도되자, 법정에서 재판을 참관하던 한 방청객이 자리에서 일어나더니
"독일군과 접촉하지 않았던 자를 반역 및 적과의 결탁으로 기소"하여
사형을 언도한 "재판의 불공정함"[37]에 대해 강력하게 항의했다. 바로 프
랑수아 모리악이었다. 이에 그치지 않고, 모리악은 〈르 피가로〉지 1945
년 1월 4일자 「어느 사형선고에 대하여」라는 사설에서 "신의 은총 덕분
에, 그리고 우리 모두의 명예를 위해서, 앙리 베로는 반역하지 않았다.
반역하지도 않은 작가를 반역자로 낙인찍어 명예를 실추시키다니! 독일
인들과 아무런 접촉도 하지 않았고, 게다가 독일인들을 공개적으로 증
오하던 자를 독일인들의 친구라고 비난하다니! 이것은 이 세상의 어떤
권력도 내게 반론을 제기할 수 없는 불의이다"[38]라고 주장했다. 결국, 앙
리 베로는 모리악의 지원 덕분에 열흘 뒤인 1월 13일에 사면을 받았고,
훗날 회고록에서 "그런 사막에서 한 사람이 일어났다. 열정적이고 고독
한 그의 목소리가 울려 퍼졌다. 여기엔 엄청난 용기가 필요했다"[39]라고
모리악을 칭송했다.

앙리 베로를 옹호한 모리악의 사설에 〈투쟁〉지의 제작진은 가만히 있
을 수가 없었고, 반역자에 대해 줄기차게 "정의의 가장 준엄하고 확고한
심판"[40]을 역설해 왔던 편집국장 카뮈가 붓을 들지 않을 수 없었다. 바로
다음날인 1945년 1월 5일자 사설에서 "최근 며칠 동안 언론은 불의에
관심을 두고 있다. 그것은 언론이 정의에 대해서 말하지 못하기 때문이
다. 한 가톨릭 여류 작가는 정의는 오로지 지옥에만 있을 뿐이라는 글을
쓰기도 했다. 우리 법정은 이 유감스러운 주장을 바로잡기 위해 할 일
을 하고 있다"[41]고 지적하면서 카뮈는 "인간의 정의"[42]를 실현하기 위해
서는 특수한 상황을 고려한 "소급입법"[43]까지도 제정하는 등, "우리에게
필요한 명확하고 나무랄 데 없는 법률을 제정해야 한다"[44]는 점을 누누
이 역설했다. 더 나아가 카뮈는 "숙청에 실패한 국가는 개혁에도 실패하

기 마련이다. 국가의 얼굴은 곧 그 국가의 정의이다. 우리의 정의는 흐트러진 얼굴이 아닌 다른 모습을 세상에 보여 주어야만 할 것이다. 하지만 명철함이나 단호하면서도 인간적인 엄정함은 저절로 습득되는 게 아니다. 그렇지 못하니, 우리에게는 한심스러운 위안이 필요할 것이다. 모리악 씨가 옳다는 게 자명하다. 우리에게는 자비가 필요할 것이다"[45]라고 비아냥거리면서 사설을 매조지었다. 카뮈가 사설의 마지막 문장에 "자비"라는 낱말을 굳이 거론한 까닭은 모리악이 1944년 12월 14일자 사설에서 "자비의 계율이 정치의 계율보다 상위에 있다는 것을 믿는 자는 행복할지어다"[46]라고 했던 사실을 상기시키기 위한 것이었다.

모리악의 반격도 즉각적이었다. 이틀 뒤인 1월 7-8일자 주말판 〈르 피가로〉지 사설 「자비에 대한 경멸」이라는 제목의 사설에서, 카뮈가 주장한 "소급입법"에 대해 모리악은 다음과 같이 반격했다. "모든 면에서 명철함을 자랑하는 우리의 젊은 지도자가 이 법에 대해서는 우리에게 최소한의 명철함도 보여 주지 못하다니 참으로 유감이다. 그러지 못하니, 그는 우리에게 이렇게 말하고 있다. '우리에게는 자비가 필요할 것이다.' 그러고는 누구나 짐작할 수 있는 고고한 미소를 지으면서 덧붙이고 있다. '모리악 씨가 옳다는 게 자명하다. 우리에게는 자비가 필요할 것이다.'"[47] 모리악은 〈투쟁〉지의 편집국장을 "우리의 젊은 지도자"라고 빈정댔을 뿐만 아니라, 신진작가에 불과한 카뮈가 "미래의 작품의 꼭대기"[48]에 앉아 "고고한 미소"를 지으며 "자비"를 "경멸"하고 있다고 독설을 퍼부었다. 카뮈의 인격은 물론이고 심경까지도 짓밟는 독설이었다. 말하자면, "암묵적인 계약"을 일방적으로 파기하고서, 상대방에 대한 최소한의 예의도 차리지 않은 채 노골적인 인신공격을 퍼부었던 것이다. "자신에 대한 철저한 몰이해와 평소와는 다른 모리악의 어투에 상처받은"[49] 카뮈는 모리악의 사설에 즉각 대응하지 않고, 사흘이 지난 1월 11일자 저 유명한 장문의 사설 「정의와 자비」에서 강력한 반론을 전개했다. 특히, 카뮈 자신이 밝힌 대로, "우리"라는 대명사 대신에 "나"를 사용하고 있는 데에서도 알 수 있듯이, 〈투쟁〉지의 편집국장으로서가 아니라, 개인 카뮈의 자격으로 자신의 입장을 분명하게 개진했다.

> 모리악 씨가 '자비에 대한 경멸'에 관해 며칠 전에 사설을 게재했다. 나는 이 사설이 정의롭지도, 자비롭지도 않다고 생각한다. 우리 사이를 갈라놓는 문제들에 대해서, 처음으로 그는 내가 굳이 거론하고 싶지 않는 어투를, 그리고 적어도 나 자신은 취하지 않을 어투를 취했다. 하기야, 개인적인 사정으로 인해서, 이 일상적인 논쟁에서 잠시 벗어나게 되지만 않았다면, 나는 그의 사설에 응수하지 않았을 것이다. […] 그리고 나라는 개인이 명시적으로 지명되었기 때문에, 이 논쟁을 끝내기 전에 내 이름으로 말하고자 하며, 이번에 마지막으로, 내가 말하고자 했던 바를 명확하게 밝혀 보려고 한다.[50]

카뮈가 "개인적인 사정"이라고 한 것은 건강상의 문제와 집안 문제를 가리킨다. 폐결핵 환자인 그는 파리 해방 직후부터 하루도 빠짐없이 사무실에 출근하면서 〈투쟁〉지에 매달리느라 당시 병세가 악화되어 있었을 뿐만 아니라, 또한 1944년 9월에 마침내 파리에 올라와 함께 살게 된 아내 프랑신이 임신 중이어서 프랑신에게도 신경을 써야 할 처지에 있었다. 말 그대로, 심신이 지칠 대로 지쳐 있던 상황이었다. 그래서 카뮈는 1945년 1월 12일부터 2월 9일까지 약 한 달간의 휴가가 예정되어 있었다. 그리고 카뮈가 "마지막으로"라고 표현한 것은 더 이상 모리악과의 숙청 논쟁을 계속하지 않을 것임을 내비치고 있는 것이다. 이어지는 사설에서 카뮈는 다음과 같이 모리악의 주장에 조목조목 반박했다.

> 내가 숙청을 언급하며 정의를 외칠 때마다, 모리악 씨는 자비를 언급했다. 그런데 자비의 미덕이라는 게 참으로 특이해서, 정의를 주장하는 내가 마치 증오를

부추기는 듯이 보이게 한다. 모리악 씨의 말을 듣다 보면, 날마다 벌어지고 있
는 이 숙청과 관련해서, 우리는 정녕 그리스도의 사랑과 인간의 증오 가운데 하
나를 반드시 선택해야 한다는 말로 들린다. 아니, 그런 게 아니다. 우리는 한편
에서 터져 나오는 증오의 외침과 다른 편에서 들려오는 측은한 간청을 동시에
거부해야 하는 몇몇 사람들에 속해 있다. 그래서 우리는 증오의 외침과 측은한
간청 사이에서, 우리에게 치욕 없는 진실을 안겨 줄 정의로운 목소리를 찾고 있
는 것이다. [⋯]

바로 그렇기 때문에, 나는 여기에 자비가 끼어들 자리가 없다고 말할 수 있다.
이런 점에서, 내가 보기에는 모리악 씨가 자신이 반박하고자 하는 텍스트를 너
무나도 잘못 이해하고 있는 것 같다. 내 눈에는 모리악 씨가 이성적 사유의 작가
가 아니라, 기분파 작가인 게 똑똑히 보인다. 반면에, 나는 이 논쟁과 관련해서
흥분하지 않고 말하고자 한다. 왜냐하면 우리가 처해 있는 세상에서 내가 웃음
이나 짓고자 하는 행태라고 모리악 씨가 생각한다면, 모리악 씨는 정말이지 제
대로 이해하지 못한 것이기 때문이다. 정의에 굶주린 수많은 사람들에게 자비를
본보기로 제시하는 것은 한심스러운 위안에 지나지 않다고 내가 말할 때, 내가
웃으면서 하는 말이 아니라는 사실을 모리악 씨가 알아주었으면 한다.[51]

모리악이 "우리의 젊은 지도자"라고 지칭한 데 대해서는 "이성적 사유
의 작가가 아니라 기분파 작가"라고 맞받아치고 있으며, "고고한 미소"
라고 비아냥거린 데 대해서는 "웃으면서 하는 말"이 아니라고 카뮈는
조목조목 응수했다. 또한, 텍스트를 제대로 이해하지 못한 모리악이 곡
해를 했기에 "정의"를 "증오"로 받아들인 것이고, "그리스도의 사랑과
인간의 증오" 가운데 양자택일의 길밖에 없다고 이해한 것인데, 자신이
주장하고자 하는 바는 "우리에게 치욕 없는 진실을 안겨 줄 정의로운
목소리"를 찾는 것이라면서, "증오"나 "자비에 대한 경멸"의 문제가 아
님을 거듭 강조했다.

내가 모리악 씨의 인품을 존중하는 한, 내게는 그의 생각을 거부할 권리가 있다. 그렇다고 해서, 모리악 씨가 너그러운 마음으로 나의 주특기라고 치켜세우는 자비에 대한 경멸을 굳이 품을 필요는 없다. 그와 반대로, 내가 보기에, 우리 둘의 입장은 명확하다. 모리악 씨는 증오의 편에 가담하고자 하는 게 아니고, 나는 아주 기꺼이 그를 따르고자 한다. 하지만 나는 허위의 편에 가담하고 싶지 않고, 바로 이 점에서 그가 나의 입장을 인정해 주기를 바란다. 이실직고하자면, 지금 오늘에 필요한 정의가 있다고 모리악 씨가 공개적으로 선언하기를 바란다.[52]

카뮈가 보기에, 반역자 숙청의 문제는 "자비"나 "증오"의 문제가 아니라, "허위"의 편에 서느냐 "정의"의 편에 서느냐의 문제였다. 하기야, 신의 자비를 내세우던 모리악 자신이 1944년 12월 12일자 「정의」라는 제목의 사설에서 "프랑스 국민들을 적에게 넘겼던 자들은 총살을 당해야만 한다. 적에게 봉사했던 자들과 그 대가로 부를 축적했던 자들은 환수당한 뒤 처벌을 받아야 한다. 적의 총에 스러졌던 이들의 피는 복수가 아니라 정의를 부르짖고 있다"[53]라고 분명하게 "정의"를 외쳤을 뿐만 아니라, 카뮈와는 달리 사형에 대해 아무런 거리낌도 없는 입장을 표명한 바 있었다. 그런 까닭에 카뮈는 모리악에게 허위의 편에 있는지, 아니면 정의의 편에 있는지에 대해 분명한 입장을 공개적으로 밝히라고 종용하면서, 숙청은 모리악 자신의 표현대로 "복수가 아니라 정의"의 문제임을 역설했던 것이다. 이어지는 사설에서 카뮈는 모리악의 자비에 대해 다음과 같은 반론을 제기했다.

단지 내가 모리악 씨에게 하고 싶은 말은 우리 조국을 죽음에로 이끄는 두 개의 길이 있다는 것이다(그리고 죽음보다도 못한 생존의 길들도 있다). 이 두 개의 길이란 곧 증오와 용서의 길이다. 내가 보기에는 증오나 용서나 둘 다 파탄에 이르는 길이다. 나는 증오에는 일말의 관심도 없다. […] 하지만 내가 보기에 용서가 훨씬 더 바람직한 것도 아니다. 그리고 지금으로선 용서는 모욕에 가까울지도 모른다. 어쨌든, 용서가 우리 손에 달려 있지 않다는 게 나의 신념이다. 사형에 대해서 내가 끔찍해 하는 것은 나 개인의 문제일 뿐이다. 벨렝의 부모들이, 레이노의 부인이 내게 그렇게 해도 좋다고 말한다면, 나는 모리악 씨와 함께 공개적으로 용서할 것이다.[54]

숙청은 "증오"의 산물이 아니라 프랑스의 미래를 위한 정당한 절차이자 반드시 건너야 할 관문이고, "용서"는 희생자와 그 가족의 몫이지, 살아남아 사설을 쓰고 있는 자들의 몫이 아니라는 것이다. 이어서 카뮈는 모리악이 사형선고를 받았던 앙리 베로의 편에 서서 진실과 정의를 외쳤던 사실을 치하하고 나서, 마지막으로 다음과 같이 모리악에게 일갈하며 사설을 매조지었다.

나는 베로가 사형선고를 받을 만하지 않다고 분명하게 내 글에서 밝힌 바 있다. 하지만 고백하거니와, 모리악 씨의 표현을 빌리자면, 반역죄로 선고받은 자들이 발목에 차고 있는 쇠사슬을 상상할 만한 여력이 내겐 없다. 우리에게는 너무나 많은 상상력이 필요했다. 특히 지난 4년 동안 자신의 명예를 지키려 했던 수많은 프랑스인들에게는 말이다. […] 아마도 인간으로서의 나는 반역자들을 사랑할 줄 아는 모리악 씨를 존경하게 될 것이다. 하지만 시민으로서의 나는 모리악 씨를 개탄한다. 왜냐하면 그런 사랑은 바로 우리가 원하지 않는 사회로, 반역자들과 미천한 자들이 판치는 국가로 우리를 인도할 것이기 때문이다.

결국, 모리악 씨는 내 얼굴에 예수 그리스도를 던지고 있다. 나는 단지 정중한 예의를 갖추어 모리악 씨에게 다음과 같이 말하고자 한다. 나는 기독교의 위대함에 대해 올바른 생각을 가지고 있다고 생각한다. 하지만 박해당하는 이 세상에서 살고 있는 우리는 예수 그리스도가 일부 사람들을 위해 죽은 것이지, 우리들을 위해 죽은 것은 아니라고 느껴야만 하는 사람들이다. 그리고 그와 동시에, 우리는 인간에 대해 절망하기를 거부해야 한다. 인간을 구원하겠다는 허황된 야망을 품지 않고 있는 우리는 적어도 인간을 섬기고자 한다. 신과 희망 없이도 살 수 있다는 데는 공감하지만, 우리는 인간 없이는 그다지 편안하게 살아갈 수 없다. 이 점에 있어서 나는 분명하게 모리악 씨에게 말할 수 있다. 우리는 낙담하지 않을 것이며, 최후의 순간까지 인간의 정의를 좌절시키려는 신의 자비를 거부할 것이라고 말이다.[55]

"최후의 순간까지 인간의 정의를 좌절시키려는 신의 자비를 거부할 것이다." 마치, 뫼르소의 목소리가 들리는 듯하다. 십자가상을 그의 눈앞에 들이대던 수사검사에게 고개를 설레설레 저었던 뫼르소. 그리고 "자네는 마음의 눈이 멀어서 그걸 알 수 없는 걸세"라는 교화신부의 마지막 한 마디에, 더 이상 참을 수가 없어서 "사제복의 깃을 움켜쥔" 채, 한꺼번에 "가슴속의 모든 것"[56]을 쏟아 붓는 뫼르소가 눈앞에 선하게 떠오른다. 아무튼, 카뮈의 입장은 분명했다. "반역자들을 사랑할 줄 아는 모리악"을 존경하긴 하지만, 적어도 숙청의 문제에 있어서만큼은 "신의 자비"가 아니라 "인간의 정의"에 따라 심판해야 한다는 게 그의 일관된 지론이었다. 2차 대전은 신의 섭리에 따른 것인가? 나치의 학살이 신의 뜻인가? 부역자들은 신의 뜻에 따라 조국을 배반한 것인가? 카뮈의 작가수첩에는 이런 글이 있다.

모리악. 그는 인심(人心)을 거치지도 않은 채 자비에 도달한다. 그가 믿는 종교의 힘을 훌륭하게 보여 주는 증거이다. 그가 끊임없이 나를 그리스도의 번뇌에 몰아넣는 것은 옳지 않다. 모리악보다는 내가 그리스도에게 훨씬 더 깊은 존경심을 가지고 있는 것 같다. 나는 결코 은행가들이 만드는 신문의 일면에, 그것도 일주일에 두 번씩이나, 나의 구세주의 처참한 고통을 전시할 수 있는 권리가 내게 주어져 있다고 생각해 본 적이 없으니 말이다. 그는 기분과 작가임을 자처한다. 사실 그렇다. 하지만, 그에게는 십자가를 화살 무기로 사용하고자 하는 불굴의 기질이 있다. 그 덕에 일류 기자이기는 하지만, 작가로서는 이류이다.[57]

그리스도의 고통을 팔아먹는 "일류 기자" 모리악에 대한 단상이다. 카뮈가 보기에, 자본가들의 신문인 〈르 피가로〉의 논설위원 모리악은 뫼르소의 교화신부나 다름없었다. "인간을 구원하겠다는 허황된 야망을 품지" 않은 채, "인간에 대해 절망하기"에 앞서 "인간을 섬기고자 하는" 휴머니스트 기자 카뮈는 모리악이 그토록 설파하는 "신의 자비"에 의지할 만큼 기독교의 위선에 무지하지는 않았다. 카뮈는 인간 예수에 대해서는 깊은 애정과 경외심을 품고 있었던 반면에, 기독교의 현실에 대해서는 비판의 칼날을 세우지 않은 적이 없었다. 이를테면, 『반항인』의 저자는 메트르 에크하르트를 인용하면서 "예수 없는 천국보다는 예수와 함께 있는 지옥을 택할 것이다"라고 했고, 『악령들』에서는 "진리가 예수 안에 있지 않다는 것을 수학적으로 입증해 보라고 한다면, 진리와 함께 하기보다는 예수와 함께 하기를 택할 것이다"라고 했다. 그래서 그는 "나는 신을 믿지 않는다. 이건 사실이다. 하지만 무신론자는 아니다"[58]면서, 신의 아들이 아니라 인간의 아들인 예수를 믿고자 했다.

아무튼, 모리악의 사설 「자비에 대한 경멸」에 대한 카뮈의 반론은 "최후의 순간까지 인간의 정의를 좌절시키려는 신의 자비를 거부할 것이다"라는 이 한마디에 오롯이 담겨 있었다. 위에서 이미 인용한 10월 25일자 사설의 표현을 다시 빌려 말하자면, 카뮈는 "인간의 정의가 너무나 불완전함에도 불구하고, 필사적으로 정직성을 유지하면서 오로지 그런 불완전한 인간의 정의를 바로잡으려는 일념에서, 인간의 정의를 떠안아야 한다는 선택을 한 것"이었다. 그리고 그가 부르짖는 정의의 언어는 "은총의 언어가 아닌 것은 사실"이긴 하지만, "불의가 판치는 세상에서 자라난 한 세대의 언어이고, 신에게는 무관심하지만 인간을 사랑하기에, 그토록 불합리한 운명에 맞서면서도 단호한 마음으로 인간을 섬기고자 했던 한 세대의 언어", 즉 "자신들의 모든 의무를 떠맡았고, 자기 시대의 비극과 함께 살아왔고, 죄악과 어리석음이 난무하는 세상에서도, 인간의 위대함을 섬기고자 결심했던 이들의 가슴에서 우러나오는 언어"였다. 한마디로, 신의 언어가 아니라 인간의 언어였다.

한편, 카뮈가 상기 사설 모두에서 논쟁을 끝내기 전에 "마지막으로" 쓰는 글이라고 명시한 점을 받아들였는지는 모르지만, 모리악은 카뮈에게 직접적인 대응을 하지 않았다. 물론 모리악과 〈투쟁〉지 사이에는 이후에도 여러 차례 논쟁이 벌어졌지만, 한 달간의 휴식 끝에 2월 9일에 신문사에 복귀한 카뮈 역시 모리악과의 논쟁에는 더 이상 끼어들지 않았다. 1944년 9월에 시작된 카뮈와 모리악의 논쟁은 그렇게 막을 내렸다. 그로부터 8개월이 지난 1945년 8월 30일, 모리악과의 논쟁 이후 처음으로 숙청에 대해 언급하면서, 카뮈는 〈투쟁〉지 사설에서 "이제 프랑스의 숙청은 실패했을 뿐만 아니라 신뢰를 상실한 게 명확하다. 숙청이라는 낱말 그 자체가 이미 꽤나 역겨워졌다. 숙청이라는 게 지긋지긋해져버렸다. 복수심과 경박함이 개입되지 않았어야만 역겨운 숙청이 되지 않았을 것이다. 증오의 함성과 악의의 변명 사이에서, 진정한 정의의 길을 찾기가 쉽지 않은 것이라고 인정할 수밖에 없다. 아무튼, 완벽한 실패이다"[59]라고 선언하면서 실패한 숙청임을 인정했다. 카뮈가 명시적으로 표현하진 않았지만, 모리악의 입장을 뒤늦게나마 간접적으로 인정한 것이었다. 그리고 1946년 12월 도미니크회 수도사들이 초청한 강연에서, 모리악과의 논쟁을 직접적으로 거론하면서, 카뮈는 공개석상에서 다음과 같은 고백을 했다.

> 이 자리에서 저는 기꺼이 다음과 같이 고백하고자 합니다. 3년[원문 그대로] 전에 저는 여러분들 중의 한 사람이고, 게다가 아주 유명한 분과 대립한 바 있습

니다. 그 당시의 열기와 독일군에게 살해당한 몇몇 친구들 때문에, 그런 주장이 제게 가능했었습니다. 하지만 프랑수아 모리악의 몇몇 지나친 언사에도 불구하고, 저는 그가 했던 말을 지금까지 줄곧 곰곰이 되새겨 왔다고 말씀 드릴 수 있습니다. 이런 성찰 끝에, 그래서 신자와 비신자 사이의 대화가 유용하다는 제 의견을 여러분께 개진하고자 하는데, 저는 이미 저 자신한테는 인정한 바 있고, 지금 이 자리에서는 공개적으로, 근본적인 문제에서 그리고 우리 논쟁 가운데 첨예했던 그 점에 대해서는, 저와 대립했던 프랑수아 모리악 씨가 옳았다는 사실을 인정하는 바입니다.[60]

카뮈는 모리악의 손을 들어주었다. 장 라쿠튀르의 표현대로, "본보기로 삼을 만한 그의 정직성"[61]을 보여 준 지성인의 참모습이었다. 자신의 잘못을 인정할 수 있는 용기야말로 지성인이 갖추어야 할 최소한의 덕목이 아니겠는가. 장 라쿠튀르에 따르면, 1953년에 모리악에게 보낸 편지에서 카뮈는 "귀하께서는 모르시겠지만, 귀하는 제 마음의 눈이 어두워서 보지 못했던 진실들을 제가 이해하는 데에 도움을 주셨습니다"[62]라고 당사자에게도 직접 자신의 어리석음을 고백했다고 한다. 용기와 진정성이라는 낱말들은 이런 경우에 사용해야 하는 게 아닐까. 결국, "승자는 모리악이었다."[63] 그리고 승패를 떠나, 글쟁이로 정평이 난 두 작가가 쓴 사설들은, 자클린 레비-발렌시의 표현대로, "시간을 초월해서 보편적인 위상을 지니고 있는 진정한 문학작품"[64]이라고 해도 손색이 없을 것이다. 요컨대, 당대에 각각 좌파와 우파를 대표하는 두 지성인 기자 카뮈와 모리악은 20세기 프랑스 지성인사의 한 장을 화려하게 수놓을 역사적인 논쟁을 벌였던 것이다.

1945년 말, 브르타뉴 지방을 여행 중이던 사르트르는 카뮈에게 다음과 같은 편지를 보냈다. "이 지방에서 〈투쟁〉지의 명성이 얼마나 자자한지를 자네에게 보여 주기 위해서 〈우에스트-에클레르(*Ouest-Eclair*)〉지

의 한 사설을 동봉하려고 했었는데, 이제 보니 그 신문을 구할 수가 없
네그려. 아무튼, 이 사설은 모리악과 자네가 이 시대의 가장 위대한 두
기자라고 하면서, 결국 자네가 모리악의 입장에 동의했다고 전한 사실을
알아두게."⁶⁵ 해방 직후의 〈투쟁〉지 편집국장 카뮈의 위상과 영향력을 충
분히 짐작케 해 주는 일화이다. 1945년 11월, 신문사 내부 사정으로 카
뮈가 〈투쟁〉지의 일선에서 한 발 물러서자, 모리악은 11월 24일자 〈르 피
가로〉지 사설에서 자신의 "파트너"였던 카뮈를 언급하며 다음과 같은
심경을 피력했다. "솔직히 말해서, 알베르 카뮈 씨가 떠난 이후, 〈투쟁〉지
의 열렬한 애독자들(영광스럽게도 그들 중에 나도 끼어 있었다)은 깨지진 않
았지만 4분의 3이 비어 있는 항아리에서 나오는 향기를 맡으며 살고 있
다."⁶⁶ 거꾸로 말하면, 〈투쟁〉지의 "4분의 3"은 카뮈의 것이었다는 말이
다. 아무튼, 사르트르의 편지와 모리악의 표현은 당시 왜 〈투쟁〉지를 "카
뮈의 신문"이라 불렀는지를 충분히 설명해 주는 증언들이다.

　이와 관련하여 한 가지 일화만 더 소개하기로 하자. 앞서 언급했듯이,
카뮈는 개인적인 사유로 1945년 초 한 달간의 휴가를 얻어 신문사를 비
워야 했다. 그런데 1월 11일자 사설 「정의와 자비」 이후 카뮈의 사설을
읽을 수 없던 독자들은 〈투쟁〉지에 수많은 편지들을 보내 이에 대해 항
의했고, 휴가 중이던 카뮈는 1월 18일자 〈투쟁〉지에 독자들의 양해를 구
하는 토막기사를 게재해야 했다. "저에게 편지로 호의를 기꺼이 표현해
준 독자들께 감사드리면서, 일일이 개별적으로 답을 해 드릴 수 없는 데
대해 양해를 구합니다. 심각한 건강상의 이유로 잠시 〈투쟁〉지를 떠나
있지만, 저는 언제나 〈투쟁〉지와 한 몸으로 남아 있습니다. 저의 유일한
바람은 가능한 빠른 시일 내에 제 자리에 복귀하는 것입니다."⁶⁷ 불과 일
주일 만에 이런 해명 기사를 싣지 않을 수 없을 정도로 독자들의 항의가
빗발쳤음을 감안하면, 카뮈의 사설이 얼마나 독자들의 사랑을 받았는지
어렵지 않게 짐작할 수 있을 것이다. 이 시기에 이미 카뮈가 프랑스 지성

계를 대표하는 인물로 부상해 있었다는 사실을 입증하는 일화이다. 파리에 입성한 지 불과 1년 남짓 지나는 사이에, 그는 프랑스 지성계를 정복한 것이었다.

2.4. 사르트르와의 만남

카뮈와 사르트르의 첫 만남은 1943년 6월 카뮈가 파리에 잠시 들렀을 때 이루어졌다. 사르트르의 연극 『파리떼』 리허설 공연에서였다. 그 후 1943년 9월 말부터 파리에 정착한 카뮈는 생-제르맹-데-프레에서 사르트르와 보부아르 부부와 자주 어울리게 되었다. 사르트르는 카뮈가 알제리에서 극단을 이끌면서 연출에서 배우까지 했다는 사실을 알고서 카뮈에게 이끌렸고, 심지어 다음 작품인 『방청금지』의 주인공 가르생 역과 동시에 연출을 맡길 생각까지 했다.[1] 하지만 카뮈가 이 제안을 처음에는 받아들였다가 나중에 사양하는 바람에 성사되지는 못했다. 특히, 보부아르는 1미터 77센티미터의 훤칠한 키에다 잘 생기고 화술이 뛰어난 카뮈의 남성적 매력에 반해서 카뮈와 곧잘 만나곤 했는데, 이로 인해 사르트르의 속절없는 질투를 자아내기도 했다.

1944년 9월 말부터, 카뮈는 파리 7구에 있는 앵발리드 군사박물관 인근에 위치한 아파트의 방 한 칸을 얻어 아내와 함께 셋방살이를 하고 있었는데, 이 아파트의 주인은 바로 앙드레 지드였다. 『이인』의 작가가 자신의 아파트에 세든 사실을 알게 된 지드는 1944년 11월 28일자 카뮈에게 보낸 편지에서 "귀하가 그 방을 이용하고 있다는 사실을 알고 나는 매우 기뻤습니다"라면서 "귀하의 소설은 내게 귀하와 귀하의 사상에 대해 지고한 존경심을 품도록 해 주었습니다. […] 귀하는 내가 함께 '담소를 나누고' 싶은 욕망을 느끼는 몇 안 되는 사람들 가운데 한 사람입니다"[2]라고 덧붙였다. 이와 관련해서 카뮈는 「앙드레 지드와의 만남」이라는 글에서 다음과 같이 회고한 바 있다. "나는 당시 파리에 있는 그의 아파트 일부를 사용하고 있었다. 발코니가 달린 아틀리에였는데, 아주 특이하게도 방 한가운데에 사다리 하나가 매달려 있었다. 나는 내 방에 방문하는 지성인들이 이 사다리를 거추장스러워하기에 사다리를 치워 버렸다. 지드가 북아프리카에서 돌아오기 여러 달 전부터 나는 이 아틀리에에 살고 있었다. 그 이전에는 지드를 한 번도 본 적이 없었지만, 마치 우리는 오래전부터 알고 있던 사이처럼 여겨졌다."[3] 카뮈가 언급하고 있듯이, 그가 살던 셋방은 많은 지성인들이 오고가는 만남의 장소였다. 사르트르와 보부아르를 비롯해서 〈투쟁〉지의 기자들과 알제리 친구들이 단골손님이었다.

　시몬 드 보부아르는 1944년 12월 31일 밤 카뮈의 집에서 친구들과 함께 보냈던 일을 다음과 같이 회상하고 있다. "우리는 12월 31일 저녁 바노 가(街)에 있는 지드의 아파트에 살던 카뮈네 집에서 파티를 벌였다. 거기에는 사다리와 피아노 한 대가 있었다. 해방 직후에 프랑신 카뮈가 알제리에서 건너왔는데, 그녀는 화사한 금발에다 매우 청순했고, 푸른색 정장을 입고 있어서 아름다웠다. […] 새벽 두 시경에 프랑신이 마흐를 연주했다. 사르트르를 제외하고는 아무도 술을 많이 마시지 않았다."[4] 당시 사르트르와 보부아르는 카뮈가 가장 자주 만나던 친구였고 동반자였다. 물론, 이따금 "내가 너보다 더 똑똑하지 않아?"[5]라고 투정 부리는 사르트르보다는 보부아르와 더 가깝게 지내긴 했지만 말이다. 아무튼 모리스 메를로-퐁티, 보리스 비앙, 쥘리에트 그레코, 파블로 피카소 등과 함께 카페 르 플로르가 있는 생-제르맹-데-프레 거리를 누비던 카뮈와 사르트르는 전후 프랑스 지성계의 샛별로 떠올랐다.

2차 대전 직후, 프랑스 지성계는 적어도 두 가지 점에서 새로운 모습으로 바뀌었다. 첫째로, 나치에 정신적으로 혹은 행동으로 협조했던 우파 파시스트 지성인들이 정당성을 잃어 무대의 뒷전으로 물러나야 했던 반면에, 레지스탕스에 적극적으로 가담했던 공산당계 지성인들을 중심으로 형성된 좌파 지성인들은 향후 십여 년 동안 프랑스 지성계를 거의 독단적으로 주도하게 되었다. 독일 점령 기간 동안 국내에 머물면서 레지스탕스에 가장 적극적으로 참여했고 많은 희생을 치른 것도 공산당계 지성인들이어서, 한때 "총살당한 자들의 당"이라는 별칭까지 얻었던 프랑스 공산당은 다른 어느 세력보다도 도덕적 정당성 차원에서 우위를 확보하고 있었다. 그런 연유로 1946년 11월 총선에서 28.6%를 얻을 만큼 프랑스 공산당은 국민들의 지지도 받고 있었다. 또한, 독일 점령하에서 좌파 지성인들이 조직했던 전국작가협의회를 주도한 세력도 루이 아라공과 폴 엘뤼아르 등 공산당계 지성인들이었고, 당 기관지인 〈뤼마니테〉를 비롯해서 〈프랑스 문예〉, 〈해방〉, 〈신민주주의〉, 〈신비평〉, 〈유럽〉 등 공산당이 발행하거나 공산당의 지원을 받는 언론들은 좌파 지성계의 여론에 강력한 영향력을 행사했다. 이러한 배경에 힘입은 공산당계 지성인들은 소련이 헝가리를 침공한 1956년까지 프랑스 좌파 지성계를 좌지우지하는 세력으로 군림하면서, 그들에게 반기를 드는 지성인에 대해서는 벌 떼처럼 몰려들어 가차없는 비난과 공격을 퍼붓는 작태를 연출하곤 했다.

둘째로, 2차 대전 이전의 프랑스 지성계를 대표하던 앙드레 지드와 장 폴랑을 비롯한 노장파 지성인들을 대신해서 카뮈와 사르트르를 필두로 레이몽 아롱, 모리스 메를로-퐁티, 시몬 드 보부아르 등 삼사십 대의 소장파 지성인들이 무대의 전면에 등장했다. 이들 소장파 지성인들 가운데서도 카뮈와 사르트르는 각각 문학과 철학에서 탁월한 재능을 인정받고 있었을 뿐만 아니라, 각각 〈투쟁〉지 편집국장과 〈현대〉지 발행인이라는 사회적 지위에 힘입어 광범위한 영향력을 행사하는 프랑스 지성계의 대표적인 두 얼굴로 자리매김했다. 요컨대, 카뮈와 사르트르의 시대가 막을 올렸던 것이다.

1905년에 유복한 부르주아 집안에서 태어난 장-폴 사르트르는 프랑스 최고 명문인 파리고등사범학교 출신의 재원으로, 소설 『구토』와 『벽』, 철학서 『존재와 무』, 그리고 희곡 『파리떼』와 『방청금지』를 발표해서, 작가로서뿐만 아니라 철학자로서의 역량도 인정받고 있었다. 그러나 그와 함께 파리고등사범학교를 나온 친구 폴 니장과 레이몽 아롱이 이미 2차 대전 이전에 현실 정치에 적극적인 관심을 가지고 있었던 반면에, 사르트르는 1936년 좌파연합인 민중전선이 선거에서 승리했을 때에도 투표권을 행사하지 않는 등, 사회 현실보다는 개인의 저술 작업에 더 많은 노력을 기울이고 있었다. 이처럼 현실과 거리를 유지하던 사르트르가 방향을 바꾸어 장터의 일에 관심을 가지게 된 것은 2차 대전 이후였다. 사르트르의 전기 작가인 안니 코엔-솔랄에 따르면, 카뮈의 주선으로 〈투쟁〉지에 기고했던 연재기사를 계기로 "사르트르가 과거를 청산하고, 카뮈 덕분에 주저 없이 세상에 뛰어들었다"[6]고 한다. 그리고 1945년 10월 가스통 갈리마르의 적극적인 도움으로 월간지 〈현대〉를 창간해서 활동 거점을 마련하던 시기에, 사르트르는 전후의 새로운 철학으로 등장한 실존주의의 기수로 부상했다.

「10월 29일 월요일 20시 30분, 장 구종 가 8번지 상트로 강당, 장-폴 사르트르의 강연. "실존주의는 휴머니즘이다"」.[7] 이것은 자크 칼미와 마르크 베그베데르의 주도 하에, '지금 클럽(Club Maintenant)'이 주관한 사르트르의 강연을 홍보하기 위해, 비싼 광고료를 지불하고 1945년 10월 29일자 일간지 〈투쟁〉, 〈르 몽드〉, 〈르 피가로〉의 광고란에 게재한 광고 문안이다. 이날 저녁 파리 8구에 있는 상트로 강당에는 파리 시민들이 말 그대로 구름처럼 몰려들었다. 너무나 많은 인파로 인해, 강연장에 들어가려는 시민들이 아우성치고 서로 밀치는 바람에 수십 명의 부상자가 발생했고, 심지어 한 중년 부인이 실신하는 사태까지 벌어졌다. 지하철에서 내려 강연장으로 향하던 사르트르 자신도 무슨 영문인지 몰라서, "저런! 저것들은 분명 나한테 반대 시위하는 공산주의자들이겠지!"[8]라고 생각했다. 강당 안은 빽빽이 들어찬 청중들로 발 디딜 틈조차 없었다. 사르트르는 강당에 들어선 이후에도 15분은 족히 걸려서야 겨우 연단에 도착했고, 예정 시간보다 한 시간 늦게 시작된 강연에서 특유의 갈라진 목소리로 원고도 없이 강연을 진행했다.

 이 강연에서 사르트르는 공산주의자들이 실존주의를 "사색 철학, 사치 철학, 부르주아 철학"이라고 헐뜯는 데 대해서, 그리고 종교계가 "인간의 상스러움을 강조하고, 온갖 역겨움과 혼탁함을 보여 주는" 쓰레기 철학이라고 비난하는 데 대해서, "실존주의란 인간의 삶을 가능케 해 주는 독트린"이라고 거침없이 역공을 펴부었다. 또한 사르트르는 실존주의라는 용어가 최신 유행어가 된 데 대해 짐짓 놀란 체 하면서, "지금 너무나 광범위하고 너무나 확산되어서 더 이상 아무런 의미가 없는 말이 되어 버렸다. 그런데 사실은 실존주의란 가장 엄숙하고 가장 조용한 독트린으로서 오로지 전문가와 철학자들에게만 관련된 독트린이다"[9]라고 선언했다. 이어서 사르트르는 칼 야스퍼스를 비롯해서 가브리엘 마르셀, 하이데거, 키르케고르, 칸트, 콩트, 볼테르, 디드로, 도스토예프스키, 졸라, 스탕달, 콕토, 피카소에 이르기까지 유수한 사상가와 예술가들을 거론하면서, "실존주의는 인간을 그의 행동에 의해 정의한다"고, "인간은 자기 삶에 뛰어들어 자신의 모습을 그려 나가는 것 외에는 아무것도 없다"고, "우리 인간들은 변명의 여지 없이 외롭다. 이것이 바로 인간은 자유로울 수밖에 없다고 내가 표현할 때 하고 싶은 말이다"[10]라고 역설했다. 흔히 "실존주의의 역공"[11]이라고 불리는 이 강연은 다음날 파리 언론에 대서특필되었다.

이를테면, 모리스 나도가 〈투쟁〉지에 게재한 「장-폴 사르트르의 강연을 듣기 위해 대거 몰려든 사람들. 열기, 실신 그리고 구급차. 로렌스 중령은 실존주의자였다」[12]라는 제목의 보도 기사를 위시해서, 언론들은 앞을 다투어 "15명 실신", "의자 30개 파손", "문 닫힌 강당은 곧 『방청 금지』였다", "파도 꼭대기의 거품처럼 연단에 등장해서 선원들을 완벽하게 통제하며 홀로 군림했던 위대한 선장", "사르트르의 등장만으로도 진정한 혁명의 기운이 감돌았다" 등 온갖 상상력을 동원해 '역사적인' 강연을 보도하면서, 강연자의 "용기"와 "대범함"과 "개인적인 흡인력"[13]을 칭송했다. 이를 계기로 사르트르는 데카르트와 파스칼의 위상을 위협하는 철학자로 전격적으로 급부상했다. 한마디로, 실존주의가 탄생하는 순간이었다. 사르트르는 이듬해 출간한 『실존주의는 휴머니즘이다』에서 "실존은 본질에 선행한다"[14], "진정으로 실존이 본질에 선행한다면, 인간은 자신의 현재 상태에 대해 책임을 지고 있다"[15], "인간은 자유롭고, 인간은 곧 자유이다"[16], "자기 스스로 자기 마음대로 기호를 해독한다고 생각하는 인간이 곧 실존주의자이다. 따라서 인간은 아무런 도움도 받지 않은 채, 그리고 아무런 지원도 받지 않은 채, 매 순간 인간을 창조해 내야 한다고 생각하는 자가 실존주의자이다"[17], 등등 무신론적 실존주의의 제 원칙을 체계화하여 발표하면서 실존주의를 실천철학이자 행동철학으로 규정했다.

시몬 드 보부아르가 "1945년 가을 실존주의는 모든 사람들의 입에 오르내리고 있었다"[18]고 지적했듯이, 실존주의 열풍이 전후 프랑스 사회를 강타하는 기이한 현상이 벌어졌다. 당시 한 기자가 "실존주의는 이제 상투어가 되어 버렸다. 시내에 나가서 저녁이라도 먹으려면, 아리따운 젊은 처녀가 당신을 붙잡고서, 수줍은 고백을 하는 투로, '도대체 실존주의라는 게 뭔지 설명 좀 해 주세요'라는 의례적인 질문을 받지 않는 날이 없다"[19]라는 기사를 쓸 정도로, 실존주의는 그야말로 대유행이었다. 심지어 『문외한들을 위한 실존주의 약식 교리문답』이라는 소책자까지 출판되기도 했는데, 이 책에는 "문 : 실존주의란 무엇인가? 답 : 실존주의란 인간이 살아가는 동안에 자신의 행동으로 자기를 만들어 간다는 믿음이다. 문 : 누가 우리 시대에 실존주의를 유행하게 했는가? 답 : 장-폴 사르트르. 문 : 오늘날의 실존주의는 무엇을 주장하고 있는가? 답 : 실존은 본질에 앞선다는 것"[20]이라는 아주 친절한 해설까지 곁들여 있을 정도였으니, 그 열풍을 충분히 짐작할 만도 하다. 하지만 정확하게 말하자면, 실존주의가 아니라 실존주의라는 낱말이 대유행이었다. 다시 말해서, 일반 대중들은 실존주의라는 게 무엇을 의미하는지도 모르면서, 자신은 실존주의자라고 자칭하던 상황이었다. 1945년 비평가상을 수상한 소설가 로맹 가리는 당시 한 기자의 "실존주의에 대해서 어떻게 생각하는가?"라는 질문에 무슨 말인지 모르겠다면서, 이 기이한 현상을 빗대어 "5년 전부터는 프랑스 문학과 거의 관계가 없어서"[21]라는 에두르는 표현으로 뼈 있는 한 마디를 덧붙였다고 한다.

사실, 파스칼 오리와 장-프랑수아 시리넬리가 지적했듯이, 실존주의의 유행은 〈삼디 수아르(*Samedi soir*)〉나 〈프랑스 디망쉬(*France Dimanche*)〉와 같은 대중 주간지의 선정적인 보도에 힘입은 바가 크다.[22] 시몬 드 보부아르의 증언에 따르면, 사르트르 자신도 처음에는 언론이 떠드는 실존주의자라는 용어에 대해 매우 강한 거부감을 가지고 있었다고 한다. 실제로 1944년 여름에 도미니크 수도회가 주최한 한 학술 대회에서, 실존주의 철학자인 가브리엘 마르셀이 사르트르에게 실존주의자라는 호칭을 부여하자, 사르트르는 즉석에서 "내 철학은 실존에 관한 철학이다. 실존주의, 나는 그게 무엇인지 모른다"[23]라고 응수한 바 있었다. 사르트르와 마찬가지로, 보부아르 역시 실존주의를 모르던 상태에서 쓴 작품인 『초대받은 여자』를 실존주의 소설이라고 지칭하는 데 대해 거부감을 느낀 나머지, 사르트르와 함께 언론에 여러 차례 항의를 했으나 허사였다. 결국, 사르트르와 보부아르는 언론에서 그들을 지칭할 때 사용하는 실존주의라는 용어를 받아들일 수밖에 없었다.

게다가 당시 언론에서는 실존주의를 언급할 때마다, 카뮈와 사르트르를 동시에 거론하곤 했다. 그래서 카뮈는 1945년 9월 8일자 〈투쟁〉지에 게재한 글에서 "나는 저 너무나도 유명한 실존주의 철학에 대해 그다지 관심이 없다. 솔직히 말하자면, 결론이 틀렸다고 생각하긴 하지만, 적어도 대단한 사상적 모험을 대변하고 있다"[24]고 선언했고, 작가수첩에는 "실존주의가 헤겔주의에서 물려받은 것은 인간을 역사에 귀속시켜 버리는 헤겔주의의 오류이다. 그러면서도 실존주의는 헤겔주의의 결론, 즉 사실상 인간에게 어떤 자유도 인정하지 않는다는 결론은 받아들이지 않았다"[25]라는 단상을 남기기도 했다. 그리고 1945년 11월 15일자 〈레 누벨 리테레르(*Les Nouvelles littéraires*)〉지와의 인터뷰에서 카뮈는 다음과 같이 자신의 입장을 분명하게 표명했다.

> 아니, 나는 실존주의자가 아니다. 사르트르와 나는 늘 우리 둘의 이름이 같이 오르내리는 걸 보면서 놀라워하고 있다. 심지어 하루는 우리가 광고를 내려고까지 생각했었다. 아래 서명자들은 그 어떤 점에서도 공통점이 없음을 주장하며 서로에게 진 빚이 없다고 밝히는 광고 말이다. 이건 농담이긴 하다. 사르트르와 나는 우리가 서로 알고 지내기 전에 작품들을 출간했고, 하나의 예외도 없다. 우리가 서로 알게 되었을 때는 우리 둘의 차이점만 확인했을 뿐이었다. 사르트르는 실존주의자이고, 내가 사상과 관련해서 출판한 유일한 책인 『시지프 신화』는 바로 소위 실존주의 철학이라고 지칭하는 것에 반대하는 입장이다. […] 사르트르와 내가 신을 믿지 않는 것은 사실이다.[26]

카뮈 자신이 주장했듯이, 그는 실존주의 철학자가 아니었다. 카뮈는

1945년 12월 20일자 〈세르비르(*Servir*)〉와의 인터뷰에서도 "분명하게 말하지만, 나는 『시지프 신화』에서 실존철학을 비판하고 있다. 사실, 실존주의라는 게 무엇인지 아는 이는 극소수이다"[27]라고 지적하면서, 야스퍼스와 키르케고르의 유신론적 실존주의도 하이데거와 사르트르의 무신론적 실존주의도 믿지 않는다는 입장을 분명하게 공표했다. 카뮈는 훗날 노벨상 수상 직후 스톡홀름 대학에서 열린 이 대학 학생들과의 자유토론에서도 "나는 실존주의자가 아니다. 비평가들은 분류를 제대로 해야 한다. 내가 첫째로 철학적 영향을 받은 것은 그리스이지 19세기 독일이 아니다. 그런데 현재 프랑스 실존주의의 뿌리는 19세기 독일 철학이다"[28]라고 설명해야 했다. 사실 카뮈 자신이 밝혔듯이, 신을 믿지 않는다는 것 이외에, 카뮈와 사르트르는 사회적 신분으로 보나 개인적 기질로 보나, 심지어 외모까지도 공통점보다는 서로 차이점이 더 많았다. 이를테면, 프롤레타리아 대 부르주아, 알제 대학 대 파리고등사범학교, 감성주의 대 이성주의, 예술가 대 철학자 등등, 서로 대척점에 서 있는 부분들이 더 많은 것은 부인할 수 없는 사실이었다.

카뮈는 언론이 자신을 철학자라고 지칭하는 데 대해서도 "나는 철학자가 아니다. 나는 어떤 시스템을 믿을 정도로 이성을 믿지는 않는다"[29]라고 여러 차례에 걸쳐 공개적으로 분명하게 밝혔을 뿐만 아니라, 1945년 10월의 작가수첩에는 다음과 같은 메모를 하기도 했다. "나는 왜 철학자가 아니라 예술가인가? 나는 이념에 따라 생각하는 게 아니라, 낱말들에 따른 생각을 하기 때문이다."[30] 이 메모가 작성된 시기를 감안할 때, 어쩌면 사르트르를 떠올리며 작성한 메모일지도 모르긴 하지만, 중요한 것은, 카뮈의 지적대로, 시스템을 믿는 이념에 따른 사고가 사르트르의 사유라면, 언어에 따른 사고의 산물이 카뮈의 글이라는 사실이다. 시인 말라르메가 친구인 화가 드가의 "무엇으로 시를 짓는가?"라는 질문에, "이념과 더불어 시를 짓는 것은 결코 아니다. 낱말들을 가지고 시를 짓는다"라고 대답했듯이 말이다.

한편, 1944년 8월 파리 해방 이후 1년이 지나는 동안, 프랑스에서는 〈르 몽드〉지를 비롯해서 무려 34개의 신문들이 창간되어 언론의 홍수 시대를 이루었다. 그런 가운데 1945년 10월 〈현대〉지의 창간호가 출간 되자, 〈투쟁〉지와 〈르 피가로〉지를 비롯한 많은 언론들은 새로운 월간 지의 탄생을 대대적으로 환영했다. 왜냐하면 당시 공산당계 신문과 가 톨릭계 신문으로 크게 양분되어 있던 언론계의 판도를 바꿀 수 있는 제3 세력의 등장을 예감했기 때문이었다. 그도 그럴 것이, 이 월간지에는 발 행인 사르트르를 비롯해서 레이몽 아롱, 모리스 메를로-퐁티, 장 폴랑, 시몬 드 보부아르, 미셸 레리스, 알베르 올리비에가 편집위원으로 참여 하고 있어서, 이들의 이름만으로도 언론계와 지식인들의 관심을 끌기에 충분했다. 보부아르의 증언에 의하면, 카뮈가 〈현대〉지 편집위원회에 참 여하지 못한 이유는 "〈투쟁〉에 너무 얽매어 있었기"[31] 때문이라고 한다. 앙드레 말로의 강력한 반대에도 불구하고, 가스통 갈리마르의 적극적인 후원으로 빛을 보게 된 〈현대〉지는 이후 좌파 지성인들의 요람으로 발 전했다. 심지어 일부에서는 이 잡지에 기고하거나 참여하는 자들을 "사 르트르 패거리"라고 비아냥거릴 정도로, 사르트르가 이끄는 〈현대〉지는 지성계뿐만 아니라 프랑스 사회 전반에 지대한 영향력을 행사하는 독보 적인 문화권력으로 성장했다. 안니 코엔-솔랄의 표현대로, "사르트르의 시대"[32]가 도래한 것이었다.

보부아르에 따르면, 사르트르는 해방 직후 두 가지 야심찬 계획을 가 지고 있었는데, 하나는 백과전서를 만드는 것이고, 다른 하나는 잡지를 창간하는 것이었다. 결국, 첫 번째 계획은 실행에 옮기지 못했으나, 두 번째 계획은 실현한 셈이었다. 보부아르는 잡지명과 관련된 일화도 전 하고 있다. 미셸 레리스가 〈그라뷔지(Grabuge)〉['말다툼' 또는 '소란'을 뜻 하는 구어]라는 다소 초현실주의적인 제호를 제안했으나, 너무 파격적이고 부정적인 어감을 준다는 이유로 채택되지 않았다. "시사 문제에 적극적으로 참여해 있다"라는 생각을 떠올릴 수 있는 제호를 찾던 끝에, 결국 〈현대(*Les Temps modernes*)〉를 택하게 되었는데, 너무 밋밋하고 무미건조한 느낌을 주긴 했으나, 찰리 채플린의 영화 『현대(*The modern times*)』를 즉각적으로 연상시키기에 선정했다고 한다. 또한, 장 폴랑이 NRF와 같은 약호가 필요하다고 주장하면서, TM이라는 약호의 발음이 괜찮다는 제안에 동의한 결과이기도 했다.[33]

〈현대〉지 창간호가 20세기 프랑스 지성인사의 한 획을 긋는 사건으로 기록된 까닭은 무엇보다도 사르트르의 「창간호에 부치는 글」이 작가들에게 새로운 문학관을 제시하고 있기 때문이었다. "부르주아 출신의 모든 작가들은 무책임의 유혹을 겪어 왔다"[34]로 시작되는 이 글에서 사르트르는 작가의 시대적 사명을 강렬하게 역설했다. "작가는 동시대의 상황 안에 위치해 있다. 그의 말 하나하나가 반향을 일으킨다. 그의 침묵 또한 그렇다. 나는 플로베르와 공쿠르를 파리코뮌 당시 행해진 탄압의 책임자로 간주한다. 왜냐하면 그들은 탄압을 막기 위해서 한 줄의 글도 쓰지 않았기 때문이다. 혹자는 그들의 일이 아니었다고 말할지도 모른다. 그렇다면, 칼라스 사건은 볼테르의 일이었던가? 드레퓌스의 사형선고가 졸라의 일이었던가? 콩고 문제는 지드의 일이었던가? 이 작가들은 각자가 자기 삶의 특정한 상황에서 작가로서의 자신의 책임을 절감했던 것이다."[35] 흔히, 프랑스 최초의 지성인이라 일컫는 볼테르, 20세기 지성인의 시대를 연 졸라, 그리고 20세기 전반의 프랑스 지성계를 대표하는 지드, 즉 프랑스 지성인사의 상징적인 세 별을 거론함으로써, 사르트르는 프랑스적 전통을 이어 가기 위한 작가의 사회참여를 강력하게 호소했다. 하지만 사르트르는 「창간호에 부치는 글」을 마무리하는 마지막 문장에서 "'참여문학'이라고 해서, 그 어떤 경우에도, **참여**가 문학을 망각해서는 안 된다"는 사실을 상기시키면서, "우리의 관심사는 문학에 새로운 피를 수혈함으로써 문학에 봉사하는 데에 있다"[36]며 참여문학의 본질과 한계를 명시하기도 했다.

이와 관련하여, 카뮈의 작가수첩에는 이런 글이 있다. "나는 참여문학보다 참여인간을 더 선호한다. 자신의 삶에는 용기를, 자신의 작품에는 재능을. 이것만 해도 그리 나쁜 건 아니다. 게다가 작가는 원하기만 하면 언제든 참여작가가 된다. […] 오늘날 봄에 관한 시 한 수를 짓는 건 자본주의를 섬기는 것처럼 보인다. 나는 시인이 아니지만, 난 아무런 저의 없이 그런 작품을 향유할 것이다. 그 작품이 아름답기만 하다면 말이다. 우리는 인간의 모든 걸 섬기거나, 아니면 전적으로 섬기지 않거나 한다. 그리고 인간에게 빵과 정의에 대한 욕구가 있고, 이 욕구를 채우기 위해선 해야 할 일을 해야 한다고 해도, 인간에게는 마음의 빵인 순수한 아름다움에 대한 욕구도 있는 법이다. […] 그렇다. 나는 그들이 작품에서는 덜 참여하고, 일상의 삶에서는 조금 더 참여하기를 바란다."[37] 이 단상은 사르트르의 「창간호에 부치는 글」에 대한 반론이었을까? 한 가지 분명한 사실은 사르트르가 참여문학을 외친 데 반해서 카뮈는 참여인간으로서의 본분과 사명을 중시했다는 것이다. 요컨대, 〈알제 레퓌블리캥〉의 신참기자 카뮈나 〈투쟁〉지의 편집국장 카뮈는 참여작가이기에 앞서 참여인간이었고, 적어도 그는 레이몽 아롱처럼 "참여한 방관자"[38]는 아니었다.

실존주의 철학자로서 대중적 지지를 등에 업고 있을 뿐만 아니라, 자신의 이념을 전개할 수 있는 〈현대〉지를 창간한 사르트르는 좌청룡 우백호의 든든한 지원군을 확보한 것이나 다름없었다. 이제 그는 작가나 철학자로서가 아니라, 20세기 후반의 프랑스 지성계를 대표하게 될 지성인으로서의 탄탄한 입지를 구축한 셈이었다. 다시 말해서, 〈현대〉지 창간과 더불어 사르트르는 제2의 탄생을 한 것이었고, 자신의 사상과 신념을 실천하기 위해서, 작은 체구를 이끌고 역사의 현장에 뛰어들어,

자유와 정의와 인권을 외치는 투사로서 일생을 바칠 만반의 준비를 갖춘 것이었다. 실제로, 그는 1980년에 세상을 떠날 때까지, 알제리 전쟁, 68 학생운동, 월남전, 보트피플 사건 등, 거의 모든 역사의 현장에 뛰어들어 공권력에 맞서서 치열한 투쟁을 벌였던 행동하는 지성인의 대명사였다. 이런 사르트르와 관련된 전설적인 일화가 하나 있다. 사사건건 드골 정부의 정책에 반대하며 드 골 장군을 노골적으로 비난하는 사르트르의 독설에 대항하기 위해서 내무장관을 비롯한 여러 각료들이 국가원수 모독죄로 사르트르를 구속해야 한다는 건의를 했으나, 드 골 대통령은 "볼테르를 감옥에 넣는 법은 없소"라는 단 한 마디 말로 거절했다고 한다. 사르트르도 위대하지만, 드 골 장군 역시 위대한 인물이었다. 위인은 위인을 알아보는 법이다.

사르트르의 위대함이 더욱 돋보이는 것은 노르말리앵이라는 특권을 지닌 엘리트 중의 엘리트이고, 대학교수자격시험에서 수석을 차지했던 수재로서, 얼마든지 대학이라는 제도권 안에서 기득권을 누리며 명예를 쌓을 수 있는 쉽고 편안한 삶을 선택할 수도 있었지만, 그와는 정반대로 야인으로서의 험난한 길을 가는 데에 주저하지 않았다는 데에 있다. 이런 점에서 보면, 제도권을 끊임없이 자극하고, 비판하고, 견제할 수 있는 강력한 재야세력을 이끌었던 지성인 사르트르의 업적은 아무리 칭송해도 지나치지 않을 것이다. 사실, 20세기 후반의 프랑스 정치, 사회, 문화, 학문, 예술, 이데올로기 등의 역사에서 그의 족적이 새겨지지 않은 분야가 없을 만큼, 지성인 사르트르가 국가와 사회 그리고 민주주의 발전에 기여한 공로는 프랑스의 그 어느 정치가나 경제인의 업적과도 비견될수 없을 정도로 지대하다고 하지 않을 수 없다. 이를 입증이라도 하듯이, 사르트르의 장례식이 거행되던 날, 수십만 군중들은 영구차를 따라 몽파르나스 공원묘지까지 동행하면서 고인을 애도했다. 프랑스 역사상 어느 누구도 누려 보지 못한 특권이었다. 비록 "철학자로서는 메를로-퐁

티보다, 역사적 안목에서는 아롱보다, 그리고 작가로서는 카뮈보다 못
하다"라는 세인들의 평가를 받기도 했지만, 지성인으로서의 사르트르는
프랑스 국내에서뿐만 아니라, 전 세계적으로도 그를 능가할 인물이 없
는 20세기 최고의 지성인이었다.

아무튼, 이 시기에 카뮈와 사르트르는 새로운 세대의 선두주자로 부
상했고, 언론에서 두 작가의 이름이 함께 오르내리는 게 관례이긴 했지
만, 사상적인 면에서나 심성적인 면에서나 동전의 양면 내지는 물과 기
름과 같은 관계였다. 특히, 두 작가는 기질적으로 전혀 다른 점이 많아
서, 어쩌면 애초부터 허물없이 지낼 수 있는 사이가 아니었다는 게 주
변 사람들의 한결같은 증언이다. 카뮈의 기질을 알 수 있는 일화를 보부
아르는 다음과 같이 기술하고 있다. "어느 날 저녁, 둘이서 레스토랑 립
(Lipp)에서 저녁을 먹고, 퐁-루아얄 바에서 문을 닫을 때까지 술을 마시
고 난 뒤, 카뮈는 샴페인 한 병을 샀고, 우리는 루이지안 호텔에서 새벽
세 시까지 이야기를 나누며 샴페인 병을 비웠다. […] 그는 그가 몰두해
있던 주제를 거듭해서 말했다. 언젠가는 진실을 써야 할 것이라고. 그의
경우, 다른 많은 사람들의 경우에서보다 삶과 작품 사이에 깊은 골이 패
어 있던 것은 사실이었다. 밤늦게까지 마시고 떠들고 웃다가 함께 밖으
로 나왔을 때, 카뮈가 하던 말은 웃겼고, 조소적이었고, 약간은 천박했
고, 지극히 솔직하고 자유분방했다. 그는 자신의 감정들을 토로했고, 충
동적으로 행동했다. 그는 새벽 두 시에도 눈 쌓인 인도 턱에 앉아 사랑
에 대해서 성찰할 수 있는 인간이었다. […] 나는 '목마른 열정'을 가지
고 삶과 쾌락에 빠져드는 카뮈를 좋아했고, 그가 베푸는 담대한 호의와
친절을 좋아했다."[39] 보부아르의 증언대로, 카뮈는 이성적인 인간이라기
보다는 감성적인 인간이었고, 무엇보다도 본능적이고 쾌락적인 성정에
다, 자신의 감정에 충실한 인간이었다. 어느 모로 보나, 논리적이고 이지
적인 사르트르의 기질과는 정반대였다. 니체의 표현을 빌리자면, 사르트

르가 "아폴론적 인간"이었다고 한다면, 카뮈는 "디오니소스적 인간"이 었다. 그만큼 두 작가는 서로 다른 인간이었다.

올리비에 토드는 카뮈와 사르트르의 인간적 차이점에 대해 다음과 같이 기술하고 있다. "사르트르에게 카뮈는 친구이자 작가이자 정치적 인간이었다. 카뮈에게도 마찬가지였다. 이 두 사람 사이의 사랑이야기는 제대로 진행되지 못했다. 지성적인 측면에서 보면, 출발점에서부터 이미 끝나 있었다. 〈알제 레퓌블리캥〉의 문학비평가로서의 카뮈는 사상가 사르트르에 대해 불신을 품고 있었다. 『낱말들』의 작가는 소설가 카뮈를 높이 평가하면서도 형편없는 철학자라고 여겼다. 1939년에서 1960년까지 처음이나 마지막이나 마찬가지였다. 어느 정도의 우정 또는 어느 정도 좋아하던 관계는 그렇게 상대방에 대한 막연한 존중과 거리두기에서 탄생한 것이었다. 사르트르의 표현을 빌리자면, 정치에 있어서 카뮈는 훨씬 더 '정확했고'(내가 '진지했다'라고 하는 것은 아니다), 그리고 인간적인 측면에서는 내가 보기에 훨씬 더 '투명했거나' 훨씬 더 정직했다."[40] 올리비에 토드의 이러한 평가는 카뮈의 전기 작가로서의 애정 어린 편견에서 나온 것이라고 치부할 수도 있지만, 적어도 카뮈와 사르트르의 차이점에 관한 한, "두 사람의 사후에 출간된 자료들(미출간 자료들을 포함해서)이 이를 입증하고 있다"[41]는 것은 사실이다.

사르트르의 전기를 쓴 안니 코엔-솔랄도 올리비에 토드의 견해와 그다지 다르지 않다. 카뮈와 사르트르를 "난형난제"라고 지칭하면서, 코엔-솔랄은 다음과 같이 지적했다. "사실 두 사람 사이의 갈등은 처음부터 예상할 수 있는 일이었다. 사회적으로 그리고 직업적으로 걸어온 길이나, 정치적인 그리고 문학적인 야망에서나, 당대 프랑스 문단의 두 거물은 진짜 쌍둥이 형제였다. 하지만 한 사람은 성채에서 태어났고, 다른 한 사람은 농가에서 태어난 쌍둥이 형제였다. 작가로서 둘 다 똑같이 과도한 야심을 품고 있었지만, 출신 성분에서 물려받은 스타일과 전략과

생체리듬은 엄격하게 달랐다. 후천적으로 몸소 체득한 지적 문화에 따르던 카뮈는 일생 동안 충직한 인간으로 남을 터인 반면에, 사르트르는 진짜로 유산을 물려받은 자들만이 할 수 있는 행위로써 자신이 태어난 부르주아 계급과의 계약서를 찢어버릴 배신자가 될 것이다. 그것도 최소한의 망설임도 없이, 그리고 확고한 신념을 가지고서 말이다. 카뮈와 사르트르 사이에 진정한 관계가 있었던가? 아무리 공통점을 찾아봐야 허사였다."[42] 그렇다. 그들은 난형난제이자 이복형제였다. 물과 기름이었다. 못 가진 자와 가진 자였다. "출신 성분에서 물려받은" 차이를 지나치게 침소봉대하는 코엔-솔랄의 견해에 전적으로 동조할 수는 없지만, 카뮈는 죽는 날까지 "프롤레타리아 지성인"으로 남았던 "충직한 인간"이었고, 사르트르는 "부르주아 계급과의 계약서"를 찢어 버렸음에도 불구하고 어디까지나 "부르주아 지성인"이었다. 게다가, 카뮈를 비롯해서 레이몽 아롱과 메를로-퐁티와의 우정을 주저 없이 저버렸던 사르트르는 코엔-솔랄의 표현대로 "배신자"이기도 했다.

결론적으로 말하자면, 카뮈와 사르트르의 만남은 20세기 프랑스 지성인사뿐만 아니라, 프랑스 문학의 역사에서도 축복할 만한 대사건이었지만, 두 사람의 친구 관계는 1947년경부터 공산주의 이데올로기 문제로 인해 삐거덕거리기 시작해서 1952년에 『반항인』 사건으로 종지부를 찍게 될 타고난 운명의 길을 따라가고 있었다. "가깝지도 멀지도 않은" 두 친구가 가야 할 영원한 결별의 길이었다.

2.5. 공산주의 이데올로기와의 투쟁

　카뮈의 아내 프랑신은 1945년 9월 15일 남녀 쌍둥이 장과 카트린을 낳았다. 하지만 카뮈는 가정에 충실한 가장 역할을 할 만큼 한가한 처지가 아니었다. 그는 작가이자 〈투쟁〉지 편집국장이자 갈리마르 출판사 편집위원으로 세 가지 역할을 동시에 수행해야 했다. 갈리마르 출판사 편집위원으로서 카뮈는 출판사에 투고된 원고들을 검토하는 일뿐만 아니라, 〈희망〉이라고 명명한 새로운 총서를 발간하는 책임자이기도 했다. 카뮈는 이 총서에서 〈투쟁〉지의 동료들인 로제 그르니에, 장 블록-미셸, 자크-로랑 보스트의 소설과 언어철학자 브리스 파랭과 시인 르네 샤르의 작품도 출간했다. 이를 계기로 르네 샤르와는 절친한 친구가 되었다. 특히, 유태인 여류 철학자로 2차 대전 중 레지스탕스 활동을 하다가 체포되어, 서른넷의 아까운 나이에 폐결핵으로 사망한 시몬 베이의 유작인 『뿌리 내리기』를 출간했는데, 이 작품은 카뮈가 비폭력에 관한 자신의 성찰들을 가다듬는 데에 많은 도움을 얻은 책이었다.

　알제에서 극단을 창설해서 활동했던 것처럼, 카뮈는 또한 극작가이자 연극인이기도 했다. 1944년에 『칼리귤라』와 합본으로 출판했던 『오해』의 첫 공연은 1944년 6월 24일에 있었다. 연합군이 노르망디에 상륙한

2.5. 공산주의 이데올로기와의 투쟁 **211**

지 3주 후였다. 연극인 마르셀 에랑이 연출과 주인공 얀 역을 맡았고, 여주인공 마르타 역은 스페인 공화파 정치인의 딸로 파리에 망명 온 스무 살의 신인 배우 마리아 카자레스가 맡았다. 이를 계기로 마리아 카자레스는 향후 카뮈 작품의 단골 배우이자 카뮈의 영원한 연인이 되었다. 하지만 『오해』의 첫 공연은 실패로 돌아갔다. 반면에 1945년 9월 26일에 처음으로 무대에 올린 『칼리귈라』는 대성공을 거두었다. 주인공 칼리귈라 역을 맡은 스물세 살의 신인배우 제라르 필립의 연기가 관객들을 사로잡았다. 이후, 제라르 필립과 마리아 카자레스는 프랑스 연극계를 대표하는 배우로 성장했으니, 『오해』와 『칼리귈라』는 두 유명 배우의 탄생에 일조를 한 셈이다. 소설 『이인』이 비평가 롤랑 바르트와 소설가 알랭 로브-그리예를 탄생케 했음을 상기하면, 카뮈의 작품들이 신인 산실의 요람이 되었다는 사실을 그저 우연으로 치부할 수만은 없을지도 모른다.

한편, 카뮈는 1945년 11월에 〈투쟁〉지 일선에서 한 발 물러섰다. 신문사의 소유권 문제를 둘러싼 갈등과 편집진 사이에서 벌어진 내부 갈등으로 인해, 카뮈는 더 이상 〈투쟁〉지에 남아 있을 이유가 없다고 판단했다. 여전히 〈투쟁〉지 창립주주로서의 권한은 가지고 있었지만, 사설이나 기사는 일절 쓰지 않았고, 카뮈를 대신해서 알베르 올리비에와 레이몽 아롱이 주로 사설을 담당했다. 그러던 그가 1년이 지난 1946년 11월 19일부터 11월 30일까지 8회에 걸쳐 연재기사 「희생자도 도실자도」를 〈투쟁〉지에 게재했다. 이 연재기사를 쓰게 된 직접적인 계기는 몇몇 지성인들이 모여 담화를 나누었던 한 저녁 모임에서의 토론인데, 이 모임의 주인공은 헝가리 출신의 영국 작가 아더 쾨슬러였다.

아더 쾨슬러는 스탈린 체제하의 강제수용소 생활과 소련의 한 고위 정치인의 처형을 그린 소설 『제로와 무한』의 작가였다. 1946년 10월 쾨슬러가 파리를 방문하자, 앙드레 말로는 10월 29일 자택에서 쾨슬러를 비롯해서 카뮈, 사르트르, 보부아르, 그리고 마네스 스페르베르[말로의 친구이자 쾨슬러의 친구로 코민테른 특사이기도 했던 전직 공산당원]를 초대해서 만찬을 벌였다. 일주일 전인 10월 22일 저녁에도 카뮈와 사르트르, 보부아르와 함께 파리 시내의 술집을 전전하며 친분을 쌓았던 쾨슬러는 이 만찬 자리에서 프랑스 지성인들이 소련에 대해 너무나 관대하다고 비판하면서, 인권연맹이 공산당계 지성인들의 수중에서 놀아나고 있으니, 새로운 단체를 만들어 공산주의의 위협에 대처해야 한다는 제안을 했고, 이 제안을 두고 참석자들이 열띤 토론을 벌였다. 이 토론에 대해서 카뮈는 극히 예외적으로 토론자들의 발언을 비교적 상세하게 그의 작가수첩에 기록했다. 이것은 해방 후 프랑스 지성계의 판도가 공산당계 지성인들에 의해 좌지우지되던 상황에서 카뮈의 가장 큰 관심사가 마르크시즘과 공산주의였음을 반증하는 사례라고 할 수 있다.

　작가수첩의 내용을 요약하면 다음과 같다. 이날 토론에서 아더 쾨슬러는 "최소한의 정치 윤리를 정의할 필요성"을 언급하면서, "나는 인터뷰 기자가 내게 러시아를 증오하느냐고 물었을 때 속에서 뭔가 울컥했다. 그래도 나는 참으려고 노력했다. 나는 히틀러 체제를 증오하는 만큼이나 스탈린 체제를 똑같은 이유에서 증오한다고 대답했다"[1]고 말한 뒤, "나는 수년 동안 저들을 위해 거짓말을 했다. 하지만 지금은 그렇지 않다. 내 방 벽에다 머리를 처박으면서 온통 피범벅이 된 얼굴로 나를 쳐다보며 '더 이상 희망이 없어. 더 이상 희망이 없어'라고 말하던 친구와 동감이다"[2]라고 토로했다. 이에 앙드레 말로는 "프롤레타리아가 역사적으로 가장 고귀한 가치인가?"라고 반문했고, 사르트르는 "나는 내가 생각하는 윤리적 가치들을 오로지 소련에만 들이댈 수 없다"며 착취당하고 있는 수백만 명의 아프리카 흑인들의 상황에 비유했다. 이런 반론에 대해 쾨슬러는 "작가로서 우리가 고발해야 할 것을 고발하지 않는다면, 우리는 역사를 배신하는 것이다. 미래 세대가 보기에 우리가 침묵으로 공모한 것은 우리가 떠안아야 할 죄이다"³라고 반박했다. 결국, 이날 토론은 아무런 결론도 내지 못한 채 끝났다.

그로부터 며칠 후, 보리스 비앙 부부가 사르트르, 보부아르, 메를로-퐁티, 자크-로랑 보스트 등 "카뮈-사르트르 그룹"⁴을 초대해서 만찬을 벌였는데, 신문사 일로 밤늦게 합류한 카뮈는 메를로-퐁티를 보자마자 쾨슬러의 『요가 수행자와 경찰서장』을 비판한 기사 「요가 수행자와 프롤레타리아」를 발표한 데 대해 공격을 퍼부으면서, 모스크바 대숙청을 정당화하지 말라고 강력하게 항의했다. 이에 사르트르가 메를로-퐁티를 비호하자, 카뮈는 즉시 자리를 박차고 나가 버렸다. 사르트르와 자크-로랑 보스트가 거리까지 쫓아가 카뮈의 발길을 돌리려고 했으나 허사였다. 올리비에 토드에 따르면, 카뮈와 쾨슬러는 반말을 할 정도로 가까운 사이였으나, 사르트르와 보부아르는 쾨슬러의 반스탈린주의에 대해 심하게 반발했다고 한다. 그래서 쾨슬러는 사르트르에게 "당신은 나보다는 훌륭한 소설가이지만, 나보다는 못한 철학자요"⁵라고 쏘아붙이기도 했다.

그러니까, 카뮈가 〈투쟁〉지에 1년 만에 연재기사 「희생자도 도살자도」를 게재하게 된 배경에는 위와 같은 연유가 있었던 것이다. 이 연재기사는 각각의 기사에다 「공포의 세기」(11월 19일), 「육신을 구원할 것」(11월 20일), 「기만적인 사회주의」(11월 21일), 「위장한 혁명」(11월 23일), 「세계적 민주주의와 세계적 독재」(11월 26일), 「세상은 빨리 변한다」(11월 27일), 「새로운 사회계약」(11월 29일), 「대화를 향하여」(11월 30일)라는 부제들을 덧붙이고 있다. 이 부제들만 보아도 얼핏 짐작할 수 있듯이, 당시 사회주의국가 소련에서 벌어지고 있던 숙청과 인민재판을 비판하는 동시에, 목적이 수단을 정당화한다는 공산주의 독트린을 채택함으로써 살육을 정당화할 것인가, 아니면 마르크시즘을 거부할 것인가의 양자택일의 입장에 처해 있던 프랑스 사회주의자들의 현실을 고발하고 있는 글이다. 몇몇 구절들을 인용해 보기로 하자.

우리는 거짓말을 하고, 인간의 품위를 떨어뜨리고, 사람들을 죽이고, 고문하고, 수용소로 보내는 것을 보았다. 그럴 때마다 매번, 그렇게 하는 자들에게 그렇게 하지 말라고 설득할 수가 없었다. 왜냐하면 그자들은 자기 확신에 차 있는 자들이기 때문이었다. 게다가 이데올로기의 대변자인 허깨비는 설득하지 못하는 법이기 때문이었다.[6]

나와 같은 사람들은 인간이 인간을 더 이상 살해하지 않는 세상을 바라는 게 아니라(우리는 그 정도로 미치지는 않았다), 살인이 정당화되지 않는 세상을 바라는 것이다.[7]

폭정은 '목적이 수단을 정당화한다'라는 원칙을 인정할 때에만 정당화된다. 그리고 이러한 원칙은 역사를 절대시하는 철학들(헤겔에 이어서 마르크스 : 목적이 계급 없는 사회이기 때문에, 그 목적을 달성하기만 하면, 모든 게 좋다)에서만 허용될 수 있다.[8]

희망은 바로 다음과 같은 모순 속에 있다. 왜냐하면 희망은 사회주의자들에게 선택을 강요하고 있으며, 미래에도 강요할 것이기 때문이다. 둘 중의 하나이다. 목적이 수단을 용인한다는 것, 따라서 살인이 정당화될 수 있다는 사실을 사회주의자들이 인정할 것인가? 아니면, 절대 철학으로서의 마르크시즘을 포기하고, 마르크시즘의 비판적 측면(대부분 여전히 유용한)만을 채택하는 것으로 족할 것인가? 전자를 선택할 경우, 양심의 위기는 막을 내리고 상황은 명백해질 것이다. 후자를 택할 경우, 이 시대는 이데올로기의 종말에 낙인을 찍고 있다는 사실을 보여 줄 것이다.[9]

위 인용문들에서 알 수 있듯이, 「희생자도 도살자도」의 요지는 간단하다. 목적이 수단을 정당화하는 이데올로기, 즉 미래의 계급 없는 사회를 위해서 오늘의 살인을 정당화하는 이데올로기를 택할 것인가 아닌가의 문제이다. 한마디로, 마르크시즘을 정면으로 조준하고 있다. 카뮈는 이미 1945년 9월의 작가수첩에서도 다음과 같은 입장을 피력했었다. "우리는 희생자가 되느냐, 아니면 도살자가 되느냐를 선택해야 하는 세계에서 살고 있다. 그 이외에 다른 선택의 여지란 없다. 선택은 쉽지 않다."[10] 이것으로 볼 때, 카뮈는 최소한 1년 전부터 소련의 공산주의 체제에 대해, 지성인으로서 구체적인 행동을 보여 주어야 한다는 생각을 지니고 있었던 것으로 판단된다. 게다가 카뮈가 이런 메모를 남기던 시기는 영국의 처칠 수상이 소련과의 외교 관계 단절을 선언하면서 처음으로 "철의 장막"이라는 표현을 쓴 직후였다.

이 연재기사가 게재된 후, 카뮈의 입장에 동조하는 지성인은 거의 없었고, 카뮈는 공산당계 지성인들로부터 극심한 공격을 받지 않을 수 없었다. 이를테면, 전국작가협의회의 동료였던 공산당계 지성인 클로드 모르강은 〈프랑스 문예〉에서 카뮈의 연재기사를 반박하면서 "도대체 이런 집요한 반동을 위해 일을 가장 잘할 자는 누구인가? 카뮈? 말로? 아니면 쾨슬러?"[11]라고 반문을 제기하면서 카뮈를 조롱했다. 그리고 공산주의 지성인 장 카나파는 풍자서 『실존주의는 휴머니즘이 아니다』(1947년)에서 카뮈를 "인간의 적이자 민중의 적이고 거짓말쟁이들인 실존주의자들" 틈에 끼워 넣으면서 "파시스트이자 부르주아지의 하수인"[12]으로 취급했다. 카뮈는 1946년 12월 6일자 파트리시아 블랙에게 보낸 편지에서 "나는 얼마 전에 발표한 연재기사 「희생자도 도살자도」에서 내 입장을 밝혔어요. 명확한 언어를 선택하는 순간부터 얼마나 외로운 것인지를 깨달았어요. […] 그렇다고 해서 외면할 수는 없는 일이고, 게다가 희생자의 입장에 대해서는 내 마음이 편하지 않아요"[13]라고 토로했다. 마르크시즘이 좌파 지성계의 지배 이데올로기로 뿌리 내린 시대적 상황에서 "명확한 언어를 선택하는 순간부터 얼마나 외로운 것인지를 깨달았던" 카뮈는 머지않아 자신이 생각했던 것보다 훨씬 더 지독한 외로움을 감당해 내야 할 터였다. 그것도 하루 이틀이 아니라 아주 오랜 기간, 어쩌면 죽는 날까지, 그 외로움을 안고 살아가야 할 것이다. 단지 "명확한 언어"를 선택했다는 죄로, 공산주의 이데올로기에 반기를 들었다는 죄로 말이다.

하지만, 공산당계 지성인들의 인신공격에도 불구하고, 카뮈는 자신의 연재기사에 대해 다른 어떤 글보다도 애착심을 보였고, 이듬해인 1947년 11월호 〈칼리방〉지에 전문을 다시 게재했다. 장 다니엘이 편집국장인 이 신생 월간지에 「희생자도 도살자도」가 게재되자, 공산당계 지성인 엠마뉘엘 다스티에 드 라 비즈리 후작은 「도살자에게서 희생자를 빼앗아 가시오」라는 도발적인 제목을 단 반박문을 〈칼리방〉지 1948년 4월호에 발표했다. 다스티에 드 라 비즈리 후작은 특이한 전력의 인물이었다. 2차 대전 이전에는 우파 기자로 활동했으나, 전쟁이 발발하자 저항투사로 활동하면서 드 골 장군의 특사로 스탈린을 만나 스탈린과 친분을 맺기도 했고, 해방 후에는 '동지(compagnon de route)'[사르트르의 경우처럼 공산당원은 아니지만, 공산주의 이념에 동조하는 자를 일컫는 프랑스어 표현]로 정치활동을 하면서도 드 골 장군의 아주 가까운 친구이기도 했다. 특히, 그는 소련의 지원을 받던 세계평화협의회의 부의장을 역임한 공로로 소련을 위해 탁월한 봉사를 한 외국인들에게만 수여되는 레닌상을 수상하기도 했던 인물이었다.

「도살자에게서 희생자를 빼앗아 가시오」라는 반박문에서 다스티에 후작은 자신도 레지스탕스 출신임을 강조하면서, 현재 상황에서는 공산주의 혁명이냐 아니면 자본주의의 노예가 되느냐의 양자택일밖에 없으며, 세계 평화를 위협하는 전쟁을 피하기 위해서는 기아 문제부터 해결해야 한다고 역설했다. 그는 "나는 평화주의자이다. 카뮈 당신도 평화주의자이다"라고 지적하면서 목적이 수단을 정당화하지 못한다는 데에는 동의하지만, 목적을 달성하기 위해서는 "끔찍한" 수단들이 필요할 경우가 있는데, 바로 "노예들이 주인에 맞서 반란을 일으키는 것이다"며 불가피한 폭력의 필요성을 주장했다. 그러고는 공산주의와 자본주의를 한 통속으로 간주하는 카뮈를 "세속 성인"이라고 비아냥거리면서 "육신을 구원하기"[카뮈의 두 번째 연재기사의 부제] 위해서 은연중에 "자본주의의 공모자"로 나서고 있다고 신랄하게 공격했다.[14]

카뮈는 다스티에 후작의 공격에 대해 〈칼리방〉지 1948년 7월호에 「기만은 어디에 있는가?」라는 제목 하에 장문의 반박문을 게재했다. 다스티에 후작이 주장한 불가피한 폭력에 대해서, 카뮈는 "나는 결코 비폭력을 주장한 적이 없다. [⋯] 나는 폭력이 불가피하다고 믿는다. 점령기에 우리는 배웠다. [⋯] 나는 모든 폭력을 몰아내야 한다고 말하는 게 아니다. 그건 바람직하긴 하지만, 결국 유토피아적인 생각이다. 따라서 나는 단지 폭력에 대한 모든 정당화를 거부해야 한다고 말하고자 하는 것이다. 그런 정당화가 절대적인 국익에서 나오든, 전체주의 철학에서 나오든 말이다. 폭력은 불가피한 동시에 정당화될 수 없는 것이다. 내 생각은 폭력의 예외적인 특성만 인정하면서 가능한 한 폭력을 자제해야 한다는 것이다"[15]라고 반론을 제기한 뒤, "우리 시대의 방관자-철학자들이 얘기하듯이, 귀하가 주장하는 폭력이 훨씬 더 진보적인 폭력이라고 하더라도, 나는 다시 한 번 그런 폭력조차도 제한해야 한다고 주장한다"[16]고 응수했다.

그리고 "세속 성인"이라는 표현에 대해서는 "나는 나 자신을 너무나 잘 알기에 완벽하게 순수한 미덕을 믿지 않는다"라고 에둘러 반박한 뒤, "나는 안락한 폭력을 끔찍하게 생각한다. 나는 행동이 말보다 너무 앞서가는 사람들을 끔찍하게 생각한다"[17]면서, "인간의 해방보다 나의 내면의 삶을 더 선호하는 지성인이라고 나를 비난하는 것은 이치에 닿지도 점잖지도 못하다고 생각한다"[18]고 일침을 놓았다. 또한 카뮈는 "귀하는 뒤늦게 정치에 뛰어들었다지요? 나는 그걸 알고 있었다. 이런 개종은 존경할 만하다. 하지만 그렇다고 해서, 다른 사람들이 모든 형태의 폭정에 맞서 투쟁하는 데에 기꺼이 헌신했던 세월을 단 한 번의 붓놀림으로 부정할 수 있는 특권이 귀하에게 주어지는 건 아니다"[19]라고 뒤늦게 공산주의로 전향했던 다스티에 후작에게 직격탄을 날렸다.

이어서 카뮈는 마르크시즘에 대해 "마르크시즘에 대한 일부 비판적 입장은 내가 보기에 늘 정당하다. 그런데 내가 마르크시스트였다면, 기만이라는 저 거창한 개념으로부터, 비록 최선의 의도라 할지라도, 오늘날의 마르크시즘에 함의된 최선의 의도들을 포함해서, 기만당할 수 있다는 생각을 이끌어 냈을 것이다"[20]라고 밝히면서, "원자폭탄의 위협 앞에서 그리고 끔찍한 파괴 수단들의 개발 앞에서는, 마르크스 자신도 혁명 문제의 객관적 여건들이 바뀌었다고 인정하지 않을 수 없을 것이라고 생각한다. 왜냐하면 마르크스는 인간을 사랑했기 때문이다. […] 그런데 일부 마르크시스트들은 객관적 여건들이 변했다는 사실을 인정하려 하지 않는다. 하지만 50년 이래로 수많은 것들이 바뀌었는데도, 그들은 이 점을 고려하려고 하지 않는다. 왜냐하면 있는 그대로의 역사보다 그들이 가지고 있는 역사관을 더 선호하기 때문이다"[21]라며 마르크시스트 이데올로기의 시대착오적 역사관을 비판했다. 그리고 카뮈는 "내가 마르크스에게서 자유를 배우지 않았다는 것은 사실이다. 나는 빈곤에서 자유를 배웠다. 그런데 당신들 가운데 대부분은 이 말이 무엇을 의미하는지 모른다. 나는 여기에서 나와 함께 이 빈곤을 나누었던 이들의 이름으로 말하는 것이다"[22]라는 저 유명한 선언으로 귀족 가문 출신의 다스티에 후작을 비롯한 부르주아 마르크시스트들의 위선을 정면으로 공격했다.

이에 다스티에 후작은 자신이 발행하는 좌파지 〈행동(*Action*)〉에 재반박문을 게재해서 카뮈를 부르주아로 몰아붙였고, 카뮈는 〈좌파(*La Gauche*)〉지 1948년 8월호에서 다시 해명을 해야 했다. "내가 노동자 집안에서 태어났다는 사실을 고지하지 않을 수 없다. 물론 이것은 논거가 못 된다(나는 지금까지 한 번도 써먹은 적이 없다). 단지 사실을 바로잡는 차원이다. 귀하가 내게 응수한 기사는 물론이고, 귀하의 기사와 허위 사실을 놓고 경쟁하려고 안간힘을 쓰는 기사들이 나를 부르주아의 자식으로 소개한 게 한두 번이 아니기 때문에, **적어도 한 번은,** 다음과 같은 사실을 상기시켜야만 하겠다. 당신네들 가운데 대부분, 즉 공산주의 지성인들은 프롤레타리아로서의 어떤 경험도 없으며, 당신네들이 우리를 현실에 눈이 어두운 까막눈의 몽상가들로 취급한 것은 대단히 잘못되었다는 사실을 말이다."[23] 다스티에 후작뿐만 아니라, 머지않은 훗날 카뮈에게 "자네나 나나 부르주아"라고 공격할 사르트르도 부르주아였던 것은 사실이다.

1946년 말, 그러니까 카뮈가 「희생자도 도살자도」를 연재한 직후에 메모한 것으로 추정되는 그의 작가수첩에서는 다음과 같은 간략한 대화를 읽을 수 있다. 카뮈가 〈투쟁〉지의 기자로 채용했던 한 후배 기자와의 대화를 기록해 놓은 대화 장면이다.

— 이제 자넨 마르크시스트인가?
— 예.
— 그러니까 자네는 살인자가 되어야 할 거야.
— 이미 됐어요.
— 나도 그랬었지. 하지만 이젠 싫어.
— 저의 대부였잖아요.
그건 사실이었다.

— 이보게. 진짜 문제는 바로 이거야. 무슨 일이 있어도, 나는 언제든지 처형의
총구에 맞서서 자네를 지켜 줄 것이야. 자네는, 자네는 말이지, 내가 처형당하는
것을 인정하지 않을 수 없을 테고 말이지. 이 점을 생각해 보시게나.

— 생각해 보죠.[24]

위 인용문은 연재기사 「희생자도 도살자도」를 너무나도 압축적으로 잘
보여 주는 글이다. 스탈린의 숙청을 용인하는 마르크시스트들을 살인자
로 간주하면서 공산주의 이데올로기를 비판하는 카뮈의 입장을 단적으
로 보여 주고 있기 때문이다. "무슨 일이 있어도, 나는 언제든지 처형의
총구에 맞서서 자네를 지켜 줄 것이야. 자네는, 자네는 말이지, 내가 처
형당하는 것을 인정하지 않을 수 없을 테고 말이지"라는 극히 단순한 표
현에 카뮈의 신념이 오롯이 담겨 있다. 그리고 그의 신념은 추상적인 이
론에 근거하고 있는 게 아니라, 자신의 경험에서 나온 것임을 분명하게
명시하고 있다. "나도 그랬었지. 하지만 이젠 싫어." 청년시절에 공산당
에 가입했다가 탈당했던 자의 담백한 고백이다. 위 인용문이 작성되기 1
년 전인 1945년 말경에 작성한 것으로 보이는 작가수첩을 보면, 그 당시
카뮈의 사상적 신념을 파악할 수 있는 글이 있다. 장문의 글이지만, 그
중요도를 고려해서 전문을 인용하고자 한다. 독자들도 아주 찬찬히, 주
의 깊게 읽어 보기 바란다.

역사유물론, 절대 결정론, 모든 자유 부정, 용기와 침묵의 이 끔찍한 세계, 바로
이러한 것들이 신을 믿지 않는 철학에서 나온 너무나 당연한 결과들이다. 바로
이 점에서 브리스 파랭이 옳다. 신이 존재하지 않는다면, 그 무엇도 허용되지 않
는다. 이런 점에서 보면, 기독교만이 힘을 가지고 있다. 왜냐하면 역사를 신격화
하는 데에 맞서서 기독교는 항상 역사를 창조하는 것이라고 반론을 펼칠 테고,
실존주의적 상황에 대해서는 그 기원을 말해 보라고 요구할 터이기 때문이다.

등등. 하지만 기독교의 대답들은 합리적인 논리가 없고, 신앙을 요구하는 신화에 속한다.

둘 사이에서 어떻게 할 것인가? 내 안의 무엇인가가 나에게 명령하고 나를 설득하고 있다. 비열함을 감수하지 않고서는, 노예가 되기를 받아들이지 않고서는, 내 어머니와 나의 진실을 부정하지 않고서는, 이 시대에 무관심할 수 없다는 것을 말이다. 나는 무관심할 수 없을 것이고, 그렇지 않으면 기독교도로서 진지한 동시에 상대적인 참여를 받아들여야 할 것이다. 기독교도가 아닌 나는 끝까지 가야만 한다. 그러나 끝까지 가야 한다는 것은 곧 절대적으로 역사를 선택해야 한다는 걸 뜻한다. 그리고 역사와 함께 살인이 역사에 필요한 것이라면, 살인을 선택해야 한다는 걸 의미한다. 그렇지 않으면 나는 한갓 증인에 지나지 않다. 바로 다음과 같은 질문이 제기된다. 나는 단지 증인일 수만 있는가? 다시 말해서, 나에게 단지 예술가만 될 권리가 있는가? 나는 그렇게 생각할 수 없다. 내가 선택을 하지 않는다면, 나는 당연히 침묵해야 하고, 노예가 되기를 받아들여야 한다. 만일 내가 동시에 신과 역사에 반대하는 입장을 선택한다면, 나는 순수 자유의 증인이다. 그런데 역사적으로 보면, 이 순수 자유의 증인의 운명은 죽음에 처해졌다는 사실이다. 현재 상태에서 나의 상황은 침묵하거나, 아니면 죽음을 받아들이느냐이다. 내가 폭력을 행사하고 역사를 믿기로 선택한다면, 나는 거짓과 살인을 받아들이는 상황에 처할 것이다. 그렇지 않으면, 종교밖에 없다. 이러한 정신분열과 이렇게 처절한(그렇다. 실제로 정말이지 처절한) 괴로움을 회피하기 위해서, 사람들이 두 눈 질끈 감고 종교에 뛰어드는 게 이해가 간다. 하지만 나는 그럴 수 없다.

결론. 그래도 자유에 애착하는 예술가로서 금전적인 면에서나 존경받는 면에서의 특혜들(이 특혜들은 이러한 태도와 밀접하게 연관되어 있다)을 받아들일 권리가 내게 있는가? 내 경우, 대답은 간단하다. 나의 죄책감(죄책감이 있다고 한다면)이 적어도 수치스럽지 않고 자부심을 지키는 데에 필요한 조건들을 지금까지 찾아냈고, 앞으로도 늘 찾아내야 할 곳은 바로 가난에서이다. 하지만 내 자식들을

가난에 몰리게 해야 하고, 심지어 내가 그들을 위해 준비하고 있는 매우 보잘것
없는 안락을 거부해야 하는가? 그리고 이런 상황에서, 자식들을 낳는 것과 같
은 가장 소박한 인간의 사명과 의무를 받아들였다는 게 내 잘못인가? 결국, 신
을 믿지 않을 때(중간적인 논리들을 추가할 것), 아이들을 낳고 인간 조건을 받아
들일 권리가 우리에게 있는가?

　이 세계가 내게 안겨 주는 역겨움과 끔찍함에 굴복한다는 건, 그리고 인간의
사명이 행복을 창조하는 데 있다고 여전히 믿을 수 있다는 건 얼마나 안이한
가? 침묵할 것, 침묵할 것, 침묵할 것, 적어도 내게 그럴 권리가 있다고 느껴질
때까지…….[25]

위 인용문은 세 권의 작가수첩에 기록된 카뮈의 성찰들 가운데 가장 심
각하고 진지한, 카뮈 자신의 표현대로, "정말이지 처절한" 고민과 갈등
을 온새미로 보여 주는 글이다. 신을 믿지 않는 동시에 『자본』을 믿지
않는 자의 피할 수 없는 갈등이다. 종교적인 메시아도 세속적인 메시아
(마르크시즘)도 거부하는 한 인간의 '인간적인, 너무나 인간적인' 고뇌이
다. 자신의 "진실"도 자신의 "어머니"도 부정할 수 없는 한 인간의 실존
적인 고민이다. "가난"에서 인간의 존엄성을 찾으려는 한 "예술가"의 참
담한 몸부림이다. "자유에 애착하는 예술가"로서, 그리고 "신과 역사"
를 동시에 거부하는 "순수 자유의 증인"으로서 시대에 등을 돌릴 수 없
는 한 지성인의 "처절한 괴로움"이다. 그에게는 "침묵"이냐 "죽음"이냐
라는 양자택일의 길밖에 없다. 결국, 지성인 카뮈는 "침묵"을 택했고, 그
로부터 1년이 지난 후, 마침내 그 "침묵"을 깨고 「희생자도 도살자도」를
발표했던 것이다. "거짓"과 "폭력"과 "살인"을 용인하는 마르크시스트
들을 비판하기 위해서 말이다.

　상기의 성찰에 이어지는 작가수첩에는 이런 단상도 있다.

공산주의자나 기독교인이 무슨 권리로 나를 비관주의자라고 비난할 수 있겠는가? 피조물의 수난을 창안해 낸 것은 내가 아니고, 또한 신의 저주라는 끔찍한 표현들을 만들어 낸 것 역시 내가 아니다. 인간은 인간 혼자서 자신을 구원할 수 없다고 말한 것은 내가 아니고, 또한 타락의 구렁텅이에 빠진 인간의 최종적인 희망은 오로지 신의 은총에 달려 있다고 말한 것 역시 내가 아니다. 저 유명한 마르크스의 낙관주의에 관해서 말하자면, 그저 웃음이 나올 뿐이다. […]

공산주의자들과 기독교인들은 내게 다음과 같이 말할 것이다. 그들의 낙천주의는 장기적인 안목에 따른 것으로 그 무엇보다도 우위에 있으며, 경우에 따라서는 신 또는 역사가 그들의 변증법의 만족스러운 결말이라고 말이다. 나도 동일한 추론을 하고자 한다. 기독교는 인간에 대해 비관적이면서 인간의 운명에 대해선 낙관적이다. 인간의 운명과 인간의 본성에 대해 비관적인 마르크시즘은 역사의 발전에 대해선 낙관적이다(이 모순!). 나는 다음과 같이 말하겠다. 인간 조건에 대해 비관적인 나는 인간에 대해선 낙관적이라고 말이다.

인간에 대한 이런 믿음의 외침이 한 번도 터져 나온 적이 없다는 사실을 그들은 어찌 알지 못하는가?[26]

카뮈가 보기에 기독교나 공산주의는 인간에 대한 근본적인 불신에서 출발한 비인간적이고 반인간적인 이데올로기에 지나지 않았다. 인간에 대한 믿음 없이 어찌 인간을 사랑한다고, 인간을 구원할 수 있다고 말할 수 있겠는가? "기독교와 마르크시즘의 뿌리 깊은 공모. 그러기에 나는 둘 다 반대한다."[27] 요컨대, 기독교와 공산주의는 "회의에 찬 광신"[28]에 불과했다. "지성인에게 공산주의의 유혹은 종교의 유혹과 매 한가지이다"[29]는 카뮈의 변함없는 신앙이었다. 그가 청년시절 알제리 공산당에 가입해서 당원으로 활동하던 시기에 작성된 1936년 3월의 작가수첩에는 다음과 같은 단상이 있다.

공산주의에 관하여 그르니에 왈 : "모든 문제는 바로 이거네. 정의의 이상을 위해서 바보짓에 동참해야 하는가?" "예"라고 대답할 수 있다. 이것은 멋진 대답이다. "아니오", 이것은 정직한 대답이다.

곰곰이 따져보자. 기독교의 문제. 신자는 복음서들의 모순들과 교회의 횡포를 기꺼이 받아들이고 있는 것인가? 믿는다는 게 곧 노아의 방주를 인정한다는 것인가? 믿는다는 게 종교재판을 옹호하는 것인가? 아니면 갈릴레이를 처형한 법정을 옹호한다는 것인가?

게다가 다른 한편으로, 공산주의와 역겨움을 어떻게 조율할 것인가? 내가 극단적인 태도를 취한다면, 이 태도가 부조리와 무용함으로 이어지는 한, 나는 공산주의를 부정한다. 그리고 이 종교에 관한 걱정거리······.[30]

위 단상이 잘 보여 주고 있듯이, 기독교와 공산주의에 대한 카뮈의 적대적인 입장은 아주 뿌리 깊은 신념이었다. 이런 점에서 볼 때, 「희생자도 도살자도」는 적어도 십 년에 걸쳐 농익은 성찰의 결과물이지, 결코 즉흥적이고 우발적인 사고의 산물이 아니라는 사실을 확인할 수 있다. 다시 말해서, 카뮈의 사상은 시류에 휩쓸리지 않는 항상성과 진정성이 담긴 성찰에서 비롯된 신념임을 확인할 수 있다. 한마디로, 「희생자도 도살자도」의 저자는 대부분의 좌파 지성인들이 "멋진 대답"을 하던 때에, "정직한 대답"을 했던 것이다. 그리고 그는 프랑스 지성계를 장악하고 있던 마르크시스트 지성인들의 위세와 위협에도 굴하지 않고, 자신의 신념과 진정성과 지적 정직성을 지배 이데올로기의 제물로 바치지 않기 위해서 『반항인』을 집필하게 될 것이다. 요컨대, 「희생자도 도살자도」는 반항인 카뮈의 탄생을 알리는 전조였던 셈이다. 사르트르와 다비드 루세의 주도 아래 좌파 지성인들이 대거 참여해서 창립된 단체인 혁명민주연합(RDR)이 1948년 12월에 주최한 공개토론에 참가한 카뮈는 "시체더미와 함께 옳은 판단을 하기보다는 단 한 명도 살인하지 않으면서 그른 판단을 하는 편이 더 낫다"[31]라고 주장했는데, 살육을 정당화하는 공산주의 이데올로기에 반대하는 그의 지론이 오롯이 담겨 있는 선언이었다. 그리고 이 지론은 『반항인』에서 더욱 체계적이고 이론적으로 개진될 것이다.

2.6. 반항인 카뮈

1947년 6월 10일 『페스트』가 갈리마르 사에서 출간되었다. 초판으로 2만 2천 부를 발행했는데, 당시로서는 이례적인 경우였다. 그런데 초판은 곧 품절되었고, 그해 가을에는 이미 10만 부가 팔렸다. 대성공이었다. 나치 독일의 점령기를 연상시키는 이 소설에 독자들은 매료되었다. 그 전까지 최초 1만 부에 10%와 1만 부 초과 시 12%를 받던 인세도 『페스트』에 대해서는 일괄적으로 15%를 받는 좋은 조건의 계약도 했다. 경제적으로도 숨통이 트이기 시작했다. 하지만 『페스트』는 무엇보다도 대작가로서의 위상과 입지를 공고하게 굳혀 주는 작품으로 그해의 비평가상을 수상했다. 페스트가 창궐한 도시 오랑에서 끝까지 이 무시무시한 전염병에 맞서서 싸우는 장 타루와 의사 리외의 끈끈한 우정과 반항정신에 독자들은 감탄했다. 다시 말해서, 나치에 대항해서 투쟁하는 두 레지스탕스 투사의 영웅적인 반항과 무한한 인간애에 독자들은 아낌없는 박수를 보냈다. 그러나 독자들은 처절한 투쟁에서 마침내 승리한 투사 장 타루의 안타까운 죽음에 눈물을 흘리지 않을 수 없었다. 그는 인간의 힘을 믿는 진정한 휴머니스트였다. 한 가지 흥미로운 점은, 장 타루와 의사 리외의 헌신적인 노력과는 달리, 온갖 수단을 다해 도시를 탈출하려는 기자 랑베르가 초기에 보여 준 비열함은 꽤나 상징적인 의미를 담고 있는데, 나치 점령하에서 살 길을 모색했던 기자들의 행태를 에둘러 비판한 것으로 해석할 수 있다.

『페스트』가 출간되기 일주일 전인 1947년 6월 3일, 카뮈는 「독자 제위」라는 기사를 남기고 〈투쟁〉지를 완전히 떠났다. "일간지 〈투쟁〉의 지도부는 오늘부로 물러납니다"[1]라고 시작되는 고별 기사에서 카뮈는 경영상의 어려움으로 인해 물러나지 않을 수 없는 상황을 독자들에게 알리고 있다. "우리는 신문사 외부인들에게 돈을 요구할 수도 있었고, 심지어 요구를 하지 않았는데도 우리에게 내민 돈을 받을 수도 있었습니다. 우리에게 여러 제안들이 없었던 게 아닙니다. 짐작컨대, 이 제안들 가운데는 명예로운 기부도 많았습니다. 하지만 우리의 입장 때문에 받아들일 수 있다고 생각하지 않았습니다"[2]라면서, 완벽한 독립언론을 추구하던 〈투쟁〉지가 외부의 도움을 거절할 수밖에 없었던 이유를 독자들에게 설명했다. 아울러 이러한 결정을 내리게 된 가장 직접적인 이유는 "신문사 직원들의 실업을 피하고 모든 협력자들의 생존을 지키려는 일념"이라고 분명하게 덧붙이고 나서, 마지막으로 개인적인 소회를 독자들에게 전하면서 글을 마무리했다.

이제 마지막으로, 지금까지 우리에게 믿음과 애정을 보여 주신 독자 여러분께 감사의 말씀을 드리고자 합니다. 언론계에서는 여러 가지 방법으로 돈을 법니다. 제가 굳이 말씀 드리지 않아도, 우리는 이 신문사에 들어올 때 가난했기에 떠날 때도 가난하다는 것입니다. 반면에 우리에게 단 하나의 풍족함이 있다면, 그 풍족함은 우리가 늘 독자 여러분을 존중하는 데에 있었습니다. 그리고 독자 여러분께서도 때로 우리를 존중했던 점은 우리가 누렸던 유일한 호사였고, 앞으로도 유일한 호사로 남을 것입니다. 물론, 지난 3년 동안 우리가 실수를 범했을 수도 있습니다(날마다 발언을 하면서 어느 누가 잘못된 생각을 하지 않을 수 있을

까요?). 하지만 우리는 결코 우리 직업의 명예를 포기했던 적이 없었습니다. 이 신문이 다른 신문들과 같은 신문이 아닌 것은 사실이기에, 지난 3년 동안 이 신문은 우리의 자부심이었습니다. 바로 이것이 오늘 우리가 어떤 감정을 품고서 〈투쟁〉지를 떠나는지를 독자 여러분께 조심스럽게 말씀 드리고자 하는 것입니다.[3]

카뮈가 〈투쟁〉지 독자들에게 남긴 마지막 한 마디였다. 카뮈의 표현대로, 〈투쟁〉지는 "가난"한 신문이긴 했지만 열렬 독자들이 있었기에 "풍족"한 신문이었고, 결코 언론의 "명예"를 포기하지 않았다는 "자부심"을 내세울 수 있었던 신문, 즉 "다른 신문들과 같은 신문이 아닌" 신문이었고, "완벽한 독립을 실천하던 신문"[4]이었다. 그리고 카뮈는 결코 단발기자(pigiste)가 아니라, 카뮈 자신의 표현대로, 진정한 "직업기자(journaliste professionnel)"[5]였다.

〈투쟁〉지와의 결별은 카뮈에게 깊은 미련과 아쉬움을 안겨 주었다. 자유 독립언론을 지켜 내지 못한 데 대한 자괴감 때문에 그의 절망감은 더욱 컸다. 『페스트』가 비평가상을 수상한 직후, 카뮈는 알제리 시절의 여자 친구인 마르그리트 도브렌에게 다음과 같은 편지를 보냈다. "내게 절망만을 안겨 준 〈투쟁〉지에 얽힌 이야기 때문에, 비평가상도 위안이 되지 않아요. 비할 데가 없는 절망이기 때문이에요."[6] 독립언론을 사수하지 못한 데 대한, 그리고 자신이 추구하던 비판적 저널리즘을 계속해서 이어 가지 못한 데 대한 뼈저린 절망이자 자책이었다.

이듬해 1948년 8월, 〈투쟁〉지에서 함께 일했던 동료 투라티에게 보낸 편지에서도 카뮈는 아쉬움을 토로하면서 한때 모든 열정을 다 바쳤던 〈투쟁〉지 시절을 회상하고 있다. 편지 내용으로 보아, 1944년 8월 21일 〈투쟁〉지가 지하신문에서 벗어나 자유신문으로 거듭 탄생했던 날을 기념하기 위해서, 옛 동료들이 모여 조촐한 모임을 가진 후, 투라티에가

이 모임에 대한 소식을 전하면서 카뮈에게 보낸 편지에 대한 답장이다.

> 나는 파리에서 멀리 떨어져 있고, 또한 이제 일 년도 훨씬 더 지났지만, 가슴 아
> 프게 떠났던 〈투쟁〉지와도 멀리 떨어져 있어요. 그런 이유 때문에, 우울한 기분
> 으로 그날을 보내지 않을 수 없었어요. 나 또한 그 첫 번째 사설을 다시 읽으면
> 서, 슬픔을 느끼지 않을 수 없었다는 걸 믿어 줘요. […] 우리는 정직했기 때문에
> 방어를 못했어요. 우리가 자부심을 느끼면서 떳떳한 언론으로 만들려고 했던
> 이 신문은 지금 이 못난 나라의 수치가 되어 버렸어요. 하지만 적어도 무엇인가
> 는 남아 있어요. 자네의 편지가 그걸 입증하고 있어요. 나날이 되풀이되는 노력
> 과 위험 속에서도 몇몇 사람들은 형제애로 똘똘 뭉쳐 있었지요. […] 나는 자네
> 가 그 힘든 일을 얼마나 소박하고 순수한 마음으로 해 내었는지를 잊지 않고
> 있어요. 자네가 나에 대한 추억과 나에 대한 호의를 여전히 간직하고 있다니, 얼
> 마나 기쁘고, 얼마나 감동스러운지 모르겠어요. 그래서 난 절망하지 않아요. 언
> 젠가는 아마도 우리가 다시 함께 일하고 투쟁할 수 있는 날이 올 거예요.[7]

실제로, 카뮈가 떠난 〈투쟁〉지는 더 이상 예전의 〈투쟁〉지가 아니었다.
그저 그런 신문들 가운데 하나일 뿐이었다. 자신이 한때 몸담았던 〈푸리
수아르〉[〈파리 수아르〉의 별칭]나 다를 바 없는 신문이었다. "한 국가의 가
치는 흔히 그 나라의 언론에 달려 있다"[8]는 신념으로 〈투쟁〉지에 헌신했
던 그였기에, "이 신문은 지금 이 못난 나라의 수치가 되어 버렸어요"라
는 한탄을 늘어놓지 않을 수 없었다. 그러나 카뮈는 "언젠가는 아마도 우
리가 다시 함께 일하고 투쟁할 수 있는 날이 올 거예요"라고 덧붙이면서
희망의 끈을 놓지 않았다. 1951년 8월 장 다니엘과의 인터뷰에서도 카뮈
는 "〈투쟁〉지는 성공이었다"[9]라고 회상하면서 "언젠가 경제상황이 안정
되면, 우리는 〈투쟁〉지나 이에 버금가는 신문을 다시 만들 것이다"[10]라고
말했지만, 그의 희망 사항은 결코 빛을 보지 못한 채 그저 희망으로 남

게 될 것이다.

1948년에 카뮈는 희곡 『계엄령』을 출간했고, 10월 27일에 파리의 마리니 극장에서 무대에 올렸다. 장-루이 바로의 연출과 아르튀르 호네게의 음악에도 불구하고 흥행에는 실패했다. 이듬해인 1949년 12월 15일에 에베르토 극장에서 마리아 카자레스, 세르지 레지아니, 미셸 부케가 주연을 맡은 『정의의 사람들』이 초연되었고, 이 희곡은 다음해 갈리마르 사에서 출간되었다. 1905년 2월에 있었던 1차 러시아 볼셰비키 혁명 당시 청년 혁명가들의 활약상을 그리고 있는 이 작품은 『반항인』의 주제인 "살인" 문제를 다루고 있는데, 세르게이 대공(大公)이 탄 마차에 무고한 아이들이 동승해 있는 것을 발견한 칼리아예프가 폭탄을 투척하지 못하고 테러에 실패하는 내용을 담고 있다. 「희생자도 도살자도」에서 이미 밝혔던 주제이기도 한데, 혁명을 위해서라 할지라도 무고한 생명을 희생시킬 수 없다는 주장이 이 작품에 담긴 메시지이다. 1947년 『페스트』를 출간한 이후, 카뮈는 『계엄령』과 『정의의 사람들』과 더불어 '반항기'의 핵심작인 『반항인』 집필에 몰두했다. 루크레티우스와 에피쿠로스를 비롯해서 루소, 사드, 헤겔, 마르크스, 니체, 도스토예프스키, 초현실주의자들 등 반항을 주제로 다양한 사상들을 다루고 있는 이 철학 에세이는 1951년 10월 18일에 출간되었다.

"나는 반항한다. 고로, 우리는 존재한다."[11] 『반항인』의 화두이다. 철학자 폴 리쾨르는 "카뮈의 코기토"[12]라고 지칭하기도 했다. 아무튼, 위 화두에는 민주주의 사회에서는 목적이 수단을 정당화하고 강권적 탄압과 살육을 피할 수 없는 혁명이 아니라, 개개인의 정당한 반항으로 공존의 삶을 모색하는 연대정신이 정의와 자유를 위해 봉사할 수 있다는 함의가 들어 있다. "우리 시대를 이해하려는 노력"[13]이라고 환기시킨 카뮈는 미래에 다가올 인류의 행복이라는 이름으로 혁명가들이 구금과 살육을 정당화하고 있다고, 역사의 이름으로 이데올로기가 전권을 휘두르고 있다고 지적하면서, 소련에서 벌어지고 있는 스탈린의 혁명을 비판적 시각에서 고찰하고 있을 뿐만 아니라, 심지어 1789년의 프랑스 대혁명에 대한 마르크스주의적 해석에 대해서도 비판했다. 특히, 서문에서 "인간은 현재 상태에 머물러 있기를 거부하는 유일한 피조물이다. 문제는 이 거부가 자기 자신과 타인들을 파괴하는 데까지 이를 수 있는가, 그리고 모든 반항이 만연된 살인의 정당화로 막을 내려야만 하는가, 아니면 그와 반대로, 무죄의 불가능함을 내세우지 않으면서 반항이 합리적인 죄의식의 원칙을 발견해 낼 수 있는가 하는 것이다"[14]라고 밝히고 있듯이, 카뮈는 개인적인 반항이든, 집단적인 반항이든, 그 어떤 반항도 살인을 정당화할 수 없다고 역설했다.

『반항인』의 저자는 계급 없는 사회와 역사의 종말을 예언한 마르크스가 "라 로쉬푸코보다도 더 과학적이지 못하다"[15]고 비하하고 있을 뿐만 아니라, "진실에 대항하는 정의의 투쟁"을 선동하는 마르크시즘이 "지적 횡포(césarisme intellectuel)"[16]에 빠져 있다고 비판했다. 심지어 소련의 공산주의는 "희생자들로 하여금 도살자를 찬양하게 한다"는 점에서 "도살자가 도살자를 찬양하는" 파시즘보다도 "더 비극적"[17]이라고 개탄했다. 이처럼, 『반항인』의 핵심은 미래에 다가올 역사의 이름으로 오늘의 희생과 탄압을 정당화하는 마르크시스트 이데올로기의 허구성에 대한 신랄한 비판이다. 아울러 니체를 비롯한 니힐리즘의 사상가들, 그리고 랭보와 로트레아몽을 비롯한 초현실주의 시인들도 『반항인』의 심판대에 올라 있는데, 카뮈는 여기에다 "이를테면 우리의 실존주의자들(현재로서는 그들 역시 역사주의와 그 모순들에 빠져 있는)"[18]을 슬쩍 끼워 넣었다. 특히, 카뮈가 사르트르의 이름을 거명하지도 않은 채로, 게다가 굳이 "우리의"라는 비하적인 표현을 쓰면서까지, 그것도 심판대의 중앙이 아니라 보일 듯 말 듯한 어느 구석 자리에다 "실존주의자들"을 배치시킨 점은 어쩌면 재앙의 불씨를 심어 놓은 것이나 다름없었다.

논쟁은 『반항인』이 출간되기 이전에 이미 벌어지고 있었다. 카뮈가 〈레 카이에 뒤 쉬드〉에 로트레아몽과 관련된 부분을 게재하자 앙드레 브르통은 주간지 〈예술〉 1951년 10월 12일자에 실린 반론에서 "현대의 가장 천재적인 작품"[19]을 비판한 카뮈를 순응주의자로 몰아붙였다. 이에 카뮈는 〈예술〉지의 편집국장에게 보내는 편지 형식을 빌려서 10월 19일 자에 반론을 제기했다. "나의 결론은 순응주의나 체념을 찬양하는 게 아니다. 내가 말하고자 하는 본질은 니힐리즘(적어도 부분적으로는 우리 모두가 관련되어 있는)이 살아 있는 반항의 가르침들(언제까지나 그 가치가 인정받는)에 역행하고 순응주의와 예속을 불러일으키고 있다는 것이다."[20] 이에 앙드레 브르통은 11월 16일자 〈예술〉지에 비평가 에메 파트리와의 대화 형식으로 카뮈를 또다시 반박했다. "카뮈가 퍼뜨리고자 하는 이 반항의 망령이라는 게 도대체 무엇이지요? 카뮈가 그 뒤에 숨어 있는 이 망령 말이지요. '절도(mesure)'를 가미했다는 반항이라고? 일단 그 열정적인 내용물이 비워지고 나면, 반항에 남아 있는 게 뭘까요?"[21] 카뮈가 『반항인』의 마지막 장인 「정오의 사상」에서 "절도(節度)"의 미덕을 찬양한 데 대한 비아냥거림이었다.

일주일 뒤인 11월 23일자 〈예술〉지에는 카뮈의 재반박문이 게재되었다. "이미 여러 나라의 군대들이 대결하고 있다. 공포의 집단들이 점점 더 급속하게 이 세계를 장악하고 있다. 이념과 미덕은 날마다 그 얼굴을 바꾸고 있다. 결국 우리들은 외로움에 처해 있다. 기색 자체가 창백하다. 이 시대의 비극에 대해 가장 잘 알고 있는 사람들 가운데 한 사람이 내가 반항을 미화하고 있다는 구실로 자신이 알고 있는 사실을 부정하고, 자신의 투쟁 대상에 대한 연구를 소홀히 하고, 타인들의 존엄성을 무시하고, 헛소리를 하듯이 모독하고 있다."[22] 마치 초현실주의 시와 같은 문장 형식을 취하고 있는 이 반박문의 요지는 다음과 같은 반어적 표현에 들어 있다. "이를테면, 브르통은 오늘날 세계가 처해 있는 타락함 속에서는 오로지 마르크시스트들만이 죄인이기를 바라고 있을 것이다. 그러기에 그는 내 책이 핵심적인 책이 될 수 있는 특권을 인정하고 있다. 내 책에 마르크시즘에 대한 비판이 담겨 있기 때문에 말이다. 브르통이 그렇기만 하다면야 얼마나 좋을꼬."[23] 카뮈는 이 반박문을 끝으로 더 이상 대응하지 않았으나, 앙드레 브르통과 초현실주의자들은 계속해서 카뮈에 대한 공격을 이어 갔다. 초현실주의자들은 집단으로 제작한 『문제의 반항』이라는 도발적인 책자도 냈고, 잡지 〈길(*La Rue*)〉은 『맞춤식 반항(Révolte sur mesure)』이라는 빈정대는 제목으로 특집호를 내기도 했다. 앙드레 브르통과의 논쟁 직후인 1952년 2월, 스페인의 프랑코 장군에 의해 사형선고를 받은 노조원들을 구명하기 위한 지성인들의 강연회가 열렸는데, 카뮈와 브르통은 나란히 단상에 앉았다. 카뮈가 이 강연회의 주최 측에 브르통을 초빙하라고 적극 제안했고, 이 사실을 안 브르통은 감격해 하면서 참석을 수락했다고 한다.

『반항인』 출간 직후, 알제에 있는 어머니가 다리를 다쳐 어머니 곁에서 머물던 카뮈는 1951년 11월 20일자 아내 프랑신에게 보낸 편지에서 다음과 같이 토로하고 있다. "이 책이 나온 이후로, 나는 끔찍한 상태에 빠졌는데, 최근 그 상태가 더욱 심화되어 가고 있어요. 내가 더 이상 이 직업을 감당해 낼 수 있을지, 이 외로운 시련을 감당해 낼 수 있을지 모르겠어요."[24] 카뮈가 말한 "외로운 시련"은 이제 막 시작에 불과했다. 『반항인』이 출간되자, 사방팔방에서 공격이 쏟아졌다. 초현실주의자들에서부터 사르트르 추종자들까지, 프랑스 지성계의 우파에서부터 공산주의자들에 이르기까지 『반항인』을 "역겨운 책"[25]으로 몰아붙였다. 몇몇 지성인들로부터 찬사를 받기도 했으나, 좌우파를 불문하고 "고귀한 영혼"의 카뮈를 궁지에 몰아넣었다. 특히, 공산주의자들이 보기에는 카뮈가 "소련과의 전쟁"[26]을 선포한 것이나 다름없었다. 게다가 프랑스 국내에서뿐만 아니라 외국에서도 공격이 날아들었다. 가령, 공산주의 작가로 유명한 이탈리아의 프랑코 포르티니는 "카뮈의 주장은 가장 뛰어난 쾨슬러의 문체로 공산주의에 대한 투쟁에 지나치게 기여하고 있는 것 같다. 소련의 노예 체제를 유지시키느냐, 아니면 핵폭탄으로 소련을 파괴하느냐의 기로에 있다고 하는 것을 보면, 카뮈는 예방전쟁과 해방전쟁을 암시하고 있다"[27]라는 과도한 해석까지 이끌어 내면서 카뮈를 질타했다.

앞에서도 언급했듯이, 전후 프랑스 공산당은 레지스탕스 활동의 정당성에 힘입어 막강한 영향력을 행사하면서, "지성의 정당"[28]임을 자처하고 있었다. 그런데 당시 프랑스 공산당은 자체적인 강령이나 규율을 제정해서 마르크시즘을 실천하는 정당이 아니라, 소련 공산당이 내리는 지침을 철저하게 따르고 신봉하는 일종의 꼭두각시 정당이어서, 스탈린의 숙청이나 소련 내의 강제수용소에 대해서는 한 마디의 비판조차 할 수 없는 처지에 있었다. 이러한 상황에서 1947년 9월에 열린 코민포름에서 소련 공산당 정치국원인 안드레이 즈다노프 장군은 세계를 두 진영으로 나누어 미국이 주도하는 제국주의와 소련이 주도하는 반제국주의의 대결 구도로 설정했고, 공산주의자들의 역할은 미국의 제국주의에 맞서서 이데올로기 전쟁을 벌이는 것이라고 선포했다. 냉전 시대의 서막이 오른 것이었다. 당연하게도 프랑스 공산당은 반제국주의 투쟁을 기치로 내걸었고, 공산주의에 반대하는 모든 자들을 제국주의자들이라고 몰아붙이게 되었다. 프랑스 공산당의 이러한 선전술과 정책으로 인해, 당원이 아니거나 마르크시즘을 비판하는 좌파 지성인들은 프랑스 공산당과 공산당계 언론들로부터 무차별적인 공격을 받아 고립을 당하는 수난을 겪어야 했다.

이를테면, 앙드레 지드는 1936년에 스탈린의 초청으로 소련을 방문한 후 귀국하여 『소련에서 돌아와서』를 출간해서 소련의 실상을 단면적으로나마 폭로한 대가로 프랑스 공산당과 공산당계 지성인들의 융단폭격을 피할 수 없었다. 그 이후로 마르크시즘에 대한 환상을 버린 지드는 1945년에 스탈린식 공산주의의 독재에 대해서 다음과 같이 경고하기도 했다. "나는 조만간 사람들이 내가 소련을 비난했던 사항들 가운데 몇몇 사실에 대해서는 그 정당성을 인정하리라고 믿는다. 특히, 사고의 자유를 핍박한다는 비난과 관련된 사실에 대해서는 말이다. […] 사고의 자유에 대한 핍박은 소련을 본떠 프랑스에서도 시작되고 있다. 타협하지 않는 모든 사고는 의심의 눈초리를 받고 즉시 비난당하고 있다."²⁹ 지드의 진단처럼, 당시 프랑스에서는 소련의 공산주의를 비난했다가는 공산당계 지성인의 대부로 절대 권력을 휘두르고 있던 루이 아라공과 그의 추종자들로부터 공격을 당하는 게 다반사였다.

하기야, 카뮈가 프랑스 공산당과 공산당계 지성인들로부터 공격을 당한 게 이번이 처음은 아니었다. 루이 아라공, 앙드레 브르통, 피에르 덱스, 엠마뉘엘 다스티에 드 라 비즈리 등 수많은 공산당계 지성인들의 공격 대상이 된 지는 이미 오래되었다. 물론 카뮈는 이들의 공격을 충분히 예상했던 터라 그다지 대수롭게 여기지 않았다. 그런데 카뮈의 폐부를 정면으로 찌르고 나선 자는 전혀 예기치도 못한 인물이었다.『반항인』이 출간되었을 때, "사르트르의 잡지"로 통하던 〈현대〉지 편집위원회는 이 책에 대한 서평을 어떻게 할 것인가를 놓고 여러 차례 회의를 가졌으나, 아무도 나서려 하지 않았다. 결국 "이 책을 다루지 않는 게 반드시 더 나은 것은 아니다. 악평을 하는 것 또한 모욕적인 일이다"라고 결론을 내린 사르트르는 프랑시스 장송에게 서평을 쓰도록 전권을 위임하면서 "가장 혹독해야 하네. 하지만 적어도 예의는 갖추게"³⁰라고 주문했다. 이와 관련해서 시몬 드 보부아르는 다음과 같이 증언하고 있다. "사르트르는 퐁-루아얄에서 카뮈를 만나 〈현대〉지의 서평이 나올 예정이고, 어쩌면 혹독하기조차 할지도 모른다고 고지했다. 카뮈는 기분 나쁜 표정을 지으며 놀라는 듯했다. 프랑시스 장송이 마침내『반항인』에 대해서 언급하기로 받아들였다. 장송은 신중하게 언급하겠다고 약속했다. 그런데 그는 흥분하고 말았다. 사르트르가 몇몇 혹독한 비판을 완화하긴 했지만, 이 잡지에 검열은 없었다. 카뮈는 장송이라는 인물을 모르는 체하며, 사르트르를 '발행인님'이라고 호칭하면서 잡지에 게재할 편지를 사르트르에게 보냈다. 사르트르는 같은 호에서 반격했다. 그리고 그것으로 둘 사이의 모든 관계는 끝나 버렸다."[31]

프랑시스 장송은 당시 스물아홉이었다. 소르본 대학에서 철학교수자격시험을 준비하다가 폐결핵으로 응시하지 못했던 그는 1947년에 사르트르에 관한 책 『도덕적 문제와 사르트르의 사상』을 준비하면서 사르트르를 직접 만나 인터뷰를 하기로 작정하고 〈현대〉지 사무실을 방문한 적이 있었다. 프랑시스 장송이 독대를 원했지만, 사람들이 너무 많아 불가능했기 때문에, 사르트르는 다음 기회에 만남을 약속했고, 기꺼이 서문을 써 주겠다고 해서 장송을 놀라게 했다. 이런 인연으로 프랑시스 장송은 〈현대〉지 1948년 1월호에 첫 기사를 발표했고, 후에 메를로-퐁티가 사르트르와의 불화로 잡지를 떠나자 〈현대〉지의 주간을 맡기도 했다.

1952년 5월호 〈현대〉지는 한국전쟁에 관한 기사와 미국의 동성애자들에 관한 르포 기사와 더불어, 무려 21쪽에 달하는 프랑시스 장송의 기사 「알베르 카뮈 혹은 반항의 영혼」을 게재했다. "『반항인』의 경우는 아마도 꽤나 유일하다고 할 것이다"라고 비아냥거리는 투로 시작되는 이 글에서 프랑시스 장송은 대뜸 "당대의 가장 뜨거운 문제들"을 다루고 있는 이 책에 대해서 "매우 중요한 책", "극히 중대한 책", "최근 몇년 사이에 나온 가장 위대한 책 중의 하나", "서구 사상의 전기(轉機)", "너무나 고귀하고 너무나 인간적인 작품", "이만한 작품은 전후 프랑스에서 나온 적이 없다" 등등 우파 비평가들의 찬사를 받았다고 지적하면서, "내가 카뮈라면 이것은 무엇보다도 걱정되는 일이다"[32]라고 노골적으로 카뮈의 심기를 건드리는 언어들을 나열했다. 더 나아가 카뮈의 철학을 "아나키즘에서 차용해 온 애매한 휴머니즘"이고 "누구든지 손쉽게 주무를 수 있는 플라스틱 사상"[33]이라고 비하하고 나서, 『페스트』를 평가절하하는 장황하고 지루한 분석을 늘어놓았다. 장송의 요지는 『페스트』에서 카뮈가 전하고자 하는 메시지가 고작해야 "적십자사의 모럴"[34]이라는 것이었다.

사르트르와 마찬가지로 반공산주의를 단호하게 배척하던 장송은 카뮈의 공산주의 이데올로기에 대한 분석의 오류도 지적했다. "카뮈는 마르크스의 독트린이 논리적으로 스탈린 체제로 귀착될 수밖에 없다는 사실을 입증하겠다고 주장하고 있지만, 기껏해야 다소 미묘한 문구를 써 가며 스탈린이 스탈린주의를 만들어 냈다는 사실을 우리에게 보여 주는 데에 그치고 있다. 그러니 그는 공포정치에로의 이행에 대해서는 최소한의 설명도 우리에게 제시하지 못하고 있다."[35] 이어서 장송은 "카뮈가 스탈린 추종자들(또한 실존주의 역시)에게 전적으로 역사의 포로들이라고 비난하고 있지만, 그들이 카뮈보다 더 역사의 포로인 것은 아니다"[36]라고 지적하고 나서, "만일 카뮈의 반항이 의도적으로 답보 상태에 빠져 있기를 바란다면, 그의 반항은 오로지 카뮈 자신에게만 관련될 수밖에 없다. 그와 반대로, 그의 반항이 세계의 흐름에 영향을 끼치려 한다고 조금이라도 주장하려면, 그는 게임에 참여해야 하고, 역사적 맥락 안에 편입되어야 하고, 거기에서 자신의 목표들을 결정하고 자신의 적들을 선택해야 한다"[37]고 훈시했다. 요컨대, "혁명의 가짜 역사에 대한 가짜 철학"을 펼치고 있는 "『반항인』은 무엇보다도 위대한 실패작이다"[38]라는 것이 장송의 결론이었다. 프랑시스 장송은 이 서평으로 졸지에 유명인사가 되었다.

반면에, 사르트르가 요구했던 "최소한의 예의"도 차리지 않은 이 서평을 읽은 카뮈는 너무나 큰 충격에 빠진 나머지, 글을 쓸 수 없는 지경에 이르렀을 뿐만 아니라 삶의 의욕을 상실했다고 마리아 카자레스에게 털어놓았다고 한다.[39] 카뮈는 친구 사르트르의 배신으로 절망의 수렁에 빠졌으나, 그렇다고 가만히 당할 수만은 없었다. 그는 장송의 기사에 대한 반박문으로 1952년 6월 30일자 작성된 「〈현대〉지 발행인에게 보내는 편지」를 써서 잡지사 편집국으로 발송했다. 이 반박문은 제목에서도 보다시피 카뮈가 서평의 장본인인 프랑시스 장송을 철저하게 무시한 채, 〈현대〉지의 발행인인 사르트르를 직접 겨냥하고 있었다. 카뮈의 반박 편지를 받은 사르트르 역시 기분이 몹시 상했고, 프랑시스 장송을 불러서 "아무튼 나는 응수할 거네. 자네도 하고 싶으면 하게"[40]라고 말했다. 이렇게 해서 1952년 8월호 〈현대〉지에는 카뮈의 편지와 사르트르의 「알베르 카뮈에게 보내는 답장」 그리고 장송의 반박문 「귀하에게 모든 걸 말하자면」이 동시에 게재되는 역사적 사건이 벌어졌다.

친구인 사르트르를 "발행인님"[41]이라고 의도적으로 '님' 자를 덧붙여서 시작하고 있는 편지에서, 카뮈는 "귀하의 잡지가 빈정거리는 투의 제목으로 나에 대해 쓴 기사를 빌미 삼아, 이 기사가 보여 주고 있는 지성인의 태도나 사고방식과 관련해서 귀 잡지의 독자들에게 몇 가지 소견을 전하고자 한다"고 반론의 취지를 제시하면서, "나는 이 기사를 하나의 연구라기보다는 오히려 하나의 연구 대상이라고 간주한다. 즉, 내 말은 하나의 증후군이라는 것이다"[42]라고 쏘아붙였다. 이어서 카뮈는 우파의 비평가들로부터 찬사를 받은 바 있다는 프랑시스 장송의 비판에 대해서 "어떤 사고의 진리치는 우파의 사고이냐 좌파의 사고이냐에 따라서 결정되는 게 아니다. 그렇다고 한다면, 데카르트는 스탈린 추종자일 테고, [샤를] 페기는 [앙투안] 피네 씨를 찬양할 것이다. 결국, 내가 보기에 진리가 우파에 있다면, 나는 우파에 있겠다"[43]고 반론을 제기하면서, "실제로 소위 우파 언론들은 어떠했는가? 정치적 분류에 끼일 수조차도 없는 한 언론을 예로 들자면, 나는 〈리바롤(*Rivarol*)〉[대표적인 극우파 주간지]

의 욕설을 실컷 얻어먹는 영광을 누렸다. 전통 우파로 말하자면, 클로드 모리악 씨가 쓴 〈라 타블 롱드(*La Table ronde*)〉의 기사는 나의 고고한 성격에 대해서는 물론이고 내 책에 대해서도 심각한 유감을 표명했다. […] 〈리베르테 드 레스프리(*Liberté de l'esprit*)〉지(전통 우파에 속하지 않는 것은 사실이지만)도 나를 좋게 다루지 않았다. […] 이 세 가지 예만 보아도 최소한 귀하의 동료가 취한 주장을 부인하기에 충분하다. 내 책이 때로 소위 부르주아 신문이라고 하는 언론의 문학 서평 기자들로부터 찬사를 받은 것은 사실이다. 당연히 나는 이에 대해 온갖 수치심을 다 느끼고 있다. 하지만 똑같은 신문들이 〈현대〉지의 필자들의 책에 대해서도 곧잘 찬사를 보낸 바 있다"[44]고 역공했다.

그리고 『페스트』를 "적십자사의 모럴"이라고 비하한 데 대해서는 "삼인칭으로 객관적인 연대기의 형식을 띠고 있는 『페스트』는 하나의 고백이다"[45]라고 지적하면서, "『이인』에서 『페스트』로 넘어가면서 달라진 게 있다면, 그것은 연대와 참여의 방향으로 나아간 것이다. 그 반대로 말하는 건 곧 거짓말을 하거나 아니면 헛소리를 지껄여대는 짓이다"[46]라고 일갈했다. 이어서 『반항인』의 핵심 주제들은 "반항의 운동 자체가 설정한 한계에 대한 정의, 헤겔 이후의 니힐리즘과 마르크스의 예언에 대한 비판, 역사의 종말에 대한 변증법적 모순 분석, 객관적 죄의식 개념에 대한 비판"이라고 제시한 뒤, "나는 『반항인』과 더불어 혁명의 이데올로기적 측면에 대한 연구를 시작했다"[47]고 저서의 근본 취지를 설명했다. 또한 『반항인』이 주장하고자 하는 것은 "적어도 오늘날의 세계에서는 반역사주의가 순수한 역사주의만큼이나 해롭다는 사실을 입증하는 것"[48]이라고 규정하면서, "내 책은 역사를 부정하는 게 아니라(부정이라는 말은 의미 없는 말일 것이다), 단지 역사를 절대화하려는 목적을 가지고 있는 태도를 비판하고 있다. 따라서 역사를 거부하는 게 아니라, 역사를 바라보는 어떤 정신의 시각을 배척하고 있는 것이다"[49]라고 강조했다. 또한,

카뮈는 "결국 귀지의 기사는 나로 하여금 실존주의(스탈린주의와 마찬가지로)는 역사의 포로라고 선언하게 하고 있다"[50]라고, "역사에는 종말이 있는 게 아니고, 하나의 방향이 있는 것이다"[51]라고 반박했다.

그리고 마르크시즘에 대해서는 "'명백하게도' 귀하의 잡지가 믿고자 하는 것처럼, 하부구조를 신봉해야 한다면, 결국 지난 한 세기 동안 이루어진 우리 경제의 비약적인 변화 이후, 마르크시즘은 적어도 어느 부분에서는 용도 폐기되어야 하고, 따라서 어쩌면 나의 비판과 같은 비판을 소리 없이 인정해야만 한다. 그런 비판을 인정하지 않는다는 건 곧 하부구조를 부정하는 것이나 다름없고, 이상주의자로 전락한 것이나 다름없다. 역사유물론은 그 논리 자체로 볼 때도 스스로 자신을 넘어서거나 아니면 자신을 부정해야 하고, 스스로 자신의 입장을 수정하거나 아니면 번복해야만 한다. 아무튼 누구든지 진지하게 역사유물론을 다루려는 자는 역사유물론을 비판해야만 하고, 마르크시스트들이 먼저 나서서 해야 한다"[52]라고 역사유물론의 맹점을 논파했다. 또한, 프랑시스 장송이 카뮈의 시각을 "고질적으로 부르주아적인" 시각이라고 폄훼한 데 대해서는 "모순의 대가를 치르면서까지, 그리고 자신들의 지성에 가한 폭력의 대가를 치르면서까지, 자신의 출신 성분을 말소시키려는 이 부르주아 지성인들의 경우에는 결국 회개거리가 있다. 예를 들면, 이번의 경우는 부르주아 마르크시스트인데, 이 지성인은 마르크시즘과 타협할 수 없는 철학을 옹호해야 하는데도 말이다"[53]라고 비수를 들이댔다. 앞 문장에서 복수로 "부르주아 지성인들"이라고 했다가 단수로 표현된 "부르주아 마르크시스트"인 "이 지성인"이 사르트르를 지목하고 있다는 건 누구든지 금세 파악할 수 있는 사실이었다. 결국, 카뮈의 반박문은 '하수인'인 프랑시스 장송이 아니라, 그의 '주인'인 사르트르 자신을 겨냥하고 있었다.

카뮈의 편지 내용보다는 그 형식에 몹시 기분이 상한 사르트르는 "친애하는 내 친구여, 우리의 우정은 결코 쉽지가 않았지만, 나는 이제 이 우정을 유감스럽게 생각하고자 하네. 자네가 오늘 우리의 우정을 깨트리는 건 아마도 이 우정이 깨트려지도록 되어 있었기 때문일 것이야"라고 모두에서부터 단도직입적으로 말하면서, "그러니까 나는 어떤 분노도 표현하지는 않겠지만, 피도 눈물도 없는 응수를 하겠네"[54]라고 혹독한 비판을 예고했다. 이어서 사르트르는 "이보게 카뮈, 뫼르소는 어디에 있는가? 시지프는 어디에 있는가? 영구적인 혁명을 외치던 이 심정적인 트로츠키스트들은 지금 어디에 있는가? 아마도 살해당했거나, 아니면 망명 중일 테지. 폭력적이고 허례를 즐기는 독재자가 자네 안에 똬리를 틀고 있네. 추상적인 관료주의에 기대어 도덕률을 지배하게 하려는 독재자 말이네"[55]라고 노골적인 언사를 사용하면서, "자네가 옛날에는 가난했을 수도 있지만, 지금은 더 이상 아니네. 자네도 장송이나 나와 마찬가지로 부르주아네"[56]라고 직격탄을 날렸다.

그리고 카뮈의 반박문이 자신을 겨냥하고 있는 데 대해서 사르트르는 "자네는 나를 발행인님이라고 불렀네. 자네와 내가 십년지기라는 사실을 모두가 알고 있는데도 말일세. 이게 하나의 표현방식일 뿐이라는 점은 나도 인정하네. 좋지 않은 표현방식이네. 명백하게도 자네의 말은 장송을 반박하고 있는데, 자네는 내게 말을 하고 있네. 자네의 목표는 자네를 비판한 자를 사물로, 즉 사자(死者)로 둔갑시키려고 하는 게 아닌가? 자네는 수프 그릇이나 만돌린에 대해 말하듯이 그에 대해 말하고 있네. 그것도 오로지 그에게 말이야. 이것은 곧 그가 인간의 범주 밖에 있다고 하는 거네. 레지스탕스들, 포로들, 투사들과 빈자들이 자네의 이름으로 그를 돌맹이로 둔갑시켜 버리고 있네. 이따금 자네는 그를 완전히 깔아뭉개 버리고 있네. 그러면서도 아무렇지도 않은 듯이 '귀하의 기사'라고 하고 있네. 마치 내가 그 기사의 필자인 것처럼 말이지"[57]라고 표현방식의 문제를 거론했다. 더 나아가, 이미 〈현대〉지 편집위원 회의 때, "카뭐는 이해하지도 못한 것을 다루고 있으며, 마르크스와 엥겔스를 읽지도 않았고, 고작해야 요약본의 도움을 받은 것"[58]이라고 언급했던 파리 고등사범학교 출신의 철학자 사르트르는 "자네 책이 단지 자네의 철학적 무능력을 보여 주고 있을 뿐이라면? 수박 겉핥기식으로 이차 문헌에서 그러모은 지식들로 채워져 있다면? […] 자네의 논리가 아주 정확한 게 아니라면? 자네의 사고가 진부하고 애매한 것이라면?"[59]이라고 하면서 알제 대학 출신의 철학 석사 카뮈에게 가차 없는 독설을 퍼부었다.

그러면서도 사르트르는 "우리에게 자네는 인간과 행동과 작품이 감탄스러우리만치 하나로 결합되어 있음을 보여 주었네. 자네는 향후에도 그럴 수 있네. 1945년에 우리는 레지스탕스 투사 카뮈를 발견했네. 그전에 『이인』의 작가를 발견했었듯이 말이네. 그리고 자기 어머니와 정부를 사랑한다고 말하기를 거부하면서까지 정직함을 추구하던 뫼르소, 우리 사회가 사형에 처했던 그 뫼르소와 지하신문 〈투쟁〉지의 편집국장을 연관시켰을 때, 특히 자네는 줄곧 그런 뫼르소이자 지하신문의 편집국장이었다는 사실을 사람들이 알게 되었을 때, 이렇게 확연한 모순을 보면서, 우리는 우리 자신과 세계에 대해서 더 많은 걸 알게 되었고, 자네는 본보기와도 같았네. 왜냐하면 자네 자신이 당대의 갈등의 축소판이었고, 자네는 그 갈등을 열정적으로 껴안고 살아감으로써 극복했었기 때문일세. 자네는 너무나 복합적이고 너무나 다채로운 인물이었네. 샤토브리앙의 최후이자 최고의 후계자였네. 한 시대의 사회적 입장을 대변하는 열정적인 옹호자였네. 자네는 그런 모든 자질들과 그런 모든 행운들을 가지고 있었네. 왜냐하면 위대함의 감정과 아름다움에 대한 열정을 하나로 묶고, 삶의 기쁨과 죽음의 의미를 하나로 만들고 있었기 때문일세"[60]라고 추켜세우면서, "간단히 말해서, 몇 년 동안 자네는 소위 사회계층들 간의 연대의 증거이자 상징이었네"[61]라며 한껏 더 칭송하고 난 뒤, "1945년에 자네는 미래였지만, 1952년에는 과거일세"[62]라며 카뮈를 한물간 과거의 인물로 치부해 버렸다.

　그리고 마지막으로, 사르트르는 "무엇보다도 자네의 도덕은 도덕주의로 변해 버렸네. 지금 자네의 도덕은 허구에 지나지 않고, 아마도 미래에는 불멸의 것이 될지도 모르겠네. 우리가 어떻게 될지는 모르겠네. 어쩌면 같은 편에서 다시 만날지도 모르겠고, 어쩌면 그렇지 못할 수도 있을 걸세. 시대는 험하고 복잡하네. 아무튼 내가 자네에게 하고 싶은 말을 할 수 있어서 좋았네. 자네가 나에게 답장을 하고 싶으면, 잡지는 언제든지 열려 있네. 하지만 나는 자네에게 더 이상 답장을 하지 않을 걸세. 나는 자네가 과거에 내게 어떤 인간이었는지, 그리고 지금 어떤 인간인지를 말한 걸세. 하지만 자네가 어떤 말을 하든 어떤 행동을 하든, 나는 그에 대응해서 자네와 싸우기를 거부하네. 우리의 침묵이 이 논쟁을 잊어버리게 하기를 바라네"[63]라며 장문의 답장을 마무리했다. 이것으로 카뮈와 사르트르의 10년간의 우정은 끝이었다. 두 지성인과 가까이 지냈던 로베르 갈리마르의 표현을 빌리자면, "실패한 사랑의 이야기"[64]가 막을 내린 것이었다. 1960년 1월 4일 카뮈가 불의의 교통사고로 사망할 때까지, 두 지성인은 단 한 차례도 얼굴을 마주하지 않게 될 것이다. 이데올로기가 우정을, 이데올로기가 인간을 선행한 것이었다.

　하지만 사르트르는 1960년 1월 7일자 주간지 〈프랑스-옵세르바퇴르(*France-Observateur*)〉에 기고한 추모사에서 "그와 나, 우리는 반목했었다. 반목이라는 건 별 게 아니다. 물론 얼굴을 다시 보지는 않았지만 말이다. 기껏해야 우리에게 주어진 이 좁은 세상에서 멀리서 바라보며 함께 살아가는 방법 중의 하나일 뿐이다. 그렇다고 해서, 그가 생각나지 않았던 것은 아니고, 그가 읽고 있는 책이나 신문에서 그의 시선을 느끼지 않았던 것도 아니었다. 그리고 그럴 때마다 나는 '그가 뭐라고 할까? 지금 이 순간 그는 뭐라고 할까?'라고 묻곤 했다"[65]라고 옛 친구를 회상하면서, "그는 금세기의 역사에 대항해서 유구한 모럴리스트 전통을 잇는 당대의 후계자를 대표하고 있었다. 아마도 그의 작품들은 프랑스 문학에서 가장 독창적인 면을 담고 있었다. […] 그는 줄곧 우리 문화계의 주역들 중의 하나였고, 그 나름대로 프랑스 역사와 금세기의 역사를 대변했다"[66]고 칭송했다. 끝으로, 사르트르는 카뮈의 목숨을 앗아간 사고를 "어처구니없는 사건"이라고 하면서 "그를 사랑했던 모든 이들에게 이 죽음에는 도무지 용인할 수 없는 부조리가 들어 있다. 하지만 이 절단된 작품을 완성된 작품으로 볼 줄 알아야 할 것이다. […] 우리는 이 작품에서 그리고 이 작품과 떼어 놓을 수 없는 그의 삶에서 매순간 다가올 자신의 죽음을 정복하기 위한 한 인간의 순수하고 성공적인 몸부림을 읽어 내야 할 것이다"[67]라며 글을 마무리했는데, 이 글은 가장 감동적인 추모사로 세인의 주목을 받았다.

사르트르가 친구를 저버리면서까지 마르크시즘과 스탈린주의의 편에 선 것은 어찌 보면 예상 밖의 일이었다. 『반항인』 출간 이전까지만 해도, 카뮈와 마찬가지로, 사르트르 역시 마르크시스트가 아니었고, 또한 공산당계 지성인들로부터 적지 않은 공격을 당하고 있던 처지였기 때문이다. 이를테면, 사르트르는 「1947년의 작가 상황」이라는 글에서 "서민 대중과 함께하기 위해서 작가가 공산당에 봉사해야 하는가 하고 묻는다면 나는 '아니오'라고 대답하겠다. 스탈린식 공산주의의 정치는 정직성을 실천해야 하는 작가라는 직업과는 양립할 수 없다"[68]라고 명확하게 선언한 바 있었다. 그런데 사실은 이 무렵 사르트르는 공산당과의 화해를 모색하고 있던 중이었다. 〈현대〉지의 1952년 7월호와 10~11월호에 사르트르는 「공산주의자와 평화」를 연재했는데, 전쟁의 위험은 공산주의 이념을 구현하려는 국가들이 아니라 미국의 제국주의에 있으며, 이 제국주의에 대항해서 평화를 지킬 수 있는 세력은 오직 공산주의 이데올로기뿐이라고 역설했다. 한마디로, 즈다노프의 교시에 전적으로 동조하는 입장을 취하고 있었다. 이로 인해, 사르트르는 절친한 친구였던 메

를로-퐁티와 갈등을 빚게 되었고, 결국 1952년 12월 어느 날 두어 시간
의 전화 통화에서 설전을 벌인 후, 두 친구는 영원히 결별했다.

1961년 메를로-퐁티가 세상을 떠났을 때, 〈현대〉지 10월호는 메를
로-퐁티 특집호로 제작되었는데, 이 특집호에는 사르트르가 옛 친구를
기리는 장문의 추모사가 게재되었다. "나는 얼마나 많은 친구들을 잃었
던가! 아직도 살아 있는 친구들을. 어느 누구의 잘못도 아니었다. 그들
은 그들이었고, 나는 나였다. 당시의 사건이 우리를 그렇게 가깝게 만들
었고, 우리를 갈라놓았다"[69]라고 시작되는 추모사에서 사르트르는 메를
로-퐁티와 결별하게 된 상황을 다음과 같이 설명하고 있다. "내 생각이
바뀌었다. 반공산주의자는 개다. 나는 이 생각에서 벗어나지 않겠다. 앞
으로는 결코 이 생각에서 벗어나지 않을 것이다. […] 교회 용어로 말하
자면 개종이다. […] 나는 죽을 때까지 부르주아에 대해서는 증오를 품
을 것이다."[70] 사르트르 자신이 인정하고 있듯이, 비록 스탈린주의와 공
산당에 실질적으로 가입하지는 않았지만, 이제 사르트르는 공산당의
'동지'가 되기로 방향 전환을 한 상태였다. 그의 말대로 "개종"을 한 것
이었다. 소련의 강제수용소가 기정사실화 되면서 적지 않은 공산당계
지성인들이 공산당과 결별하던 시점에, 그는 거꾸로 "개"가 되지 않으
려고 프랑스 공산당과 밀월 관계에 들어갔다. 그는 공산당의 후원으로
1954년에 소련을 방문했고, 1955년에는 중공을 여행했고, 그의 여행은
공산당 기관지에 자세하게 보도되었다. 또한 사르트르는 프랑스 공산당
이 주최하는 수많은 강연과 회합에 참여했고, 심지어 불-소친선협회의
회장에 선출되기도 했다.

그러나 사르트르와 공산당의 밀월은 1956년 11월 공산당의 독재와
압제에 반발해서 민주와 자유를 외치는 헝가리의 부다페스트 시민들이
소련군의 탱크에 의해 무자비하게 학살당하는 사태가 벌어지자 막을 내
릴 수밖에 없었다. 헝가리 사태는 사르트르를 마르크시즘의 환각에서

깨어나게 했을 뿐만 아니라, 클로드 루아, 클로드 모르강, 로제 바이양, 조르지 상프룅 등 많은 공산당계 지성인들을 프랑스 공산당으로부터 탈당케 한 역사적 사건이었다. 마르그리트 뒤라스, 장 뒤비그노, 에드가 모랭 등 선각자들은 헝가리 사태가 발발하기 이전에 이미 공산당을 떠난 상태였다. 모리스 메를로-퐁티의 경우, 『휴머니즘과 테러』(1947년)에서 혁명을 위한 폭력은 불가피하다고 인정하면서 사르트르와 사상적으로 동행했으나, 사르트르가 프랑스 공산당과 손을 잡자 〈현대〉지를 떠나 클로드 르포르, 에드가 모랭, 코르넬리우스 카스토리아디스 등과 함께 사르트르와 결별했고, 1955년에 마르크시즘을 냉철하게 분석한 저서 『변증법의 모험』의 마지막 장 「사르트르와 울트라볼셰비즘」에서 옛 친구의 이념적 오류를 적나라하게 지적함으로써 모든 관계를 청산했다.

같은 해, 즉 헝가리 사태가 발발하기 직전인 1955년은 레이몽 아롱이 공산주의의 환상과 오류를 분석하고 진보주의 지성인들의 착각과 미망을 지적한 『지성인의 아편』을 발표한 해이기도 하다. 파리고등사범학교 시절부터 사르트르와 아롱은 소위 "어깨동무(petits camarades)"였고, 〈현대〉지의 창간 멤버로 어깨를 맞대고 잡지를 만들었으나, 마르크스주의의 허실을 일찍이 꿰뚫어 본 아롱이 혁명 메시아니즘의 신화를 비판하면서 제3의 길을 모색하자, 두 "어깨동무"는 결별을 해야 했다. 1947년의 일이었다. 아무튼, 1956년 헝가리 사태는 프랑스 좌파 지성계의 이데올로기 논쟁을 종식시키는 계기가 되었고, 결국 사르트르에 비해서 아롱과 카뮈가 옳았다는 것을 입증해 주었다. 하지만 그들의 올바른 판단에도 불구하고, 아롱과 카뮈가 외로운 투쟁을 힘겹게 벌여야 했던 것과는 반대로, 사르트르는 그의 이념상의 역사적인 판단 오류에도 불구하고, 늘 수많은 추종자들에 둘러싸여 있었다. 훗날 이들은 "아롱과 함께 옳은 판단을 하기보다는 사르트르와 함께 그른 판단을 택하기로 했다" 라는 저 유명한 표현을 만들어 내기도 했다. 사르트르의 영향력이 얼마나 컸는가를 보여 주는 일화들 중 하나이다.

이와 관련하여, 장니브 게랭은 다음과 같이 평가한 바 있다. "마르크스 토템에 대한 어떤 비판도 당시에는 금기 사항이었다. 시대 상황이 변하기를 기다려야 했다. 1970년대 말에 상황이 변했다. 역사가 정리해 주었다. 현재의 분위기는 장미색[사회당을 지칭]과 초록색[녹색당을 지칭]이다. 사르트르의 망상적 정신병은 그 빛을 잃었다. 카뮈와 사르트르 중에서 누구를 선택하느냐가 아니다. 사르트르는 사라진 예언자들 집단에 끼여 있다. 유일한 잘못이라면 너무 일찍 옳은 판단을 했던 카뮈와 아롱 중에서 누구를 선택하느냐가 관건이다. 좌파의 색깔을 품고 있는 이는 바로 카뮈이다."[71] 그렇다. 사르트르의 친구였다가 이데올로기 문제로 결별했던 공통점을 지니고 있는 두 지성인 아롱과 카뮈에게 잘못이 있다면, 너무 일찍 깨달았다는 것이었다. 하지만, 레이몽 아롱은 우파였고, 카뮈는 피에르 멘데스 프랑스와 동행했던 사회주의자였다. "나는 좌파에서 태어났고, 좌파로 죽을 것이다"[72]라고 공개적으로 선언한 바 있듯이, "가난에서 자유를 배웠던" 지성인 카뮈는 골수 좌파였다.

2.7. "유일한" 지성인 카뮈

　철학자 폴 리쾨르는 1956년에 발표한 글 「『반항인』」에서 "『반항인』은 저자의 작품 전체를 굽어보고 있는 매우 위대한 책으로, 아마도 최근 몇 년간 출간된 문학작품이나 철학서들 가운데 가장 두드러진 작품일 것이다. 또한 『반항인』은 이전에 출간된 카뮈의 모든 작품들을 대변하는 제목이고, 인간 카뮈 자체를 보여 주는 제목이기도 하다"[1]라고 평가하면서, "이 책은 지고한 정직성을 보여 주고 있는 책이다. [...] 이 책은 역사적 현실과 마주해서 준엄한 진실성을 보여 주고 있는 동시에, 역사에 맞서서 그리고 역사를 넘어서서 인간의 절대성을 성찰하고 있다"[2]며 카뮈를 옹호했다. 또한 리쾨르는 "이 책의 핵심 중의 핵심은 역사 속의 죄의식의 문제"[3]인데, "카뮈 입장의 일관성과 주관적 진실성은 이론의 여지가 없다"[4]고 거듭 강조하면서, "나는 카뮈의 책에 감탄하고 있다. 왜냐하면 이 책은 지극히 소박한 문체 덕분에 더욱 돋보이는 솔직함과 용기를 가지고 현대사상의 골칫거리 한복판에 자리 잡고 있기 때문이다. 이 책이 제기하는 문제, 즉 '계산된 죄의식'의 문제가 우리 문명 전체의 문제가 아니라고 어느 누구도 반박하지 못할 것이기 때문이다"[5]라고 결론지었다. 리쾨르의 지적대로, 『반항인』은 '반항인'인 "인간 카뮈 자체"

를, 그리고 역사적 현실과 마주한 그의 "지고한 정직성"과 "준엄한 진실성"을 적나라하게 보여 주는 책인 동시에, "솔직함과 용기를 가지고" 우리 모두가 안고 있는 역사적 "죄의식"의 문제를 "소박한 문체"로 설파하고 있는 책이다. 한마디로, 지성인 카뮈의 "일관성과 주관적 진실성"이 담겨 있는 책이다.

카뮈는 한 인터뷰에서 『반항인』에 대해 다음과 같이 말한 바 있다. "많은 소란을 일으켰던 책입니다. 또한 제게 친구보다는 적들을 훨씬 더 많이 안겨 준 책이기도 합니다. 적어도 적들이 친구들보다 훨씬 더 큰 목소리로 질러댔습니다. 여느 누구와 마찬가지로, 저도 제게 적들이 생기는 걸 좋아하지 않습니다. 하지만 제가 이 책을 다시 써야 한다면, 원래 그대로 쓸 것입니다. 제 책들 가운데 제가 가장 아끼는 책입니다."[6] 미운 자식한테 더 정이 가는 법이기에 카뮈는 그토록 『반항인』에 대해 애착심을 가졌던 것일까? 아마도 그렇지는 않았을 것이다. 미발표 원고인 「『반항인』에 대한 변론」에서도 밝히고 있듯이, "어떻게 인간이 인간을 뻔히 쳐다보면서 고문할 수 있는지를 이해할 수 없었기에"[7], 그리고 "그런 범죄가 이 세상을 지배하는 사태를 방지하기 위해서는 투쟁하는 것 이외에 다른 길이 없었기에", 카뮈는 "이 투쟁의 필요성"[8]을 절실하게 느낀 나머지, 폭력으로 얼룩진 한 시대의 니힐리즘을, 특히 1940년대에 살육을 일삼았던 파시즘과 공산주의의 니힐리즘을 공격하지 않을 수 없었던 것이다. 그는 단지 지성인으로서 역사적인 죄의식을 면할 수 없다고 생각했기에, 새로운 윤리가 가능하다는 것을 제안하려고 했을 뿐이었다. "『반항인』은 하나의 건강한 도덕이나 하나의 교리를 제안하고 있지 않다. 단지 하나의 윤리가 가능하고, 비싼 대가를 치러야 한다는 것을 주장하고 있을 뿐이다. 그와 동시에, 『반항인』은 이러한 주장을 정당화하는 일련의 추론들을 가능한 한 솔직하게 제시하고 있다. 아무튼 나로서는, 니힐리즘과 살육에 대항하기 위해서 내가 정당화할 수 있는 다른 무엇도 찾아내지 못했다"[9]고 고백하고 있듯이, 카뮈는 "극단적인 경우, 단 한 번에 한해서, 그것도 자기 자신의 생명을 그 대가로 지불한다는 조건하에서가 아니라면, 살인 행위가 스스로 그 행위 자체를 정당화할 수 없다"[10]는 점을 역설하고자 했던 것이다.

카뮈는 1957년 10월 「우리 세대의 도박」이라는 제목의 인터뷰에서 "내가 취해야 했던 결정들은 외롭고 어려운 결정들이었다. 이를테면, 『반항인』을 집필하겠다는 결정은 내게 가장 중요했던 결정이었다"[11]고 회고하기도 했다. 도대체 왜 『반항인』의 저자는 당시 대부분의 좌파 지성인들과는 달리, 즉 공산주의 이데올로기에 동조하거나, 아니면 적어도 침묵으로 묵인하는 길을 택하지 않고서, 마르크스와 스탈린식 공산주의를 정면으로 비판함으로써 적들을 만들고, 그 적들로부터 참을 수 없는 욕설과 비난을 받았던 것일까? 왜 그런 무모한 "도박"을 감행했던 것일까? 그것도 장니브 게랭이 적확하게 지적했듯이, "마르크스 토템에 대한 어떤 비판도 당시에는 금기 사항이었다"[12]라는 사실을 뻔히 알면서도 말이다. 물론, 헝가리 사태가 벌어지자 대부분의 프랑스 좌파 지성인들이 공산당과의 관계를 청산했던 사실에서도 보듯이, 카뮈의 판단이 옳았다는 것은 누구나 인정하는 사실이지만, 그렇다고 해도 눈앞의 불이익을 감수하면서까지, 더욱이 프랑스 지성계의 외톨이로 '전락'하는 시련과 고통을 감내하면서까지, 자신의 신념을 끝까지 견지했던 점을 과연 어떻게 설명해야 할 것인가? 사르트르를 비롯한 프랑스 좌파 지성인들은 카뮈보다 지적 능력이나 판단력 또는 예지력이 모자랐던 것일까? 사르트르는 카뮈보다 학식이나 지성에서 더 뛰어나다고 생각하지 않았던가? 과연 무엇이 카뮈로 하여금 스스로 외톨이 신세로 전락하게 했던 것일까?

답은 위에 제시된 카뮈의 글들에 이미 나와 있다. 카뮈가 지성인으로서 가장 소중하게 여기던 덕목은 바로 "지적 정직성"[13]이었다. 정직함은 어디에서 나오는가? 지식에서? 이성의 힘에서? 아니면, 인간의 가슴에서? 그렇다. 굳이 표현하자면, 카뮈는 이성이 아니라 가슴으로, 정신이 아니라 육신으로 시대를 느끼며 살아가는 인간이었다. 이성은 거짓을 행할 수도 있지만, 몸은 거짓말을 하지 못한다. 산문집 『결혼』의 작가 카뮈는 이성의 인간이 아니라 몸의 인간이었다. 그는 "그렇게 몸 가까이에서, 몸을 통해서 살다 보니, 몸에도 자기 뉘앙스와 자기 삶이 있고, 난센스를 무릅쓰고 말한다면, 몸에도 고유한 심리학이 있다"[14]라고 하지 않았던가. 바로 이 점에서 그는 사르트르와는 다른 인간이었다. 그는 『구토』의 로캉탱이 아니라 『이인』의 뫼르소였다. "의혹의 어두운 그림자를 드리우지 않는 태양을 사랑하는, 가난하고 숨길 것 없는 인간"[15]이었다. 롤랑 바르트의 표현을 빌리면, "몸이 태양에 예속된 인간"[16]이었다. 사르트르도 「알베르 카뮈에게 보내는 답장」에서 카뮈를 "어머니와 정부를 사랑한다고 말하기를 거부할 정도로 정직함을 추구하던 뫼르소, 우리 사회가 사형에 처했던 그 뫼르소"에 비유하지 않았던가.

카뮈는 『이인』의 미국판 서문에서 뫼르소에 대해 다음과 같이 상세하게 설명한 바 있다. "이 책의 주인공은 연기를 하지 않기 때문에 사형선고를 받는 것이다. [⋯] 그렇기 때문에 독자들은 그를 낙오자로 간주하려 한다. 하지만 뫼르소가 어떤 점에서 연기를 하지 않는 것인가라고 자문해 보면, 독자들은 이 인물에 대해 훨씬 더 정확한, 아무튼 저자의 의도에 훨씬 더 적합한 이해를 하게 될 것이다. 대답은 간단하다. 그는 거짓말하기를 거부한다. 거짓말이란 단지 있지도 않은 사실을 있다고 말하는 것만이 아니다. 거짓말이란 또한, 그리고 특히, 있는 그대로보다 그 이상을 말하는 것이기도 하다. 인간 심성과 관련해서는, 느끼는 것 이상의 것을 말하는 것이다. 이것이 바로 우리 모두가 날마다 간편하게 살아가기 위해서 하는 짓이다. 겉으로 보기와는 달리, 뫼르소는 삶을 간편하게 살아가려 하지 않는다. 그는 있는 그대로의 자기를 말한다. 그는 자기감정에 덧칠하는 걸 거부한다. 즉각적으로 사회는 위협당한다고 느낀다."[17] 이 대답을 들으면서 뫼르소가 떠오르기보다는, "간편하게" 살기를 거부하고 사회를 "위협"했던 『반항인』의 저자가 떠오르는 까닭은 무엇일까?

카뮈의 설명을 더 들어보기로 하자. "따라서 내가 보기에, 뫼르소는 낙오자가 아니라, 의혹의 어두운 그림자를 드리우지 않는 태양을 사랑하는, 가난하고 숨길 것 없는 인간이다. 모든 감수성을 상실하기는커녕, 심오한 열정이, 왜냐하면 뿌리 깊은 열정이기에, 그에게 깃들어 있다. 절대와 진실에 대한 열정이다. 살면서 느끼는 진실이어서 불확실한 진실이기는 하지만, 그런 진실이 없다면, 자기와 세계에 대한 정복은 결코 가능할 수 없을 것이다."[18] 뫼르소가 "낙오자"가 아니라 "이인(異人)"[19]이었듯이, 그리고 뫼르소가 "절대와 진실"에 대한 "뿌리 깊은 열정"으로 "살면서 느끼는 진실"을 "있는 그대로" 말했듯이, 카뮈 역시 그런 인간이었다. 그래서 『이인』의 작가는 뫼르소가 "어떤 영웅적인 태도도 없이, 진실을 위해 죽음을 받아들이는 인간"[20]이기에 "우리가 섬길 만한 유일한 십자가의 그리스도"[21]라고 지칭했다. 그렇다. "진실"에 대한 "심오한 열정"으로 "진실을 위해" 외로이 십자가를 졌던 지성인 카뮈는 어쩌면 '유일한 십자가의 지성인'일지도 모른다. 적어도, 20세기 역사는 마르크시즘의 진실을 고발했던 지성인 카뮈가 '사막에서 외치던 예언자'였음을 입증하고 있다. 1951년 어느 날의 작가수첩에는 다음과 같은 단상이 적혀 있다.

"진실은 하나의 미덕이 아니라 열정이다. 그러기에 진실은 결코 자비롭지 않다."[22]

3부

제3기(1952-1960) :

사막, 영광 그리고 죽음

『반항인』 출간을 앞둔 1951년 6월 어느 날의 작가수첩에는 이런 메모가 있다. "내가 좋아하는 낱말 10개가 무엇인지라는 질문에 대한 대답 : 세계, 고통, 대지, 어머니, 인간들, 사막, 명예, 가난, 여름, 바다."[1] 불혹의 나이에 가까운 카뮈의 내면을 충분히 짐작케 해 주는 낱말들이다. 세계를 등질 수 없는 작가로서 자신의 명예를 지킬 수 있어야 하고, 신을 믿지 않는 인간으로서 이 대지의 인간들이 겪는 고통도 외면할 수 없고, 프롤레타리아 지성인으로서 가난과 어머니를 부정할 수 없고, 태양의 자식으로서 여름과 바다를 사랑하지 않을 수 없었다. 그러나 그는 무엇보다도 사막 한가운데에 홀로 서 있었다. 『반항인』의 저자는 공산주의 이데올로기의 허실을 혼자서 외로이 '사막에서 외치는 목소리(Vox clamantis in deserto)'였다.

1952년 8월 사르트르와의 결별은 카뮈에게 씻을 수 없는 상처를 안겨 주었다. 장 블록-미셸의 증언에 의하면, 이 시기의 카뮈가 느꼈던 가장 큰 아픔이 사르트르와의 우정에 대한 환상을 떨쳐 버리는 것이었다고 한다.[2] 물론 사르트르와의 결별만이 그를 외로움에 빠트린 것은 아니었다. 『반항인』으로 인해 너무 많은 공격을 받았다. 심신도 지칠 대로 지쳐 있었다. 특히, 아내 프랑신의 심각한 우울증 때문에 1953년 한 해를 거의 아내의 병구완에 바쳐야 했다. 사적으로도 그렇고, 공적으로도 그렇고, 그는 한동안 고독과 침묵의 세월을 보내야 했다. 1956년 세 번째 소설 『전락』을 출판하기 전까지의 기간을 흔히 '사막 횡단(traversée du désert)'이라고 부르는 이유도 바로 여기에 있다. 집필 활동도 그다지 활발하지 못했다. 몇몇 번안극을 제외하면, 1954년에 세 번째 산문집 『여름』을 출간한 게 전부였다.

카뮈는 1955년 5월부터 1956년 2월까지 〈렉스프레스(*L'Express*)〉지의 논설위원으로 총 35편의 사설을 게재했다. 그의 기자생활 3기에 해당하는 이 시기는 알제리 전쟁이 발발한 직후여서 알제리와 관련된 사설들이 주를 이루고 있는데, 특히 그가 그토록 매달렸던 "민간 휴전"과 관련된 입장을 대변하고 있는 글들이다. 카뮈는 1957년에 "오늘날 인간의 양심에 제기되는 문제들을 조명하고 있는 중요한 문학작품들"을 발표한 공로로 노벨 문학상을 수상했다. 1957년 12월 10일 노벨상 수상 연설과 나흘 뒤인 웁살라 대학 기념 강연에서 카뮈가 선택한 주제는 '예술가와 시대'였는데, 이듬해 『스웨덴 연설문』이라는 제목으로 출간된 이 책은 지성인의 시대적 사명에 관한 그의 신념을 담고 있다.

1960년 1월 4일, 카뮈는 불의의 교통사고로 마흔일곱의 젊은 나이에 한살이를 마감했고, 그의 유해는 이틀 후인 1월 6일 루르마랭 묘지에 안장되었다. 오늘날에도 "알베르 카뮈 1913-1960"이라고 새겨진 아주 초라한 돌비석만이 그의 무덤을 지키고 있다.

3.1. 사막 횡단

3.1.1. 고립과 침묵

『반항인』 논쟁 시에 대부분의 언론들은 승자로 사르트르의 손을 들어주었다. 그와 가깝게 지내던 지성인들도, 그것도 사석에서조차도, 『반항인』에 대한 거부감을 나타냈다. 카뮈는 사면초가에 몰린 신세였다. 심지어 갈리마르 출판사 내에서도 그를 옹호하는 사람들을 찾아볼 수 없었다. 쾌활한 성격에다 입담이 좋아 출판사 직원들과 곧잘 농담을 주고받던 그였다. 하지만 이제 그에게는 말 붙일 사람도, 말을 붙이고 싶은 사람도 없었다. 모두가 적이었다. 모두가 그를 조롱했다. 선망과 존경의 대상이던 그가 하루아침에 조롱의 대상으로 전락한 것이었다. 출판사를 나서서도 생-제르맹-데-프레의 카페들은 물론이고 몽파르나스의 돔, 쿠폴, 팔레트 등 사르트르가 자주 다니는 카페에는 얼굴조차 내밀 수 없었다.

사르트르와의 결별 직후인 1952년 9월 5일 아내 프랑신에게 쓴 편지에서 카뮈는 자신의 처지를 다음과 같이 한탄하고 있다. "정말이지 난 이 몹쓸 놈의 책 때문에 혹독한 대가를 치르고 있어요. 오늘 난 이 몹쓸 놈에 대해 전적으로 회의하고 있어요. 그리고 이 몹쓸 놈을 너무나 닮은 나에 대해서도 말이에요."[1] 한 달이 지난 9월 17일자 편지에서도 그는 외로운 심경을 솔직하게 토로하고 있다. "최근에는 내내 거의 혼자서 지냈어요. […] 하지만 사람들이 나의 인격을 심판하고 있다고 해도, 난 할 말이 하나도 없어요. 어떤 방어를 해 봐야 변명일 테니까. 놀라운 사실은 오랫동안 억제했던 나에 대한 혐오감을 이렇게 폭발하고 있다는 거예요. 이것은 곧 저들이 나의 친구들이 결코 아니었다는 사실과 내가 저들을 늘 자극했거나 저들에게 상처를 주었다는 사실을 입증하고 있어요. […] 한마디로 관계를 끊을 줄 알아야 해요. 그래요. 바로 이거예요. 하지만 원한은 품지 말고 말이에요."[2]

이제 카뮈 곁에 남아 있는 친구들이라고는 언어철학자 브리스 파랭, 기자 장-클로드 브리스빌, 작가 루이 기유, 시인 르네 샤르 등 "묻지 마 4인방(le carré des inconditionnels)"[3] 정도였다. 물론, 그를 지지하는 지성인들도 있었다. 장 폴랑은 편지로 카뮈의 편에 있음을 알려 왔고, 카뮈는 폴랑에게 보낸 1952년 9월 17일자 답장에서 "제가 조금은 귀하 덕분에 소위 작가가 된 이후로, 동료 작가들은 끊임없이 제게 놀라움을 안겨 주었습니다. 때로는 저에 대한 찬사 때문이었는데, 이건 사실입니다. 그런데 지금은 정반대입니다. 양쪽의 경우 모두 제 부족함을 느끼고 있습니다"[4]라고 토로했다. 또한, 카뮈를 적극적으로 옹호하는 예외적인 경우도 있었다. 한나 아렌트는 사르트르와의 논쟁이 벌어지기 전인 1952년 4월 21일자 카뮈에게 보낸 편지에서 "귀하의 책을 읽었는데, 전 아주 좋아하고 있습니다"[5]라고 평했고, 당시 아르헨티나에 망명 중이던 폴란드 출신의 작가 비톨드 곰브로비치는 『반항인』을 읽고 나서 친구인 시인 체슬라브 밀로즈에게 자신의 책들을 카뮈에게 보내 달라고 부탁했을 뿐만 아니라, 직접 카뮈에게 편지를 보내 "우리는 똑같은 투쟁에 참여하고 있는 것 같습니다"[6]라고 동조 의사를 전했다. 곰브로비치는 자신의 일기에도 『반항인』에 대한 장문의 소감을 털어놓았는데, "사실 이보다 더 인간 적이고 더 숭고한 작품, 그리고 이보다 더 열정적으로 인간의 입장을 지 지하는 작품은 드물다"[7]면서 "내가 진심으로 인정하고자 하는 작품"[8]이 기에 "나는 아주 기꺼이 가담하고, 지지하고, 동의하고, 감탄한다"[9]고 했 다.

그러나 간간히 외국에서 날아오는 소총수의 지원사격은 국내의 대규 모 폭격 앞에서는 속수무책일 수밖에 없었다. 카뮈는 『시지프 신화』에 서 "만일 달랑 대검을 들고서 기관총 무리를 향해 돌격하는 사람을 본 다면, 나는 그의 행동이 부조리하다고 판단할 것이다"[10]라고 일상적 의 미의 부조리 개념을 설명한 바 있는데, 『반항인』 사건에 휘말린 카뮈 자 신이 꼭 그런 형국이었다. '지적 정직성'이라는 '백병(l'arme blanche)'을 달랑 들고서 혈혈단신으로 공산주의 이데올로기로 무장한 철옹성을 향 해 돌진한 꼴이나 다름없었다. 또한 카뮈는 같은 책에서 "인간 자체의 비인간성 앞에서 느끼는 그 불편함, 우리 자신의 현재 모습과 마주해서 발견하는 이 끝도 없는 추락, 우리 시대의 어느 작가가 명명한 것과 같 은 이 '구역질(nausée)'[11], 이것 역시 부조리이다"[12]라고도 한 바 있다. 카 뮈가 언급한 "우리 시대의 어느 작가"는 물론 『구토(La Nausée)』의 저자 인 사르트르였다. 그리고 "인간 자체의 비인간성 앞에서 느끼는 그 불편 함"과 "우리 자신의 현재 모습과 마주해서 발견하는 이 끝도 없는 추락 (chute)"은 소설 『전락(La Chute)』의 줄거리에 해당한다. 『시지프 신화』 의 작가는 이미 작품 『전락』의 탄생을 예고했던 것일까? 물론 아닐 것이 다. 하지만 『반항인』의 저자가 "부조리" 그 자체와 직면해 있던 것만은 사실이다.

카뮈는 『반항인』이 몰고 올 재앙을 예상하고 있었던 것일까? 올리비 에 토드에 의하면, 『반항인』 출간 며칠 전에 카뮈는 친구인 장-클로드 브리스빌과 함께 점심을 한 뒤 헤어지면서 다음과 같이 말했다고 한다.

"우리 악수나 하자. 며칠 후면, 내게 손을 내밀 사람들이 그리 많지 않을 테니까."[13] 그리고 『반항인』 출간 직후인 1951년 12월 작가수첩에는 다음과 같은 짧막한 메모가 적혀 있다. "51년 12월. 나는 천천히 닥쳐올 재앙을 끈기 있게 기다리고 있다."[14] 또한, 사르트르와의 논쟁 직후인 1952년 9월의 작가수첩에서 카뮈는 "52년 9월. 〈현대〉지와의 논쟁. 잡지 〈예술〉, 〈카르푸르〉, 〈리바롤〉의 공격들. 파리는 정글이다. 그런데 야수들은 시원찮다"라는 메모에 이어 "혁명 정신으로 갑자기 출세한 자들. 신흥 부자들과 정의의 바리새인들. 사르트르, 비열한 인간과 비열한 정신"[15]이라며 사르트르에 대한 노골적인 반감을 표현했다. 뿐만 아니라, 카뮈는 "〈현대〉지와의 논쟁. 악당 짓거리들. 저들의 유일한 변명은 이 끔찍한 시대에 있다. 결국, 그들 마음속의 무언가가 종속을 열망하고 있다. 그들은 사색으로 가득한 어떤 숭고한 길을 통해서 종속에로 다가가기를 꿈꿔 왔다. 하지만 종속에는 왕도가 없는 법이다. 속임수, 욕설, 형제에 대한 모함이 있을 뿐이다"[16]면서 사르트르와 그 무리들의 행태를 비난함과 동시에 그들의 공산당에 대한 "종속"을 비판했다. 1953년 1월 15일자 클로드 라바르에게 보낸 편지에서는 "저는 사르트르의 정직성을 더이상 신뢰하지 않습니다. 지금 저는 아무런 분노의 감정 없이 말씀 드리고 있습니다. 이제 저는 사르트르가 그의 친구들과 마찬가지로 조작과 거짓말을 할 수 있다는 사실을 알고 있습니다"[17]라며 사르트르의 위선을 직설적으로 지적했다.

이듬해인 1953년 봄에 작성된 작가수첩을 보면 "내 직업과 내 소질에 대한 두려움. 충실하자니 무한(無限)이고, 불충하자니 무(無)이다"[18]라고 작가로서의 근본적인 회의에 빠질 만큼 작품 집필의 어려움을 토로하고 있다. 같은 해 7월의 작가수첩에는 "이를테면 문학 분야에서 작가에게 글을 쓰지 못하도록 훼방 놓는 것은 저들의 끊임없는 관심사이다. 어느 출판사 내부에서 감염될 수 있는 작가들의 증오"[19]라고 적혀 있는데,

아마도 갈리마르 출판사 내부의 당시 상황을 빗댄 것이 아닐까 한다. 다음 달인 8월의 작가수첩에서도 "53년 8월. 문단의 천박한 인사나 정당의 하수인으로부터 모욕을 당하고서도 반발조차 하지 못하는 고상한 직업"[20]이라는 자조 섞인 표현으로 자신의 직업을 탓하고 있다. 이 시기의 작가수첩을 보면, "용서를 구하는 지성인"[21], "정직한 체하면서도 실제로는 그렇지 못한 그의 비열한 행태를 비난해야 한다"[22], "인간이 가장 참기 어려운 일은 심판을 받는 것이다"[23], "좌파 지성인들의 반역. 그들의 진정한 목표가 소련의 혁명 원칙을 고수하면서 점진적으로 그 폐해들을 고쳐 나가는 것이라고 한다면, 러시아 정부가 전체주의적 사고방식들을 포기할 이유가 어디 있겠는가? 러시아 정부는 그 폐해들은 늘 용서받을 것이라는 사실을 미리 알고 있는데 말이다. 사실은 서구 좌파인들의 솔직한 반대만이 러시아 정부를 굴복시킬 수 있다"[24]라는 메모들을 읽을 수 있는데, 소설 『전락』의 주제들이 암시되어 있고, 특히 마지막 인용문은 『반항인』 사건에도 불구하고 공산주의 이데올로기에 대한 카뮈의 지론이 하나도 달라지지 않았음을 알려 주고 있다.

이와 관련하여, 카뮈는 1953년 7월의 작가수첩에서 다음과 같이 토로했다. "내가 늘 거짓말을 거부해 왔던 이유는, 하기야 거짓말을 하려고 애써 봐야 그럴 능력도 없긴 하지만, 결코 외로움을 받아들일 수 없었기 때문이다. 하지만 이제는 외로움도 받아들여야만 한다."[25] 참담한 고백이다. "거짓말"을 하지 않기 위해서 『반항인』을 집필했는데, 그에게 돌아온 것은 "외로움"뿐이었다. 같은 시기에 작성된 작가수첩에는 이런 메모도 있다. "몽테를랑에 의하면, 진정한 창조자는 친구 없는 삶을 꿈꾸는 법이다."[26] 『반항인』 논쟁 이후 "친구 없는 삶"을 살아야 했던 카뮈가 『전락』과 더불어 "진정한 창조자"로 거듭 탄생하려 했던 것일까? 아무튼, 1954년 11월의 작가수첩에는 이런 단상이 있다. "렘브란트. 1642년 36세까지는 명성을 떨침. 그 이후부터는 외로움의 행보와 가난. 희귀한 경험이고, 무명 예술가의 흔한 경험보다 훨씬 더 의미심장한 경험. 그런 경험에 대해서는 지금까지 어느 누구도 한 마디도 하지 않았다."[27] 렘브란트가 서른여섯까지 영광을 누렸다면, 자신은 서른아홉까지 누린 셈이었다. 중요한 것은 그 이후로 외로운 나날을 보냈던 렘브란트에 대해서는 아무도 말을 하지 않았다는 사실이다. 그 자신이 나서서 '외로운 렘브란트'의 "희귀한 경험"에 대해서 이야기할 것인가?

카뮈가 자신의 신세를 렘브란트의 신세에 비유하기 이전에, 사르트르가 『반항인』 사건 당시 「알베르 카뮈에게 보내는 답장」에서 "자네의 요지는 한 수 가르치겠다는 거네. […] 자네는 장송의 글에서 우리 사회를 좀먹고 있는 병의 증후를 발견하고서 현학적인 병리학 강의의 주제로 삼고 있네. 난 렘브란트의 그림을 보고 있는 것 같네. 자네는 의사이고, 장송은 주검이네"[28]라면서 카뮈를 렘브란트의 그림에 비유했던 사실은 매우 흥미롭다. 사르트르가 언급한 렘브란트의 그림은 바로 저 유명한 『니콜라스 툴프 박사의 해부학 강의』인데, 카뮈는 『전락』에서 선량한 네덜란드인들의 유일한 취미가 이따금 "해부학 강의들"을 듣는 것이라고 에둘러 언급하고 있다. 아무튼, 자신을 렘브란트에 비유한 카뮈가 『전락』의 무대를 렘브란트의 도시인 암스테르담으로 설정한 것은 그저 우연의 결과가 아닐지도 모른다. 카뮈는 1954년 10월 초 나흘간의 여정으로 네덜란드를 방문했는데, 작가수첩을 보면 "늘 비에 젖어 있는 암스테르담"이라는 표현과 "사심 없는 두 눈으로 영원한 조국을 바라보는 노형(老兄) 렘브란트의 침묵"[29]이라는 표현을 읽을 수 있다. 무엇보다도 렘브란트를 "노형(le vieux frère)"이라고 지칭하면서 그의 "침묵"을 언급하고 있는 사실이 눈에 띈다. 그리고 카뮈는 두 달이 지난 12월 14일자 작가수첩에 "실존주의. 그들이 자신을 비난할 때, 그것은 항상 남들을 비방하기 위한 것이라고 확신할 수 있다. 고해하는 심판자들(juges pénitents)"[30]이라는 메모를 했는데, 장-바티스트 클라망스가 자신의 직업이라고 소개하는 "고해자-심판자(juge-pénitent)"[31]라는 표현이 처음으로 사용되고 있다는 사실은 주목할 만하다. 아마도 이 시기에 막연하게나마 소설 『전락』을 구상하고 있었거나, 아니면 적어도 이 작품의 소재들이 작가의 상상력에 삽입되어 있었던 것 같다.

3.1.2. 사막의 예언자 장-바티스트 클라망스

『전락』의 주인공 장-바티스트 클라망스(Jean-Baptiste Clamence)는 그 이름과 성 자체만으로도 의미심장한 상징성을 담고 있다. 이름 장-바티스트(Jean-Baptiste)는 사막에 피신해서 금욕 생활을 했고, 나자렛 예수의 재림을 예고했고, 세례를 받으러 찾아온 예수에게 세례를 주었고, 예수를 '하느님의 어린 양'이라 명명했던 예언자 세례 요한(Jean le Baptiste)에서 따온 것이다. 그리고 이 '하느님의 어린 양'이라는 표현은 15세기 네덜란드의 형제 화가 반 아이크의 작품 『하느님의 어린 양』[32]과 연결된다. 이 작품은 상부 7편의 그림과 하부 5편의 그림으로 이루어진 제단화로 상부의 중앙에 왕관을 쓰고 앉아 있는 그리스도왕(Christ-Roi)을 중심으로 왼쪽(관람자의 시각으로 볼 때)에는 성모 마리아, 오른쪽에는 세례 요한이 앉아 있다. 또한 하부의 맨 왼쪽 그림인 「청렴한 심판자들」은 1934년에 도난당한 후 지금까지 원본을 되찾지 못했는데, 클라망스는 자신이 바로 이 「청렴한 심판자들」의 도난 사건에 연루되어 있다고 자백한다. 「청렴한 심판자들」의 절도범이라는 고백은 의미심장한 뭔가를 암시하고 있다.

그리고 성(姓) 클라망스(Clamence)는 마태복음 3장 3절에 나오는 세례 요한의 말 "사막에서 외치는 목소리(*Vox clamantis in deserto*)"의 '*clamantis*'를 변형해서 '외치는 자'의 의미로 카뮈가 지어 낸 성이다. 이처럼 장-바티스트 클라망스라는 『전락』의 주인공은 그 인명(人名) 자체만으로도 복합적이고 상징적인 의미들을 담고 있는 인물이다. 한 가지 흥미 있는 점은, 장-폴 사르트르의 아버지 이름이 장-바티스트 사르트르였는데, 카뮈가 이 사실을 염두에 두고 주인공의 이름을 정했는지는 알 수 없다. 아무튼, 클라망스 자신이 자신을 "사막에서 외치는 사이비 예언자"[33]라고 지칭하고 있는데, 이것은 곧 장-바티스트가 "사이비 예언자"라는 말이다. 참고로, 1958년에 한 벨기에 여학생이 "장-바티스트 클라망스라는 이름은 복음서의 세례 요한과의 유사성 때문에 선택된 것이고, 클라망스는 '외치는 자'를 의미합니까?"라고 서면으로 문의하자, 카뮈는 "그렇습니다. 클라망스와 관련해서는 말놀이가 있고, 그 뜻은 귀하가 말한 대로입니다"[34]라고 답변한 바 있다.

장-바티스트 클라망스라는 이름과 관련하여 흥미 있는 사실 한 가지만 더 상기하기로 하자. 클라망스는 자신의 명함에 "장-바티스트 클라망스, 배우"[35]라고 적혀 있다고 소개한다. 클라망스가 파리에서 활동했던 전직 변호사이고, 지금은 암스테르담에서 공개 고백을 하는 고해자-심판자임을 상기하면, 명함에 새겨진 "배우(comédien)"라는 그의 정체성 자체에도 어떤 상징성이 내포되어 있다. 두 가지 추론을 해 볼 수 있다. 첫째로, 프랑스어 '배우'라는 낱말에는 '위선자'의 의미도 있기 때문에, 장-바티스트 클라망스는 '위선자'라는 정체성을 가진 인물임을 암시하고 있다. 둘째로, 카뮈가 좋아하던 배우이자 희극작가인 몰리에르를 떠올릴 수 있는데, 몰리에르의 본명이 장-바티스트 포클랭(Jean-Baptiste Poquelin)이기 때문이다.

공교롭게도, 사르트르는 『반항인』논쟁 시 「알베르 카뮈에게 보내는 답장」의 모두에서 몰리에르의 희극 『학식을 뽐내는 여인들』에 나오는 두 인물인 트리소탱과 바디위스를 거명하면서 "자네는 트리소탱을 연기하고, 나는 바디위스를 연기하게 될"[36] 논쟁이라고 빗대어 말했었다. 시

인이면서 철학과 천문학에 이르기까지 박학다식한 트리소탱은 겉으로
는 온순하고 페미니스트인 체하지만, 실제로는 냉혈하고 포악한 심성에
다 오로지 재물과 관능에 대한 탐욕에 눈이 먼 위선자이다. 그런 까닭에
흔히 타르튀프에 비유되는 트리소탱(Trissotin)은 몰리에르가 지어낸 성
(姓)으로 "세 배나 멍청한 놈(trois fois sot)"이라는 의미를 담고 있다. 그
리고 바디위스는 트리소탱의 공모자로 현학자인 체하지만, 실제로는 잘
못 배워서 형편없는데다가 허풍이나 떠는 우스꽝스럽고 무분별한 인물
이다. 몰리에르가 『인간 혐오자』를 혹평했던 실제 인물인 아카데미시엥
샤를 코탱(Charles Cotin)을 트리소탱으로, 그리고 당시 통속적인 문인으
로 유명세를 떨치던 질 메나지(Gilles Ménage)를 바디위스로 희화화시켰
다는 것은 잘 알려진 사실이다. 따라서 몰리에르의 작품 『학식을 뽐내는
여인들』이 『인간 혐오자』 논쟁에서 나온 작품이라는 사실을 감안하면,
사르트르가 자신을 바디위스에, 그리고 카뮈를 트리소탱에 비유한 점은
아주 묘한 뉘앙스를 풍긴다. 아무튼, 장-바티스트 클라망스라는 이름만
으로도 사르트르와의 논쟁을 연상시킬 수 있는 요소들이 많다는 사실은
『전락』이 『반항인』 논쟁과 무관하지 않은 작품임을 보여 주는 반증이라
고 할 수 있다. 몰리에르의 희극 『학식을 뽐내는 여인들』이 『인간 혐오
자』 논쟁에서 나온 작품이듯이 말이다.

거의 4년 동안에 걸친 사막 횡단의 시간 끝에, 카뮈는 1956년 5월 16
일 『전락』을 출간했다. 초판 16,500부를 시작으로 재판이 거듭되어 그
해 11월에는 이미 126,500부가 팔렸다. 대단한 성공이었다. 클라망스가
거론하는 "겁쟁이 철학자"나 "부정(不貞)한 휴머니스트"나 "파리의 제
동료들"이 누구를 지칭하는지, 또는 "우리 지도층의 냉혹한 심성과 우리
엘리트들의 위선"이 무엇을 의미하는지, 더 나아가 "우리의 직업적인 휴
머니스트들이 모이던 특정 카페들"이 어디를 지목하는지 간파한 독자들
은 고립과 침묵에 빠져 있던 카뮈가 마침내 "좌파 지성인들의 반역"[37]에

대한 역공에 나섰음을 어렵지 않게 읽어 낼 수 있었다. 언론의 서평들도 극히 일부를 제외하고는 매우 호의적이었다. 특히, 클라망스의 화려하고 치밀한 언어 놀이에, 즉 드러내는 듯하면서도 감추고, 감추는 듯하면서도 드러내는 언어의 마술에, 진실과 거짓의 경계를 교묘히 넘나드는 언어의 곡예에, 그리고 빈정거리며 폐부를 찌르는 촌철살인의 언어유희에 찬사를 보내는 한편, 그의 자화상에는 카뮈의 실루엣과 사르트르의 실루엣이 짙게 투영되어 있다는 사실을 지적하지 않을 수 없었다.

흥미로운 사실은 사르트르가 『전락』을 카뮈의 작품들 중에서 "아마도 가장 훌륭한 작품인데도 이해가 가장 잘 안 된 작품"[38]이라고 높이 평가했다는 것이다. 올리비에 토드의 증언에 따르면, 『전락』에 "열광한" 사르트르는 "카뮈가 이 작품 속에서 자신을 온통 드러내면서도 전적으로 감추고 있기에, 카뮈의 최고작은 아닐지라도 한 편의 걸작"[39]이라고 평가했는데, 올리비에 토드는 이 표현을 사르트르에게서 직접 적어도 네 번은 들었다고 한다. 물론, 사르트르만이 이런 평가를 내린 것은 아니다. "카뮈의 작품들 중에서 가장 완벽한 작품"[40], "아마도 이 소설에서 최고도로 자유자재의 경지에 도달한 글쓰기 예술의 경이로운 솜씨"[41], "프랑스 산문의 암반을 조탁한 위대한 책"[42], "작가의 문체가 완벽의 경지에 이른 것 같았다"[43] 등등의 평가에서도 보듯이, 『전락』은 글쓰기 차원에서 볼 때 문학 언어가 구현할 수 있는 최고의 경지에 이른 작품이다. 특히, 모리스 블랑쇼가 지적했듯이, 수사학 용어로 반어법(ironie), 즉 빈정거리며 비꼬는 말투가 이처럼 극단적으로 완벽하게 구사된 작품은 찾아볼 수 없다고 해도 과언이 아니다. 거꾸로 말하면, 『전락』은 완벽한 만큼이나 이해하기 어려운 작품일 수도 있다는 것이다.

한편, 지성인 사르트르가 자신의 의지와는 무관하게 작품 『전락』의 탄생에 기여했다는 사실은 공공연한 비밀, 즉 폴리쉬넬의 비밀(le secret de Polichinelle)에 속한다. 왜냐하면 「사르트르와 장송의 공저 『전락』」[44]

이라는 장니브 게랭의 논문 제목에서도 보듯이, 흔히 『전락』은 1952년
에 벌어졌던 사르트르와의 『반항인』 논쟁에서 빚어진 작품으로 규정되
고 있기 때문이다. 자클린 레비-발렌시는 "알다시피, 『전락』은 부분적
으로 논쟁적인 작품이다. 아마도 『반항인』이 야기했던 논쟁이 없었더라
면 탄생하지 않았을 작품이다"[45]라고 지적했고, 로제 그르니에는 "『반항
인』과 더불어 이데올로기적 갈등을 심하게 겪은 이후, 카뮈는 고립과 은
거의 시간을 보냈다. 『전락』은 바로 그 쓴 열매라고 말할 수 있다"[46]라고
지적하기도 했다. 물론, 이러한 해석은 작품 자체의 무한한 의미 지평을
제한해 버린다는 비판을 면할 수 없을지도 모른다. 하지만 모든 문학작
품은 그 시대의 산물이라는 대원칙 하에서 보면, 『전락』을 작가의 시대
상황에 결부시켜 읽는 것은 얼마든지 가능한 일이다.

　이와 관련하여 르네 지라르는 다음과 같이 지적한 바 있다. "작가의
창조 과정은 우리 시대의 중요한 문학 주제들 가운데 하나이다. 으뜸가
는 주제는 아니지만 말이다. 『페스트』의 의사와 마찬가지로, 『전락』의
변호사는 적어도 어떤 면에서는 창조자를 대변하는 알레고리이다. 이러
한 주장이 작가와 작품을 순진하게 혼동하는 데서 나온 것이라는 구실
때문에 배제되어야만 하는 것일까? 전기의 '함정'에 빠지지 않으려는 두
려움이 문학적 창조가 제기하는 진정으로 근본적인 문제들을 호도하는
구실이 되어서는 안 된다. 그러한 두려움 자체가 순진함의 소치이다. 왜
냐하면 그러한 두려움은 작가와 작품 사이의 관계가 부득불 '전부 아니
면 전무'라는 전제에서 나오기 때문이다. 내가 '클라망스는 알베르 카뮈
이다'라고 할 때, 나는 둘이 동일자라고 주장하는 게 아니다. 원본이 복
사본과 동일하다는 의미에서의, 또는 '여행자의 얼굴이 여권에 있는 사
진과 똑같다'라는 의미에서의 동일성을 말하는 게 아니다."[47] 아주 적절
한 지적이다. 물론, 모든 문학작품이 작가의 삶을 그리고 있는 것은 아
니지만, 작가의 삶이 짙게 투영된 작품들은 얼마든지 있다. 단, 설령 그

런 작품이라고 하더라도, 작가와 작품을 완전한 동일성 관계에 있다고 주장하지 않으면서, 작가의 삶을 빌려 작품을 해석하는 작업은 다른 읽기들과 마찬가지로 하나의 읽기일 수 있다.

카뮈는 매우 이례적으로 자신이 직접 작성하고 서명까지 덧붙여 『전락』의 겉표지 뒷날개에 인쇄되었던 「작품 해설」에서 다음과 같이 밝히고 있다.

『전락』에서 떠들고 있는 인간은 계산된 고백에 몰두하고 있다. 운하와 차가운 햇살의 도시인 암스테르담에 피신해서 은둔자이자 예언자인 양 처신하고 있는 이 전직 변호사는 불결한 술집에서 자기 말을 기꺼이 들어줄 사람들을 기다리고 있다.

그는 현대인의 심성을 지니고 있다. 다시 말해서, 심판당하는 걸 참을 수 없다. 그러기에 그는 서둘러 자기 자신을 비난하고 있는데, 남들을 더욱 확실하게 심판하기 위한 것이다. 그는 끝내 자신의 모습이 비친 거울을 남들에게 들이대고 만다.

고백은 어디에서부터 시작되고 있을까? 아니면, 고발은 어디에서부터 시작되고 있을까? 이 책에서 떠벌리고 있는 자는 자기 자신을 비난하는 것일까? 아니면, 자기 시대를 비판하는 것일까? 그는 특별한 사례일까? 아니면, 화제의 인물일까? 아무튼 이 치밀한 거울놀이에 단 하나의 진실이 있다면, 그것은 고통과 이 고통에 뒤따르는 것이다.[48]

우회적인 표현이긴 하지만, "화제의 인물"이라는 표현이나, 클라망스의 "계산된 고백"에 담겨 있는 "단 하나의 진실"이 "고통과 이 고통에 뒤따르는 것"이라는 표현을 읽으면서, 독자들은 카뮈가 사르트르와의 논쟁에서 받았던 씻을 수 없는 상처의 "고통"을 연상하지 않을 수 없을 것이다. 왜냐하면 1951년 10월 『반항인』 출간 이후부터 1952년 8월 사르트르와의 논쟁이 벌어져 프랑스 지성계가 온통 술렁이기까지, 카뮈는 한동 안 "화제의 인물"이었을 뿐만 아니라, 사르트르와의 결별 이후에는 프랑 스 지성계에서 완전히 고립되어 『전락』을 출간할 때까지, 소위 사막 횡 단의 시기를 보내야 했던 사실이 떠오르기 때문이다. 또한, 2차 대전 이 후 프랑스 좌파 지성계를 장악했던 공산당계 지성인들과 친공산당계 지 성인들에 맞서서 혈혈단신으로 마르크스주의를 비판함으로써 고립을 자초했던 사실을 상기하면, 카뮈는 "특별한 사례"이기도 했다. 그렇다고 해서 작가 카뮈와 인물 클라망스를 동일시해서는 안 될 것이다. "역겨운 고백"[49]이든, 아니면 "방자한 고백"[50]이든, 고백의 주인공은 카뮈가 아니 라 클라망스이기 때문이다. 하지만 클라망스의 "고백"은 동시대인들을 "고발"하기 위한 "초상화"를 그린 후, 그 초상화를 동시대인들에게 들 이대는 명확한 목적을 두고 있기에, 그가 그린 초상화에서 동시대인들 의 얼굴 또는 "가면"을 볼 수 있는 것도 사실이다. 말하자면, 시몬 드 보 부아르의 소설 『레 망다랭』이 카뮈와 사르트르를 가장한 앙리와 로베르 를 중심으로 2차 대전 직후의 파리 지성계를 그리고 있듯이, 『전락』에는 『반항인』 논쟁과 관련된 일화들이 포함되어 있다는 것이다.

　『전락』 텍스트의 성격과 관련해서 기존의 관점을 간략하게 살펴보면, 크리스토프 카를리에가 "『전락』을 어떻게 읽어야 할 것인가? 논문 소설 로? 연극의 독백으로? 윤리 규범을 덧씌운 논쟁적 에세이로?"[51]라는 물 음을 제기했듯이, 또는 폴-에프 스메가 "에세이, 우화, 교훈 콩트 또는 철학 콩트, 풍자극, 어떤 범주를 선택하기가 어렵다"[52]라고 지적했듯이, 다면적 읽기가 얼마든지 가능한 작품인 『전락』은 형식상으로나 내용상 으로나 말 그대로 애매하고 중의적인 텍스트라는 데에 이론의 여지가 없다. 솔랑지 프리코는 『전락』을 "희곡, 소설, 에세이 세 장르가 교차하 는"[53] 텍스트로 간주하면서, 특히 에세이로 볼 경우, "카뮈가 가면을 쓰 고서 일부 지성인들(『전락』 출간 당시 그가 논쟁을 벌이고 있던 실존주의자들)을 고발하는 진정한 풍자서를, 그리고 지성인이란 무엇인지, 지성인의 역할은 무엇인지에 대해서 묻고 있는 철학 에세이를 쓴 것"[54]이라고 강조하기도 했다.

카뮈는 『반항인』 출간 후 피에르 베르제와 가진 「반항에 관한 대담」에서 다음과 같이 설명한 바 있다. "나는 철학자가 아니고, 철학자인 체한 적도 없다. 『반항인』은 반항에 대해 모든 것을 말하고자 하는 연구서가 아니다. [⋯] 나는 단지 하나의 경험, 즉 나의 경험을 되짚어 보려 했을 뿐이다. 그리고 나는 내 경험이 많은 사람들의 경험임을 알고 있다. 어떤 점에서 보면, 이 책은 하나의 속내 이야기이다. 적어도 내가 할 수 있는 유일한 속내 이야기라고 할 수 있다."[55] 흔히 『반항인』은 철학 에세이로 분류되는 작품이다. 그런데 카뮈 자신은 반항에 관한 "연구서"라기보다는 자신의 "경험"을 되새기고 있는 "속내 이야기(confidence)"로 간주하고 있다. 또한, 카뮈는 미발표 원고인 「『반항인』에 대한 변론」에서도 『반항인』이 자신의 개인적 경험의 산물임을 강조하고 있다.[56] 그렇다면, 거꾸로 『전락』의 경우는 카뮈의 "경험"과 "속내 이야기"가 담겨 있는 한 편의 "철학 에세이"로 간주할 수도 있는 게 아닐까?

"카뮈의 모든 작품들 가운데 『전락』은 내게 가장 큰 충격을 준 작품이었다. 카뮈는 다른 어느 작품에서도 그러지 않은 반면에, 이 작품에서는 자기를 드러내고 있다. 비열함과 회한으로 점철된 이 장편 독백은 내가 보기에 카뮈 작품의 최고봉인 것 같다. 나는 그의 어떤 다른 작품들에서도 그런 고통이나 그런 진지함을 만나지 못한다. 장-바티스트 클라망스의 독백을 들으면서 나는 카뮈 자신이 내게 고백하는 느낌을 받는다."[57] 작가 파트릭 모디아노의 말이다. 모디아노는 클라망스의 자화상에서 카뮈의 초상화를 보았던 것이다. 설령 모디아노의 견해를 전적으로 수용하지 않는다 할지라도, 독자들은 적어도 클라망스의 고백에서 20세기 프랑스 지성인사의 일면을 들여다볼 수는 있을 것이다.

3.1.3. 지성인들의 자화상

장-바티스트 클라망스는 몇 해 전까지만 해도 "파리에서 꽤나 유명했던 변호사"였다. 그러나 지금 그는 암스테르담의 멕시코시티라는 허름한 술집에서 그의 말을 들어줄 사람들을 상대로 "공개 고백"을 하고 있는 "고해자-심판자"이다. 그가 "휘황찬란한 겉치레"의 도시 파리를 떠나 "부르주아의 지옥"인 암스테르담에 은신하게 된 데에는 그럴 만한 사연이 있었다. 몇 해 전 11월 어느 날 밤 새벽 한 시에 그는 센 강 좌안의 집으로 귀가하기 위해서 루아얄 교를 건너가던 중이었다. 검은 옷을 입고 난간에 기대선 한 젊은 여인을 지나 오십여 미터쯤 걸어갔을 때, 어둠 속의 정적을 깨고 강물에 뛰어드는 소리가 들렸고, 그와 동시에 강물을 따라 흘러가는 절규의 울음소리가 몇 번 반복해서 들리다가 갑자기 멈춰 버리는 것이었다. 그는 달려가고 싶었지만 발이 떼어지질 않았다. 서둘러야 한다는 생각이 들었지만, 몸이 꿈쩍도 하지 않았다. 그는 "너무 늦었어. 너무 멀어……"라고 생각했다. 그로부터 "이삼 년"이 지난 어느 가을 저녁, 그는 하루 일과를 마치고 귀가하기 위해서 센 강의 예술교를 건너가고 있었다. 만족스러운 하루를 보냈다는 뿌듯한 마음에 담배를 피워 무는 순간, 바로 등 뒤에서 폭소가 터지는 것이었다. 깜짝 놀란 그는 뒤를 돌아다보았으나, 다리 위에는 아무도 없었다. 다리 난간으로 다가가 강물 쪽을 내려다보았지만, 지나가는 배도 없었다. 길 가던 방향으로 돌아서자, 또다시 등 뒤에서 웃음소리가 들려왔다. 조금은 더 멀리서, 마치 강물을 따라 흘러가는 웃음소리처럼 작아지고 있었다. 집에 돌아온 그는 거울을 들여다보았다. 거울 속의 그의 이미지는 웃고 있었지만, 자신이 보기에도 그의 웃음은 "이중적"이었다.

그 후 며칠 동안 그는 등 뒤에서 들려왔던 웃음을 생각하다가 잊어버렸다. 하지만 이따금 그의 마음속 어디에선가 웃음소리가 들리곤 했다.

그는 그날 이후로 센 강의 다리들을 걸어서 지나가 본 적이 없다. 심지어 차를 타고 가다가도, 다리를 지나갈 때면 호흡을 가다듬어야 했다. 그 즈음 그는 특별한 사유 없이 실의에 빠지게 되었고, 어떻게 살아가야 하는지를 잊어버린 것처럼 느껴졌다. 그전까지만 해도 너무나 잘 알고 있었는데도 말이다. 그러던 어느 날, 자동차를 몰고 가다가 빨간불에 멈췄는데, 파란불이 다시 들어왔는데도 시동이 꺼진 오토바이가 자리를 비켜주지 않는 것이었다. 등 뒤에서는 경적 소리가 요란했고, 그는 아주 정중하게 여러 번에 걸쳐 오토바이 사나이에게 길을 비켜 달라고 부탁했지만, 돌아온 대답은 한바탕 할 테면 해 보자는 것이었다. 그는 차에서 내려 오토바이로 다가갔다. 상대보다 "머리통만큼 키가 더 크긴" 했지만, 얻어맞은 건 바로 그였다.[58] 바로 그때, 구경하러 모여든 군중 틈에서 한 남자가 다가오더니, 오토바이를 타고 있어서 불리한 입장에 있는 사람에게 주먹을 날리는 건 비열한 짓이라고 하면서, 그에게 "인간 말종 중의 말종"이라고 욕설을 퍼부었다. 얻어맞은 데다 악담까지 들어서 정신을 차리지 못하던 와중에, 파란불이 다시 들어왔고, 귀를 째는 경적 소리가 합창했고, 그래서 하는 수 없이 자동차로 되돌아오는 도중이었는데, 시동이 다시 걸린 오토바이 사나이는 그에게 "한심한 놈!"이라고 내뱉고선 떠나버렸다.

　"대수롭지 않은 사건"일 수도 있었지만, 지금도 클라망스는 그 "한심한 놈!"이라는 말을 똑똑히 기억하고 있고, 한 방 먹이지도 못한 채 뒤돌아섰던 그가 푸른색의 매우 우아한 정장을 입고 있었기에 더욱 신이 났던 "군중들의 조소적인 눈길"도 잊을 수가 없다. 요컨대, 그는 "남들이 보는 앞에서 꽁무니를 뺀" 꼴이었다. 다시 말해서, 공개리에 개망신을 당한 셈이었다. "어쩔 수 없는 상황으로 인해" 당한 일이긴 했지만, 그는 며칠 동안이나 어떻게 대처해야 했었는지를 곰곰이 되씹어 보지 않을 수 없었다. 차를 몰고 오토바이를 쫓아가서 "그 더러운 녀석"을 혼쭐내는 시나리오를 머릿속으로 수도 없이 되뇌곤 했다. "하지만 이젠 너무 늦은 일이었다." 이 사건이 있기 전까지만 해도 "직업상으로나 인격적으로나 존중받을 완벽한 인간"을 꿈꾸던 그였다. "하지만 공개적으로 얻어맞고 도 아무런 대응도 하지 못한 그 이후로"⁵⁹, 그는 자신에 대해 품고 있던 "아름다운 이미지를 보듬는 게 더 이상 불가능하게 되었다." 그는 한동 안 쾌락을 좇아 방탕한 생활을 했다. "십 분 동안의 정사를 위해서라면 부모를 배신할" 만큼, "잘생긴 여자와의 첫 만남이라면 열 번의 아인슈 타인과의 대담을 맞바꿀" 만큼, "관능"과 "방탕"에 빠져 살았다. "지적 인 재능"이 아니라 "육체의 능란한 수완"에 매달려 수많은 여성들을 정 복하기도 했지만, 당시의 "목격자들조차도 이미 망각해 버린 그 사건"은 그의 뇌리를 떠나지 않았다. 그에게 남은 거라고는 "수치심"뿐이었다. 군중들 앞에서 망신을 당한 이후로 수치심이 그를 떠나지 않았다.

수치심에 멍들기 이전의 그는 전혀 다른 인간이었다. "입을 열자마자 말이 술술 나오는" 달변으로, "정의의 소명"을 안고 "과부와 고아 전담 변호사의 운명을 지고" 태어났다는 자부심에 도취해 있던 인간이었다. 소위 핍박당하는 자들을 변호하는 게 그의 전문이었다. 그러기에 "법정 에서 좋은 편에 속해 있다는 만족감과 모든 재판관들에 대한 본능적인 경멸"에 힘입어 밤마다 정의가 자신과 함께 잠을 잔다고 여길 정도로 자 신의 직업에 투철한 인간이기도 했다. 자신이 "어느 누구보다도 더 똑 똑하다"⁶⁰고 생각했기에 "오로지 우월감밖에 없었고", 더 나아가 "조금 은 초인"이라 여기기도 했다. 또한, "인기가 너무 대단해서 호평을 일일 이 다 헤아릴 수 없다 보니", "너무나 충만한 삶이다 보니", "이 오랫동 안 계속되는 성공을 위해 모든 사람들을 제치고 개인적으로 지명된" 것 처럼 여겨졌고, "어찌 보면 어떤 특별법에 의해 그런 행복이 인가된" 것 처럼 느껴지기도 했다. "너무나도 자기 자신에게 만족했던" 그는 "성공 적인 삶"을 누리고 있었고, "인간 개미들보다 훨씬 더 높은 곳에서" 여러

해 동안 "말 그대로 세상을 내려다보고 있었다." 적어도 "음악이 멈추고, 빛이 꺼져 버린 그날 저녁"까지는 말이다. 한마디로, 그는 "아무런 벌도 받지 않은 채" 살아가고 있었다.

이상이 클라망스의 고백을 통해서 본, 암스테르담에 피신하기 이전의 그에 관한 간략한 이력서이다. 등 뒤에서 들려온 예술교의 웃음소리가 무엇을 연상시키는지, "한심한 놈!"이라고 공개적으로 망신당했던 사건이 무엇을 연상시키는지, 핍박받는 자들의 전문 변호사임을 자처하던 자가 누구를 지목하는지, 어느 누구보다도 똑똑해서 우월감밖에 느끼지 않던 초인이 누구와 연관될 수 있는지 등등에 대해서는 굳이 언급할 필요가 없을 것이다. 중요한 것은 "성공적인 삶"을 누리면서 저 높은 곳에서 "인간 개미들"을 내려다보던 클라망스가 "부르주아의 지옥"으로 떨어졌다는 사실이다. 말 그대로, 그는 '추락(chute)'한 것이었다. 이제 그는 더 이상 파리의 명변호사가 아니라, "고해자-심판자"라는 "이중의" 직업을 가진 "두 얼굴"의 인간인 "매력적인 야누스"이다. 그는 자신의 과거를 고백하면서 참회하는 고해자인 동시에, 동시대 지성인들의 위선을 고발하는 심판자이기도 하다.

고해자-심판자 클라망스는 멕시코시티에서 만난 파리의 현직 변호사에게 "선생, 인간은 그렇게 두 얼굴을 가지고 있어요"라고, "저는 그렇게 겉도는 삶을 살고 있었죠. 어떻게 보면, 입으로 사는 거였지, 결코 현실에 몸담고 있었던 게 아니죠"라고 실토하면서, "우리 지도층의 냉혹한 심성과 우리 엘리트들의 위선"을 개탄한다. 그리고 이 "엘리트들의 위선"에 대해서는 더욱 구체적으로 "제가 자유와 권력을 늘 누리면서 살았던 건 정말이지 사실이에요. 간단히 말해서, 저와 견줄 만한 자가 없다는 그럴듯한 이유를 내세워서, 저는 모든 이들로부터 해방되어 있다고 느꼈던 거죠. 전 늘 어느 누구보다도 더 똑똑하다고 생각했었죠"라고 털어놓으면서도, "사실은요, 선생께서도 아시다시피, 똑똑한 인간은

누구든지 악당이 되어서 오로지 폭력으로 사회를 지배하려는 꿈을 꾼다
는 거죠. 관련 소설들을 읽는다고 해서 그런 꿈을 실현하기가 그다지 쉬
운 일이 아니기에, 보통 정치에 뛰어들어 가장 잔인한 정당으로 달려가
는 거죠. 그렇게 함으로써 모든 사람들을 지배할 수 있다면야, 자신의 영
혼을 능멸하는 것쯤이야 뭐가 대수롭겠어요? 그렇지 않아요?"라고 비아
냥거린다. '자유'를 외치는 지성인이 '종속'을 주장하는 정당에 동조하
면서 영혼을 팔아 지배욕을 채운다고 비판하는 것이다. 그리고 '자유'와
'종속'에 대해서 클라망스는 다음과 같은 장광설을 늘어놓고 있다.

> 파리의 센 강 다리 위에서 저 역시 알게 되었는데, 제가 자유를 두려워한다는 거
> 였죠. 그러니, 주인 만세! […] 결국, 보다시피, 중요한 건 자유로워지는 게 아니
> 라, 회개하면서, 자기보다 더한 악당에게 복종하는 거예요. 우리 모두가 죄인이
> 되면, 그게 바로 민주주의일 거예요. […] 마침내 모두가 한 자리에 모였잖아요.
> 무릎을 꿇고 고개를 숙인 채 말이죠. […] 멸시당하고 쫓겨 다니며 모든 걸 감수
> 해야 했던 저는 이제 제 실력을 한껏 발휘하고, 현재의 나를 즐기고, 마침내 자
> 연스러울 수 있게 된 거지요. 선생, 바로 그렇기 때문에 자유를 엄숙하게 찬양
> 하고 나서, 저는 남 몰래 지체 없이 자유를 아무한테나 맡겨 버려야만 했던 거
> 지요. 그래서 매번 할 수 있을 때마다, 전 제 교회인 멕시코시티에서 설교하면서
> 많은 이들에게 종속하라고, 종속의 안락함을 겸허하게 열망하라고 권고하지요.
> 종속이야말로 진정한 자유라고까지 치켜세우면서 말이죠. 그렇다고 제가 미친
> 놈은 아니에요. 미래에는 종속 상태가 없다는 걸 저는 잘 알고 있어요.

자유를 외치다가 종속을 찬양했던 것은 클라망스-카뮈였던가? 아니면,
클라망스-사르트르였던가? 1952년 12월, 즉 카뮈와의 결별 직후, 절친
한 친구였던 모리스 메를로-퐁티와 공산주의 이데올로기 문제로 인해
결별할 당시 "내 생각이 바뀌었다. 반공산주의자는 개다. 나는 이 생각

에서 벗어나지 않겠다. 앞으로는 결코 이 생각에서 벗어나지 않을 것이다"라고 밝히면서 "교회 용어로 개종"[61]이라고 선언했던 지성인은 바로 사르트르였다. 클라망스의 종속 예찬을 더 들어보기로 하자.

"노예제도요? 아, 그건 안 돼요. 우리는 반대해요. 자택이나 공장에서 노예를 쓸 수밖에 없다는 것, 좋아요. 그건 어쩔 수 없는 일이죠. 그러나 그걸 자랑스럽게 떠들고 다닌다는 건 그야말로 어처구니없는 극치죠. 전 잘 알고 있어요. 지배하거나 시중을 받지 않고서는 우리가 살아갈 수 없다는 걸 말이죠. 모든 인간에게는 노예가 필요해요. 맑은 공기가 필요하듯이 말이죠. 명령을 내리는 건 곧 숨을 쉬는 거예요. 물론 선생도 동의하시죠? 심지어 극빈자들도 숨을 쉴 수 있어요. 사회계층의 맨 밑바닥 사람들에게도 배우자나, 아니면 자식은 있거든요. 독신인 경우엔 강아지가 있고요. 요컨대, 중요한 것은 상대에게 대꾸할 권리를 주지 않고 화를 낼 수 있다는 거지요."

"저는 늘 웃으면서 시중해 주기를 바랐어요. 하녀가 우울한 표정을 지으면, 하루를 망쳐놓는 것이었거든요. 아마도 하녀에게도 쾌활하지 않아도 될 권리가 있겠지요. 하지만 전 울면서 시중하기보다는 웃으면서 하는 게 그녀에게 더 좋은 일이라고 생각했지요. 사실은 그게 제게 더 좋은 것이긴 했지만 말이죠."

"전적으로 우리끼리 이야기인데요, 그러니까 종속은 불가피한 것이죠. 가급적이면 웃으면서 하는 종속 말이죠. 노예를 거느리지 않을 수 없는 자는 그들을 자유인이라고 불러주는 게 낫지 않겠어요? 우선은 원칙을 위해서이고, 이어서 그들에게 절망감을 안겨 주지 않기 위해서 말이죠. 그래야 이런 보상을 받는 게 아니겠어요? 그래야 그들이 계속해서 웃을 테고, 우리는 양심을 지키는 것일 테지요."

"그러니까 철학적으로나 정치적으로나 인간의 결백함을 부정하는 게 제 이론의 전부이고, 인간을 죄인으로 취급하는 게 제 실천의 전부인 셈이지요. 선생, 선생께서도 제가 박학한 종속 예찬론자라는 걸 아시겠죠.

사실, 종속 이외에는 최종적인 해결책이란 없는 법이죠. 전 이걸 금세 깨달았어요. 옛날에는 자유라는 말을 입에 달고 살았었죠. 아침 식사로 먹는 버터 바른 빵에다가 자유를 발라서 하루 종일 씹고 다니면서, 이 세상에 달콤하고 신선한 자유의 입김을 불어넣곤 했었죠. 제게 반론을 펴는 이에게는 누구든지 이 주문(呪文)과도 같은 말을 내뱉으며 제 욕망과 제 권력을 위해 써먹곤 했었죠. 저는 이 말을 제 여인들의 잠든 귀에다 대고 침대에서조차 중얼거렸으며, 그 덕분에 여자들을 침대에 붙박아 둘 수 있었죠. 저는 이 자유라는 말을 교묘하게 삽입하곤 했었죠."

"자유라는 말을 입에 달고" 살면서, "이 세상에 달콤하고 신선한 자유의 입김"을 불어넣으며 자신의 "욕망"과 "권력"을 위해 써먹었던 클라망스의 모델은 과연 누구일까? "인간은 자유롭고, 인간은 자유이다"[62]라고, "인간은 자유를 선고받았다"[63]라고 선언했던 『실존주의는 휴머니즘이다』의 저자일까? "종속 이외에 최종적인 해결책"이 없음을 설파했던 "박학한 종속 예찬론자"는 『공산주의자들과 평화』의 저자를 지목하고 있는 것일까? 〈현대〉지 1956년 2월호에 실린 글 「개혁주의와 물신들」에서 "역사에 실려 가는 공산당은 극히 보기 드문 객관적 지성을 보여 주고 있다. 공산당이 잘못하는 경우는 드물다. 공산당은 해야 할 일을 하고 있다"[64]라고 주장했던 사르트르를 빗대고 있는 것은 아닐까? 클라망스는 "파리 좌파의 대표이자 사르트르의 대리인"[65]일까? 그는 과연 "사르트르의 이복형제"[66]일까? 이 물음들에 대한 어떤 대답도 결국 허구의 진실로 남을 수밖에 없긴 하지만, 적어도 클라망스의 자화상에는 '인간' 사르트르가 아니라 '지성인' 사르트르의 일면이 담겨 있다고 말할 수는 있을 것이다. 이와 같은 논리에서 보면, 마찬가지로 지성인 카뮈의 일면 역시 클라망스의 자화상에 담겨 있다. 사실, 『전락』 텍스트에서 카뮈나 사르트르를 연상시키는 표현이나 일화들은 너무 많아서 일일이 다 열거할 수 없을 정도이다. 이를테면, 센 강의 예술교를 지나다가 등 뒤에서 들려왔던 웃음소리가 클라망스의 뇌리에서 영영 떠나지 않는 일화가 그 한 예이다.

"그들은 웃고 있었어요. 아니 그보다는 마주치는 사람마다 웃음을 감춘 채 저를 쳐다보고 있는 것 같았어요. 심지어 그 당시엔 사람들이 제게 태클을 거는 듯했어요. 실제로 두세 번은 공공장소에 들어가다 까닭 없이 걸려 넘어지기도 했거든요."

"도처에서 심판과 화살과 조롱이 제게 퍼부어지고 있었죠."

"전 한꺼번에 퍼붓는 온갖 모욕들을 감수했고, 저는 졸지에 기력을 상실했어요. 그러자 온 세상이 저를 두고 웃음보를 터트렸어요."

"우선 저는 새로 알게 된 사실들을 받아들여야 했고, 제 동시대인들의 웃음과 끝장을 봐야 했어요. 제가 호출 당하던 그날 저녁부터, 전 실제로 호출을 당했으니까요, 전 대답을 해야 했고, 아니면 적어도 대답을 찾아내야만 했어요. 쉽지는 않았죠. 전 오랫동안 방황했어요. 제게 무엇보다도 필요했던 건 그 끊임없는 웃음과 조롱하는 사람들 덕분에 저의 내면을 더욱 명확하게 파악하고, 마침내 제가 단순하지 않다는 사실을 깨닫는 거였어요."

"전 조롱하는 사람들을 제 편으로 만들고 싶었어요. 아니면 제가 그들 편이 되든지요."

"그때까지[완전한 자포자기 상태에 빠질 때까지], 웃음은 제 주위에서 맴돌고 있었
어요."

"전 끝내 방탕만이 그 웃음들을 잠재울 수 있다는 생각을 하게 되었어요."

클라망스의 뇌리에서 떠나지 않는 "그 웃음소리"와 관련된 위의 인용문
들은 카뮈가 『반항인』 사건으로 받았던 상처가 얼마나 깊었는지를 상기
시키기에 충분하다. 요컨대, 클라망스가 당했던 조롱은 『반항인』 사건
의 지성인 카뮈가 당했던 조롱의 판박이나 마찬가지이다. 폴-에프 스메
가 지적했듯이, "『전락』은 실존주의에 관한 풍자서가 아니라, 여러 모로
보나, 장송과 사르트르의 표적이었던 카뮈, 즉 그들의 심판과 화살과 조
롱의 표적이었던 카뮈의 초연하면서도 씁쓸한 응수였다."[67] 이처럼 『전
락』 텍스트에는 카뮈뿐만 아니라 사르트르를 비롯한 "동시대인들"의 모
습이 투영되어 있는데, 클라망스 자신이 이에 대해 다음과 같이 부연하
고 있다.

저는 제가 관련된 것과 남들이 관련된 것을 뒤섞고 있어요. 저는 우리가 함께
겪었던 경험들을, 우리가 함께 지니고 있는 결점들을, 공통점을, 관행을, 결국
화제의 인물을, 제 안에서 그리고 남들에게서 날뛰고 있는 그런 인물을 택하는
거지요. 게다가 저는 하나의 초상화를, 우리 모두의 초상화이자 어느 누구의 초
상화도 아닌 초상화를 만들어 내고 있는 거지요. 요컨대, 하나의 가면이랄까
[…] 오늘 저녁처럼 초상화가 완성되면, 저는 너무나도 침통한 마음으로 그걸
보여 주지요. '자! 가슴 아프게도, 바로 이게 접니다.' 검사의 논고가 끝난 것이
지요. 하지만 그와 동시에 제가 동시대인들에게 내민 이 초상화는 하나의 거울
이 되지요.

클라망스는 자신의 고백에 자기 몫뿐만 아니라 동시대인들의 몫도 들어 있음을 밝히면서, 그가 그린 초상화는 동시대인들에 대한 "검사의 논고"임을 분명하게 적시하고 있다. 다시 말해서, 그의 자화상은 "우리 모두의 초상화이자 어느 누구의 초상화도 아닌" 자화상, 즉 "하나의 가면"인데, 심판자-클라망스가 제작한 이 "가면"에는 동시대인들의 모습이 새겨져 있으므로, 그들에게는 "하나의 거울"이 된다는 것이다. 한마디로, 자신의 "가면"을 보면서 자신을 심판하라는 것이 고해자-클라망스가 "열정적인 고백"을 하는 이유이자 목적이다. 클라망스 자신이 다음과 같이 이를 밝히고 있다.

> 회개하는 마음으로, 느릿느릿 머리카락을 쥐어뜯으며, 손톱에 할퀸 얼굴로, 하지만 투시하는 예리한 눈길로, 온 인류를 상대로, 저의 수치스러움을 회고하며 "전 인간 말종 중의 말종이었죠"라고 말하면서, 이 말이 자아내는 효과를 놓치지 않고 꿰뚫어 보지요. 그러고는, 슬그머니, 전 제 말에서 "저"에서 "우리"로 넘어가지요. "자! 바로 이게 우리의 모습입니다"에 이르면, 속임수가 끝나고, 저는 그들에게 그들의 진실을 말할 수 있게 되지요. 물론 저도 그들과 같고, 우리는 한통속이지요. 하지만 제게는 그걸 알고 있다는 우월감이 있기에 발언권이 있는 거죠. 확신컨대, 제가 한 수 위라는 걸 선생도 인정하시죠. 제가 참회하면 할수록, 선생을 심판할 권리가 제게 있다는 거죠. 그보다 더 한 것은 제가 선생께 선생 자신을 심판하도록 부추기고 있다는 거지요. 그만큼 제 짐이 가벼워지니까요.

클라망스의 목적은 동시대인들을 심판하는 것, 더 나아가 그들이 스스로 자신들을 심판하도록 하는 것이다. 그들의 "수치스러움"을 회개하라는 것이다. "가면"을 벗어던져 버리라는 것이다. 요컨대, 클라망스가 고발하고자 하는 것은 "우리의 직업적인 휴머니스트들"의 위선과 거짓말이다. 그러기에 그는 "어쩌면 제가 그다지 존경받을 만한 인물이 아닐지도 모른다는 의구심을 품게 된 날" 이후로, "자신이 했던 거짓말들을 모조리 고백하지 않고서는 죽을 수가 없었다"고 참회한다. 자기 자신은 비판하지 않고서 걸핏하면 남에게 손가락질하는, 자신의 잘못은 인정하지 않으면서 남의 잘못만을 탓하는 지성인들의 위선과 그들의 숱한 거짓말들을 고발하고 있는 것이다. 역설적이게도, 그런 지성인들 덕분에, 다시 말해서 그런 지성인들로부터 따돌림을 당한 덕택에, 클라망스는 자신이 "거짓말쟁이"이고 "세례수를 뒤집어 쓴 악마"와도 같다는 사실을 깨닫게 되었고, 자신의 죄를 고해하면서 남들을 심판하는 고해자-심판자로, "사막에서 외치는 사이비 예언자"로 거듭 태어날 수 있었다.

> 외로움에 지치다 보니, 어쩌겠어요, 기꺼이 자신을 예언자라고 여기는 거죠. 어쨌든 바로 이게 저라는 인간이죠. 돌과 연무와 썩은 물의 사막에 피신해서 초라한 시대를 내다보는 공허한 예언자이죠. 메시아 없는 엘리야 말이죠.

"초라한 시대를 내다보는 공허한 예언자", 즉 "메시아 없는 엘리야", 이것이 곧 클라망스의 자화상이다. 그리고 이 자화상에는 심오한 의미가 숨어 있다. 왜냐하면 지성인 카뮈의 정체성이 짙게 투영되어 있기 때문이다. 주지하다시피, 『반항인』의 저자는 계급 없는 사회에서 프롤레타리아가 지배하는 꿈같은 시대가 도래할 것이라는 달콤한 예언을 했던 마르크스의 메시아니즘을 정곡으로 비판하면서 "예언의 실패"[68]를 엄숙하게 선언한 바 있다. 그러므로 '반항인' 클라망스는 프롤레타리아의 승리를 장담하는 장밋빛 미래를 예언할 수도 없고, 마르크시스트가 될 수도 없다. 그에게는 "계급 없는 사회를 예고하는 한 지성인의 확신이나 신념"[69]이 없다. 그는 기껏해야 "초라한 시대"가 될 것이라고 예견하는 "공허한 예언자"일 뿐이다. 그러기에 그는 "사이비 예언자"이고 "메시아 없는 엘리야"인 것이다. 한마디로, '반항인' 클라망스에게 마르크스는 반면교사에 지나지 않을 뿐이다. 바로 이런 의미에서, 클라망스의 자화상은 동시대 마르크시스트 지성인들에게 "거울"이 되는 것이다.

앞에서도 보았듯이, 청년시절 알제리 공산당에 가입했다가 탈당한 적이 있는 카뮈는 "나는 삶과 인간 사이에 한 권의 『자본』을 두는 것을 늘 거부할 것이다"[70]라고, "나는 공산주의를 부정한다"[71]라고, "나에게는 공산주의라는 게 『자본』의 제3권보다 훨씬 더 우위에 있는 말단조직의 내 동지인 노동자나 창고지기를 의미한다. 나는 독트린보다 삶을 더 좋아하고, 독트린을 이기는 것은 언제나 삶이다"[72]라고 단언한 바 있다. 그리고 1947년 친공산당계 지성인인 엠마뉘엘 다스티에 드 라 비즈리 후작과의 논쟁 시에 카뮈는 "내가 마르크스에게서 자유를 배우지 않은 것은 사실이다. 나는 가난에서 자유를 배웠다. 하지만 당신네들 대부분은 이 말이 무엇을 의미하는지 모른다"[73]라고 반박하기도 했다. 카뮈는 내일을 위해 오늘을 희생해야 한다는 마르크스의 메시아니즘을 신봉한 적이 결코 없었다. "가난에서 자유를 배웠던" 지성인 카뮈는 『반항인』을 쓸 수밖에 없었고, 『반항인』의 작가 카뮈는 "초라한 시대를 내다보는 공허한 예언자"일 수밖에 없었다. 이런 점에서 '사막에서 외치는 예언자' 장-바티스트 클라망스의 자화상은 반항인-지성인 카뮈의 초상화라고 할 수 있다.

카뮈는 『전락』 출간 후 1956년 8월 31일자 〈르 몽드〉지와의 인터뷰에서 다음과 같이 밝힌 바 있다. "나는 이 책의 제목을 『우리 시대의 영웅』으로 정하려 했었다. 원래는 내년 1월에 출간 예정인 단편집 『적지와 왕국』에 삽입될 한 편의 단편소설이었다. 그런데 내가 하고 싶은 이야기에 휩쓸려 버렸다. 즉, 하나의 초상화, 오늘날 너무나 많이 있듯이, 시원찮은 예언자의 초상화를 그리는 데 휩쓸려 버렸다. 그들이 할 수 있는 최선의 행위는 자신의 죄를 참회하면서 남들을 고발하는 것이다."[74] 비록

"시원찮은 예언자"이긴 하지만, 카뮈는 장-바티스트 클라망스를 통해서 "우리 시대의 영웅"을 그리고자 했던 것이다.

『전락』의 초고들을 세밀하게 검토한 로제 키이요는 카뮈가 애초에는 명시적으로 "좌파 지성인들"을 공격하는 표현들을 사용했으나, 퇴고하는 과정에서 표현 수위를 낮추기 위해서 "우리의 철학자들"이나 "그들" 대신에 "우리"라고 표현했음을 밝히면서, "그렇게 우리 모두가 한 번 더 연관되어 있는 것이고, 클라망스라는 주인공은 정녕 '우리 시대의 영웅'이 된 것이다. 어느 누구도, 심지어 카뮈 자신도 유리될 수 없는 시대 말이다"[75]라고 덧붙였다. 카뮈의 발언이나 『전락』의 초고들을 감안해 볼 때, 이 작품에는 『반항인』 사건 당시의 프랑스 좌파 지성인들의 초상화가 새겨져 있음은 부정할 수 없는 사실이다. 요컨대, 『전락』은 클라망스의 "고백"인 동시에 "고발"이고, "자기 자신"을 비난하는 동시에 "자기 시대"를 비판하고 있는 작품이고, 마르크스의 메시아니즘을 비판했던 사막의 예언자 장-바티스트 클라망스는 당대의 "영웅"이라고 할 수 있을 것이다.

3.2. 〈렉스프레스〉지 논설위원

　〈투쟁〉지를 떠난 지 4년이 지난 1951년 12월, 카뮈는 작가수첩에 이런 단상을 적었다. "〈투쟁〉지가 사라진 이후부터 너무나 꾸준하게 홀로 있다. 내 목소리를 낼 수 있고, 내 입장을 펼치며 옹호할 수 있고, 때로는 정당화시킬 수도 있는 곳도 전혀 없이 말이다."[1] 실제로 〈투쟁〉지가 사라진 것은 아니었지만, 상업적 목적의 대중 일간지로 전락해 버린 〈투쟁〉지는 그가 보기에 언론이 아니었다. 그리고 그는 여러 지면에서 제안을 받았지만, 아무런 제약 없이 자신의 견해를 자유롭게 피력할 수 있는 조건이 충족되지 않았기에, 번번이 거절을 해야만 했다. 지성인이라면 아무 지면에나 글을 쓰지 말아야 한다는 게 그의 철칙이고 지론이었다. 위의 단상을 적은 지 얼마 후 작성된 작가수첩에는 다음과 같은 메모도 있다. "톨스토이에 따르면, 언론계는 지성의 사창가이다."[2] 미련과 아쉬움, 회한과 절망감을 가슴 깊이 품은 채 언론계를 떠났던 그는 1955년 5월 주간지 〈렉스프레스〉의 논설위원으로 언론계에 복귀했다. "지성의 사창가(le bordel intellectuel)"로 되돌아온 것이었다. 1955년 5월 14일자 첫 사설 「인간의 직무」를 시작으로 1956년 2월 2일자 마지막 사설 「모차르트에게 감사하며」를 쓰기까지, 카뮈는 약 9개월간 〈렉스프레스〉지의 논설위원으로 재직했다.

한편, 카뮈가 공식적으로 〈렉스프레스〉지의 논설위원으로 데뷔하기도 전인 1955년 5월 12일자 주간지 〈프랑스-옵세르바퇴르〉는 「문인 동정」 란에서 "프랑수아즈 지루와는 다른 언론관을 가져야만 할 알베르 카뮈가 〈렉스프레스〉지에 정기적으로 문학 관련 기사를 기고할 예정이다"[3] 라는 단신을 내보냈다. 이 단신의 필자인 모리스 나도는 본의 아니게 논쟁을 유발한 데 대해서 사의를 표명했지만, 카뮈는 〈프랑스-옵세르바퇴르〉지에 항의문을 보내 게재해 줄 것을 요구했다. 카뮈의 항의문은 5월 26일자 〈프랑스-옵세르바퇴르〉지에 게재되었다. "나는 프랑수아즈 지루의 언론관을 인정하는 데에 아무런 거리낌이 없다. 그리고 〈렉스프레스〉지가 나에게 완벽한 자유를 기꺼이 인정해 준다고 했기에, 나는 이 주간지에 협력하는 게 전적으로 타당하다고 생각한다. 반면에 아마도 정반대의 이유로, 나는 〈프랑스-옵세르바퇴르〉지에 협력할 수 없었다. 사실, 나는 여론지로서의 주간지의 역할과 객관성에 대해서 귀지의 지도부와는 같은 생각을 가지고 있지 않다. 끝으로 다음과 같은 말을 덧붙이고자 한다. 프랑수아즈 지루에 대한 귀지의 비난에는 위선과 천박한 선동전략이 담겨 있기에, 공개적으로 프랑수아즈 지루에 대한 지지를 선언하는 게 영광스럽다고 생각한다. 적어도 나는 귀지가 내게 그런 기회를 준 데 대해 감사드린다."[4] 카뮈가 거론한 "귀지의 지도부"에는 클로드 부르데가 포함되어 있었다. 클로드 부르데는 〈투쟁〉지의 소유권을 놓고 법정 공방 끝에 1947년 6월 카뮈를 비롯한 주주들을 몰아냈던 인물로 카뮈가 〈투쟁〉지를 떠나지 않을 수 없게 만든 결정적인 단초를 제공한 주역이었다. 말하자면, 지성인 신문으로 통하던 〈투쟁〉지를 망가뜨린 장본인이었다.

〈프랑스-옵세르바퇴르〉지의 공동 창립자인 클로드 부르데와 질 마르티네는 카뮈의 항의문에 응수하기 위해서 공동으로 작성한 기사 「알베르 카뮈와 저널리즘」도 함께 게재했다. 이 기사에서 두 기자는 카뮈가 취한 항의 방식이 "저속하고도 가소롭다"고 지적하면서, "귀하는 얼마 전에 로제 스테판의 구속에 항의하는 성명서에 서명을 해달라고 요청했을 때, 귀하의 서명을 허락한다고 답신을 하면서도, 로제 스테판의 '기자로서의 행태'가 못마땅하기 때문에, 아무런 거리낌 없이 서명을 하는 것은 아니라고 토를 단 바 있다"[5]라는 사실을 상기시켰다. 그리고 『반항인』 논쟁 시에 카뮈의 입장을 지지하는 장문의 기사가 게재되었던 사실을 거론하면서 "귀하는 본지가 『반항인』에 4쪽을 할애했던 것을 너무나도 당연하게 받아들이고 나서는, 이 4쪽짜리 기사는 망각해 버리고, 얼마 후 위 책에 대한 [피에르] 에르베의 비평을 '주목할 만하다'고 지적한 두 줄의 기사를 놓고 본지를 격렬하게 공격한 바 있다"[6]고 카뮈의 태도를 비판했다.

클로드 부르데와 질 마르티네의 반박문에 아무런 대응도 하지 않았던 카뮈는 1955년 6월 4일자 〈렉스프레스〉지 사설 「진정한 토론」에서 자신의 입장을 해명했다. "좌파 인사들 간의 전쟁이 이어지고 있다"[7]로 시작되는 이 사설에서 카뮈는 로제 스테판을 둘러싼 서명 사건과 관련하여 다음과 같이 설명하고 있다. "내가 조건을 단 것은 일반적인 관례에 속하는 문제인데, 질 마르티네가 내게 개인적으로 요청한 건에 답하면서 사적으로 그에게 조건을 달았던 것이다. 로제 스테판 사건 자체로 말하자면, 아무런 조건 없이 석방 요청에 가담한다는 내 입장을 공개적으로 표명했다. 여기 이를 입증하는 내 글이 있다. '귀하께서 내게 요구한 바대로, 나는 귀하와 함께 로제 스테판의 석방을 요구합니다. 이와 관련해서 귀하께서는 아무런 조건 없이 내 의사를 관계 당국에 전달할 수 있습니다.' 물론 부르데와 마르티네는 이 글을 인용하지 않았다."[8] 그리고 사르트르와의 논쟁과 관련된 지적에 대해서는 다음과 같이 응수하고 있다. "고귀한 정직성을 자랑하는 〈프랑스-옵세르바퇴르〉지의 기자들은 나와 사르트르가 맞섰던 논쟁과 관련해서, 내가 단지 그들의 결핍된 객관성만을 비판한 것이라고 여기는 듯하다. […] 나로서는 이미 끝난 일이고, 나는 지금까지 한 번도 그 논쟁이 전개되었던 방식에 대해 개인적인 의견을 피력해 본 적이 없다. 하지만 내게 반론한 두 기자가 품고 있는 과도한 의구심에는 약간의 진실도 담겨 있다. 왜냐하면 당시 이 논쟁을 야기했던 문제들(첫 번째 문제는 타락한 혁명이었다) 가운데 일부는 여전히 남아 있고, 사르트르와 나의 개인적인 분쟁 차원을 훨씬 뛰어넘어 계속해서 우리들을 분열시키고 있다. 그 문제들은 반론들을 야기하고 있으며, 또한 투쟁을 부르고 있는데, 분명하게 말하지만, 나는 이 투쟁에 여전히 충실하고 있다."[9] 『반항인』 사건으로 그토록 많은 상처를 입었음에도 불구하고, 3년이 지난 뒤에도 여전히 공산주의 이데올로기에 대한 투쟁은 계속되고 있음을 카뮈는 분명하게 밝히고 있다.

아울러 카뮈는 혁명의 실현 조건에 대해서 "나로서는, 혁명이 파렴치와 기회주의(20세기에 들어와서 혁명의 신조가 되어 버린)에서부터 벗어나는 순간, 그리고 반세기에 걸친 타협으로 낡고 퇴화된 혁명 이데올로기의 골자를 개혁하는 순간, 그리고 마지막으로 자유에 대한 불굴의 열정을 혁명 역량의 중심에 두는 순간, 비로소 혁명 이념이 그 위대함과 그 효용성을 회복하리라고 생각한다. 이러한 개혁은 현대판 공산주의와의 협력을 거부함과 동시에 부르주아 이데올로기나 전체주의 이데올로기와의 어떤 타협도 거부하는 반면에, 오로지 창조적 개혁의 기회들을 살리는 데에만 관심을 기울이면서 장기간에 걸쳐 일관성 있게 비판하려는 노력을 전제할 때 가능하다. 바로 이 점에서 그리고 진정한 진보를 갈망한다는 점에서, 나를 포함한 몇몇 사람들이 소위 진보주의라고 자칭하는 세력들과 거리를 두고 있는 것이다"[10]라고 자신의 입장을 개진했다. 이어서 카뮈는 "외부에서 저 거대한 공산주의 조직에 대항하려 하기보다는, 내부로부터의 변화를 상상해 내려는 허영심보다 더 허황된 게 있기나 할까? 아무리 은밀한 허영심이긴 하지만 말이다"[11]라고 진보 좌파 지성인들의 위선을 비판한 뒤, 마지막으로 좌파 인사들 간의 논쟁에 대해서 "순응주의를 버리고 좌파가 그 힘을 결집할 때, 자유 이념을 중심으로 좌파의 명철한 의지와 정의의 요구가 결집될 때, 비로소 그때 가서야 우리들의 전통이었던 연대의식, 나로서는 결코 망각하거나 경멸한 적이 없는 연대의식이 다시 소생할 것이다"[12]라면서 좌파 내의 분열이 아니라 단합과 연대의식을 강조했다. 상기 사설에서도 보듯이,『반항인』 사건으로 야기된 공산주의 이데올로기 논쟁은 카뮈가 〈렉스프레스〉지의 논설위원으로 언론계에 복귀할 당시까지도 여전히 프랑스 지성계의 뜨거운 감자였다.

〈렉스프레스〉는 장-자크 세르방-슈라이버와 프랑수아즈 지루에 의해 1953년 5월 16일에 창간된 시사 주간지였다. 발행인인 장-자크 세르방-슈라이버는 파리이공과대학을 나온 재원으로 비상한 머리에다 수완이 뛰어난 스물아홉 살의 청년기자였고, 프랑수아즈 지루는 열 살 아래인 세르방-슈라이버의 연상의 연인으로 1945년에 창간된 현대 여성 주간지 〈엘(*Elle*)〉의 창간 멤버이자 편집국장을 맡았던 베테랑 기자였다. 〈렉스프레스〉지의 창간 목적은 매우 분명했는데, 당시 총리를 맡고 있던 좌파 정치인 피에르 멘데스 프랑스[오늘날까지도 프랑스 사회주의를 대표하는 전설적인 정치인으로 칭송받고 있는 인물]를 지원하기 위한 것이었다. 발행인 세르방-슈라이버는 기자 카뮈의 성향과 능력도 익히 알고 있었을 뿐만 아니라, 카뮈가 정치인 멘데스 프랑스를 좋아한다는 사실을 알고 있었으므로, 주간지의 영향력을 확장하기 위해서는 카뮈와 같은 유명 기자-작가의 도움이 절실하게 필요하다고 판단했다. 그래서 그는 〈렉스프레스〉지의 외신 담당 편집부국장인 장 다니엘에게 카뮈를 필진으로 영입하라고 촉구하면서, 카뮈에게 전적으로 표현의 자유를 보장하겠노라고 약속했다.

장 다니엘은 알제리 출신으로 1947년 스물일곱의 젊은 나이에 월간지 〈칼리방〉을 창간해서 편집국장을 맡고 있던 시절에 카뮈를 알게 되었는데, 자신의 회고록 『남아 있는 시간』에서 카뮈와의 첫 만남을 자세하게 기술한 바 있다.[13] 이 회고록에 따르면, 갈리마르 출판사에 있는 카뮈의 집무실에서 만나 〈칼리방〉지에 대한 이야기를 주고받는 자리에서, 장 다니엘이 〈칼리방〉지의 목표는 지성인 언론으로 유명했던 주간지 〈금요일〉과 〈투쟁〉지의 맥을 잇는 잡지가 되는 것이라고 밝히자, 카뮈는 알제리 출신의 후배 기자를 기꺼이 도와주겠다며 루이 기유, 쥘 루아, 엠마뉘엘 로블레스 등 자신의 친구들을 소개시켜 주기도 했다고 한다. 이런 인연으로 카뮈는 「희생자도 도살자도」의 전문을 〈칼리방〉지에 게재했고, 자신이 발간하던 갈리마르 출판사 〈희망〉 총서에서 장 다니엘의 첫 소설 『실수』를 출간해 주기도 했다. 장 다니엘로부터 〈렉스프레스〉지의 필진이 되어 달라는 부탁을 받았을 때, 카뮈는 다음과 같은 세 가지 이유에서 승낙했다.

첫 번째 이유는 내가 이 시대에서 외롭기 때문이다. 내가 얼마나 우리 시대와 연대하고 있는지는 귀하도 잘 알고 있다. 그것도 아주 긴밀하게 말이다. 두 번째 이유는 나는 늘 저널리즘을 내가 가장 선호하는 참여 수단으로 여겨왔다. 물론 할 말을 다 한다는 조건에서 말이다. 마지막으로 세 번째 이유는 피에르 멘데스 프랑스가 다시 권력을 잡는 데에 기여를 하고 싶기 때문이다. 우리는 매우 심각한 시기를 맞이하게 될 것이다. 그런데 내게는 주관적인 기준들이 있다. 1945년에 교육부장관실로 멘데스 프랑스를 찾아갔을 때, 나는 처음으로 진정한 정치 지도자와 마주하고 있는 것 같았다. 아주 최근에는, 그가 국회에서 실각했을 때, 그리고 모리스 슈만에게 대답하면서 모로코의 감옥에 있는 어린이들을 석방했다고 밝혔을 때, 멘데스 프랑스는 남을 속일 수 없는 매우 소중한 인품을 보여 주었다.[14]

〈투쟁〉지를 떠난 지 8년 만에 카뮈가 언론계에 복귀한 가장 큰 이유는 피에르 멘데스 프랑스를 지원하기 위한 것이었다. 그는 프랑스 사회주의를 대표하는 멘데스 프랑스가 정권을 잡는다면 알제리 위기를 해결할 수 있을 것이라는 희망을 품고 있었다. 그는 정치인 멘데스 프랑스의 진정성과 정직성을 믿었기에, 12월 30일자 〈렉스프레스〉지 사설 「투표와 관련된 해명」에서 공개적으로 그를 지지하면서, 매우 이례적으로 선거전에 직접 뛰어들기까지 했다. 그렇다고 해서, 카뮈가 멘데스 프랑스를 '데우스 엑스 마키나(*Deus ex machina*)'로 간주한 것은 결코 아니었다.

이와 관련하여 카뮈는 알제에 사는 죽마고우 샤를 퐁세에게 보낸 1955년 12월 7일자 편지에서 다음과 같이 설명하고 있다. "나는 피에르 멘데스 프랑스 혼자서 모든 것을 해결할 수 있을 거라고 생각하지 않아. 난 그의 한계들을 알고 있고, 게다가 나는 정당인도 선출직 정치인도 아니야. 하지만 내가 보기에(혹은 내가 믿는 바로는) 그에게 국가경제와 어쩌면 국가윤리를 재건하는 데에 기여할 수 있는 한 번의 기회가 있고, 이를 시발점으로 해서 우리는 더 멀리까지 나아갈 수 있을 것이야. 알제리로 말하자면, 오로지 피에르 멘데스 프랑스만이 우리가 동의하고 또한 아랍인들과 프랑스인들을 존중하는 해결책들을 고안해 낼 수 있다는 것이야."[15] 이 편지는 카뮈가 향후 알제리 전쟁과 마주하여 취하게 될 입장, 즉 동시에 "아랍인들과 프랑스인들을 존중하는 해결책들"을 찾아보려는 입장을 잘 보여 주고 있다는 점에서 매우 중요한 의미를 지니고 있다. 실제로, 카뮈가 〈렉스프레스〉지에 게재한 총 35편의 사설들을 분석해 보면, 그중 15편이 직간접적으로 알제리 사태를 언급하고 있고, 그 핵심은 알제리 프랑스인들과 알제리 원주민들의 공존이 얼마든지 가능하고, 이를 위해서 양측 간의 대화와 타협을 통해서 해결책을 모색하자는 데 있음을 알 수 있다. 그리고 무엇보다도 협상의 자리를 마련하기 위해서는 민간 휴전부터 먼저 선포해야 한다는 게 카뮈의 일관된 주장이었다.

〈렉스프레스〉지 논설위원으로 부임한 카뮈는 세 번째 사설에서부터 알제리 문제에 대해 본격적으로 언급하기 시작했다. 1955년 7월 9일자 사설 「테러리즘과 무력진압」은 그 제목에서도 짐작할 수 있듯이, 「희생자도 도살자도」에서 주장했던 살육의 문제를 알제리 상황에 직접적으로 대입하면서, 테러리즘도 무력진압도 해결책이 되지 못한다는 점을 역설했다.

알제리가 사망해야 한다면, 알제리는 만연된 체념 때문에 사망하게 될 것이다. 프랑스 본토의 무심한 프랑스인들과 식민지 알제리의 격분한 프랑스인들은 프랑스-아랍 공동체가 불가능하고, 이제는 무력대결이 불가피하다고 인정하는 것 같다. 저쪽에서는 진보냐 반동이냐를 들먹이고, 이쪽에서는 테러 때문이냐 탄압 때문이냐를 거론하면서, 모두가 미리 최악의 상황을 받아들이는 듯하다. 즉, 이 피와 감옥의 대지에서의 프랑스인과 아랍인의 최종적인 이별을 말이다. 나는 체념한 채 이 위대한 조국이 영원히 두 개로 갈라지는 것을 물끄러미 바라보기를 거부하는 바로 그런 사람들 가운데 한 사람이다. 프랑스-아랍 공동체는, 비록 맹목적인 정책으로 인해 오랫동안 제도화되지 못하긴 했지만, 나와 같은 많은 알제리 프랑스인들에게는 이미 실재하고 있었다. 이를테면, 내가 아랍인 농부나 카빌리의 목동을 프랑스 북부 도시의 상인보다 더 가깝다고 느끼는 이유는, 우리들 가운데 많은 이들에게는 자연의 장벽이나 식민지 정책에 의해 고착된 인위적인 단절에 비해서, 같은 하늘, 거부할 수 없는 자연, 그리고 운명 공동체가 훨씬 더 강력했기 때문이다.[16]

이처럼, 사설의 첫머리에서부터 두 민족의 공존을 외치는 자신의 지론을 밝힌 뒤, 카뮈는 알제리의 비극을 극복할 수 있는 이성과 정의의 힘에 다음과 같이 호소했다. "그러니까 나는 이 글에서, 내가 할 수 있는 만큼, 무엇보다도 나의 가족들인 프랑스인과 아랍인들에게, 25년 전부터 줄곧 알제리의 비극과 함께 살아오면서도, 조국에 대해 절망하지 않고, 아직도 한편에는 이성을, 다른 한편에는 정의를 호소할 수 있는 마지막 가능성이 있다고 믿는 인간으로서 말하고자 한다."[17] 이어서 논설위원은 "알제리인들의 테러리즘은 그 자체로, 그리고 그와 동시에, 그 결과에서 참혹한 실책이다. 그 이유는 어쩔 수 없이 그들 역시 인종주의자가 되기를 지향하고 있으며, 또한 정치의 통제를 벗어나서 저속한 증오에 미쳐 버린 무기가 되려고 하기 때문이다. 이런 점에서 볼 때, 프랑스의 자유로운 여론의 침묵과 신중함은 심각한 문제이다. [⋯] 테러리즘은 또한 그 결과에서도 실책이다. 결국, 그 첫 번째 결과는 알제리의 자유주의 프랑스인들의 입을 봉쇄하고, 따라서 반동과 탄압의 편을 강화해 주고 있다는 것이다"[18]라며 독립주의자들의 테러와 프랑스 여론의 침묵을 동시에 비판하면서, "하지만 그와 반대로, 똑같은 이유로, 우리는 훨씬 더 결연하게 무모하고 무차별적인 무력진압에 대해 반대의 목소리를 높여야 한다"[19]고 프랑스 정부의 무분별한 무력 사용에 대해서도 분명하게 반대 입장을 표명했다.

그리고 마지막으로, 카뮈는 무력충돌로 인한 무고한 희생을 막기 위해서 당사자들 간의 대화를 촉구하면서 사설을 마무리했다. "알제리의 경우, 언젠가 평화를 쟁취하기 위해서는, 무엇보다도 진정 국면을 이끌어내야 한다. 프랑스 정부 대표와 식민지 당국 대표 그리고 아랍 세력 대표들이 파리에서 모여 즉각적인 회담을 통해서 진정 국면을 즉시 이끌어 낼 수 있다. 각자가 자측의 책임을 지게 될 이 회담의 유일한 목적은 오로지 유혈사태를 종식시키는 데에 있어야 할 것이다. [⋯] 자 이것이 바로, 아랍인이든 프랑스인이든, 외로움과 무책임을 동시에 거부하는 모든 이들이 계속해서 부르짖어야 할 외침이다."[20] 이 사설은 후에 민간 휴전이라는 용어로 널리 불리게 될 카뮈의 제안이 처음으로 공표되었다는 점에서 그 의미가 크다.

1955년 7월 9일자 상기 사설에서 유혈사태를 종식시키기 위한 대화를 촉구했으나 아무런 변화가 없자, 카뮈는 2주 후인 7월 23일자 사설 「알제리의 미래」에서 헌법 개정을 통해 "프랑스 연방"을 공표하고, 연방의 회에 참여하는 알제리 의회가 내정을 담당해서 알제리의 미래를 결정해야 한다는 절충안을 제시했다. 하지만 이즈음 카뮈는 다가올 알제리의 비극을 점점 더 예감하고 있었다. 그는 알제의 자유주의 지성인들의 수장인 샤를 퐁세에게 보낸 1955년 9월 25일자 편지에서 다음과 같이 자신의 심경을 토로했다. "나는 알제리 사태 앞에서 너무나 불안해하고 있어. 지금 이 나라가 내 목을 조이고 있어서 전혀 다른 것을 생각할 수 없어. 게다가 이 주일 후에 다시 기사를 써야 한다는 생각에, 그러니까 북아프리카에 대해서 언급해야 한다는 생각에, 그것도 편치 않은 마음으로 해야 한다는 생각에, 나의 하루하루가 엉망진창이야. 왜냐하면 이 문제에 관해서는 좌파나 우파나 똑같이 나를 성질나게 하니까 말이야."[21] 이 편지를 계기로, 카뮈의 절친한 친구들인 샤를 퐁세, 장 드 메종쐴, 루이 미켈, 롤랑 시무네 등이 주축이 되어 내전종식협의회를 창설하게 되었고, 머지않아 알제리 민족해방전선의 모하메드 레브자우이, 부알렘 무사우이, 아마르 우즈간 등과 회합을 가지게 될 것이다.

또한, 카뮈는 알제리 사회당 당원이자 격주간지 〈알제리 공동체〉의 창립자인 모하메드 아지즈 케수스에게도 편지를 보내, 알제리 사태를 해결하기 위해 아랍인과 프랑스인이 함께 나서야 한다고 역설했다. 이 편지는 〈알제리 공동체〉 창간호인 1955년 10월 1일자에 「알제리 투사에게 보내는 편지」라는 제목으로 게재되었다. 편지 서두에서 "나는 지금 알제리병에 걸려 있어요. 다른 사람들이 폐병을 앓듯이 말이죠. 8월 20일 이후로, 나는 절망에 빠지기 직전이에요"[22]라고 토로하고 있듯이, 카뮈가 이 당시 얼마나 알제리 사태에 관심을 기울이고 있었는지는, 자신의 지병인 "폐병"에다 "알제리병"을 연관시키고 있다는 사실만으로도 충분히 짐작할 수 있다. 그래서 카뮈는 알제리 투사에게 다음과 같이 호소했다. "그러니까 우리는 지금 서로가 서로에게 등을 돌린 채, 끝도 없이 서로에게 최악의 악을 자행하는 데 빠져 있어요. 나는 이런 생각 때문에 참을 수가 없어요. 지금 나의 하루하루가 엉망진창이에요. 그렇지만, 자네와 나, 너무나 닮았고, 같은 문화에서 자랐고, 같은 희망을 함께 나누고, 그토록 오래 전부터 형제애를 나누고, 우리가 살고 있는 땅에 사랑을 심으려고 하나가 된 자네와 나, 우리는 우리가 적이 아니라는 사실을 알고 있고, 우리들의 땅인 이 땅 위에서 함께 어울려 행복하게 살아갈 수 있을 것이라는 사실을 알고 있어요. […] 자네가 아주 잘 말했듯이, 나보다 더 잘 말했듯이, 우리는 함께 살아가야 하는 운명이에요."[23] 카뮈가 판단하기에, 알제리 프랑스인들과 알제리 원주민들은 함께 살아가야 할 공동 운명체였다.

이어지는 글은 카뮈가 처해 있는 처절한 상황을 더욱 현실적으로 그리고 있다. "하지만 지금 이런 말을 한다는 것은, 내 경험으로 알고 있듯이, 두 군대 사이의 무인 지대에 서 있는 것이고, 총알이 빗발치는 와중에, 전쟁이란 속임수라고 설교하는 꼴이고, 또한 때로는 피를 흘려야 역사가 진전하기도 하지만, 피는 역사를 더욱더 야만과 빈곤으로 내모는 법이라고 설교하는 것이나 다름없어요. 진정으로 가슴 아파하면서 이런 말을 감히 하는 자는 어떤 대답이 돌아오기를 바랄 수 있을까요? 비웃음 소리들과 빗발치는 총탄 세례가 아니라면 말이죠. 그럼에도 불구하고, 이런 말을 외쳐야 해요."[24] 알제리 독립을 지지하는 대부분의 좌파 지성인들로부터 비웃음을 산다 할지라도, 그리고 우파 지성인들로부터 무차별 공격을 받는다 할지라도, 희생자와 도살자를 막기 위해서는 진실의 소리를 외쳐야 한다는 것이다. 무력진압을 강행하는 프랑스 정부의 입장에도, 테러리즘의 수단으로 독립을 쟁취하려는 알제리 민족해방전선의 입장에도 동조할 수 없었던 카뮈는 양쪽에서 날아오는 비난의 화살을 피할 길이 없었다.

그럼에도 불구하고 그는 "그래요. 중요한 것은, 비록 매우 제한적이라 할지라도, 여전히 가능한 대화의 자리를 만들어 나가야 한다는 것이에요. 중요한 것은, 아무리 일시적이고 아무리 피상적이라 할지라도, 데탕트를 이끌어 내야 한다는 것이에요"[25]라고 거듭 대화의 중요성을 강조한 뒤, "나는 우리의 산과 들과 강 위에 평화가 꽃필 것이고, 그때 마침내 아랍인과 프랑스인들은 자유와 정의 속에서 화해함으로써, 오늘 그들을 가르고 있는 유혈사태를 잊어버리려고 노력하게 될 것이라고 혼신을 다해 믿고 싶어요. 그날 우리는, 증오와 절망 속에 함께 추방되었던 우리는, 비로소 그날에 가서야 둘이 함께 하나의 조국을 되찾게 될 것이에요"[26]라며 간절한 희망의 언어로 편지를 마무리했다. 대화와 협상 그리고 두 민족의 평화공존, 이것은 알제리 전쟁 기간 내내 카뮈가 변함없이 끝까지 고수했던 입장이다.

한편, 주간지였던 〈렉스프레스〉지는 1955년 10월 8일자부터 일간지로 재탄생했다. 이듬해 1월에 치러질 총선에 대비해서 피에르 멘데스 프랑스가 이끄는 좌파에 힘을 실어 주기 위한 전략의 일환이었다. 일간지로 변신한 바로 그날에 게재된 카뮈의 사설 「자유의 별 아래」는 지성인과 사회의 관계를 직접적으로 언급하고 있다는 점에서 중요한 텍스트이다. 카뮈는 이 사설의 모두에서 지성인을 다음과 같이 정의하고 있다. "지성인. 우리 사회가 때로는 경멸을 퍼붓고, 때로는 권총으로 위협하는 이 대머리는 밤중에 깨어나, 자신을 떠나지 않는 근심과 마주하고서는, '이 비참한 처지에서 내가 뭘 하지?'라고 스스로에게 볼멘소리로 중얼거리는 자이다."[27] 지성인을 정의하는 표현치고는 무력감과 자괴감이 물씬 풍기는 언어의 조합이다. 아마도 당시 알제리 사태와 마주해서 무기력할 수밖에 없던 심경을 에둘러 표현했을지도 모른다. 아무튼, 이어지는 글에서 카뮈는 정당이나 교회에서 요구하는 것도 아니고, 그렇다고 나대려는 욕구도 없고, 능력도 시간도 모자라는데, 지성인이 왜 언론에 글을 써야 하는지를 묻고 나서 자신의 상황에 빗대어 지성인의 본분을 상기시키고 있다. "언제까지나 사랑할 수밖에 없는 조국 때문에 병이 든다해도, 지성인은 반대편에 서서 투쟁하면서, 무책임한 정신을 독려하는 어떤 글도 쓰지 않으려 한다. 나라를 손에 쥐고 있는 상인들과 나라를 독차지하려는 경찰들 사이에서 갈가리 찢겨진 조국을 앞에 두고 어찌그런 글을 쓸 수 있겠는가? 저들 양자 모두 국민의 이름으로 떠들어대지만, 정작 국민은 입을 다물고 있거나, 아니면 빈곤의 극단에 빠져, 절망적으로 저들의 거짓말을 고발하기 위해서 아우성치고 있는데 말이다."[28]

이러한 상황에서 "지성인은 주저하는 목소리로 말해 봐야 헛수고일 것이다. 그에게 돌아오는 것은 대답이 아니라, 저주의 말이고, 터무니없는 시비이다. 그가 무슨 말을 하느냐에 따라, 그리고 그의 기분과 그의 동기에 따라, 간접적으로 상인들에게 도움을 주게 되고, 원하지도 않았는데 경찰들을 두둔하게 될 것이다. 그렇게 그는 자기가 사랑하는 사람들에게 오히려 피해를 안겨 줄 것이고, 그 대가로 본의 아니게도 적들을 가지게 된 처지를 감내해야 할 것이다. 그런 엄청난 불행보다는 삶에 도움이 되는 침묵을 선호해야 하는 게 아니겠는가? 그리고 이런 빈정거림이나 선호해야 하는 게 아니겠는가?"[29] 이러한 현실적인 판단에도 불구하고, 카뮈는 지성인의 사회참여는 선택의 문제가 아니라 의무의 문제라고 덧붙이고 있다. "만인의 눈높이에서 노동 해방과 문화 해방을 위해기나긴 투쟁을 선택하는 것 외에 어떻게 한 예술가가 자신의 특권들(특권들이 있다고 한다면)을 정당화할 수 있겠는가? […] 작가라면 장터의 일에 참여해야 한다. 외면할 수 없는 법이다."[30]

하지만 장터의 일에 참여하기 위해서는 지성인에게도 어떤 믿음이 필요하다. 인간을 "더 원대한 존엄성"과 "삶의 영광"을 향해 나아가게 할수 있다는 믿음인데, 이러한 믿음은 곧 "자유", 그것도 "미친 사랑"과 같은 "광적인 자유", 즉 "육신의 위대한 열정"이자 "이따금 자유를 얻기 위해서는 언제나 정의를 요구하는 완강한 자유"[31]라고 지성인의 자유정신을 처절하게 부르짖고 있다. "자, 바로 이것이 한 작가가 모든 위험과 고난을 무릅쓰고, 그 빛 아래서 행동할 수 있는 별, 유일한 별이다. 단, 그 어느 곳에서도 자유가 모멸당하는 사태를 결코 용인하지 않으면서, 하루하루 자유에 그 내용물인 정의를 주입하려고 끈질기게 노력한다는 한에서 말이다. 정의가 없는 자유는 가혹하고 치욕스러운 몽상에 지나지 않을 것이기 때문이다."[32] 마지막으로 카뮈는 "외로운 동시에 장터와 연대한 한 작가가 깊은 성찰에서 나온 자신의 신념을 곧이곧대로 털어놓고, 무엇보다도 자유를 위해서 자신의 기사에서 자유롭게 투쟁하는 것도 어쩌면 나쁘지만은 않을 것이다"라고 결론지으며 사설을 마무리했다.

열흘 뒤인 1955년 10월 18일자 사설 「원탁회의」에서도 카뮈는 "알제리의 프랑스인들과 아랍인들은 함께 살고 함께 죽을 운명이다"[32]라고 지적한 뒤, "지금 절망은 곧 전쟁을 의미한다"[33]고 경고하면서 대화에 대한 희망을 버리지 않았다. 10월 21일자 사설 「양심」에서는 "본토에 사는 프랑스 국민들과 알제리의 프랑스인들 간의 단절이 이처럼 크게 벌어진 적은 없었다"고 진단하면서, 본토 국민들의 책임의식과 시민정신의 발로를 호소하고 있으며, 10월 25일자 사설 「진정한 무책임」에서는 알제리 프랑스인들에게 "편견과 쓰라린 마음"[34]을 이겨내고 본토 국민들과의 화해를 종용했다. "지금 그들의 운명을 손에 쥐고 있는 것은 프랑스가 아니다. 바로 알제리 프랑스인들의 결단에 자신들의 운명과 프랑스의 운명이 달려 있다."[36] 그리고 11월 1일자 사설 「첫 번째 11월」에서는 내전 첫돌을 맞이해서, 더 이상의 희생을 막기 위해서 최소한 "단순하고 순수한 인간성의 선언"[37]이라도 하자고 제안했다. 처절한 몸부림이 느껴지는 제안이다. 하지만 이러한 카뮈의 애타는 호소와 절규에도 불구하고, 알제리 상황은 더욱더 심각하고 피비린내 나는 전쟁으로 치닫고 있었다. 절망적인 상황이었다.

카뮈는 1947년 11월 〈라디오 알제〉에서 방송된 엠마뉘엘 로블레스와의 인터뷰에서 다음과 같은 말을 한 바 있었다. "진정한 절망! 이성이 마비되어 있는 것이 진정한 절망이다. 증오와 폭력과 살육을 용인하는 것이야말로 진정한 절망이다. 나는 그런 절망을 용인해 본 적이 결코 없다."[38] 카뮈는 "증오와 폭력과 살육을 용인하는" 절망을 결코 받아들일 수 없었기에, 점점 악화되어 가는 알제리 사태 앞에서도 희망의 끈을 놓지 않고 있었다. 그는 '이성의 눈'으로 현실을 직시하면서, 알제리 문제의 해법을 찾고 있었다. 그가 보기에는 무엇보다도 무고한 희생을 막는 것이 급선무였다. 민간 휴전만이 유일한 탈출구였다.

그래서 카뮈는 1956년 1월 10일자 〈렉스프레스〉지 사설 「민간인들을 위한 휴전」에서 거듭 적대 행위의 종식을 강력하게 호소하면서 민간 휴전을 이끌어 내자고 주장했다. 사설의 필자는 "조만간, 알제리는 오로지 살인자들과 희생자들만이 득실거릴 것이다. 조만간, 알제리에서는 죽은 자들만이 무고한 자들이 될 것이다"라고 예견하면서, 정부군과 반군 간의 폭력의 악순환이 지속되는 한, 공멸 이외의 다른 종말이 없음을 경고했다. "식민 지배자들의 오랜 폭력이 반란군의 폭력의 원인이다. 하지만 이런 정당화는 무장 반군에게만 적용될 수 있다. 반군의 무절제를 외면하거나 그에 대해 침묵하고서, 어찌 무력진압의 지나침을 비난할 수 있겠는가? 또한 거꾸로, 아랍인들이 재판도 없이 처형당하고 있다는 사실을 인정하지 않고서, 어찌 프랑스인 포로들의 살육에 분개할 수 있겠는가? 각자가 상대편의 범죄를 허용하면서 더욱 극단으로 치닫고 있다. 하지만 이런 논리에는 끝없는 파괴 이외에 다른 결말이 있을 수 없다."[39] 이어서 카뮈는 "증오의 포식자들"[40]이 어느 한쪽을 선택해야 한다는 주장에 대해 다음과 같이 응수했다. "나는 선택했다. 나는 나의 조국을 선택했다. 나는 프랑스인과 아랍인이 자유롭게 연합하게 될 정의의 알제리를 선택했다."[41]

마지막으로 카뮈는 "증오와 불의에 중독된"[42] 알제리가 살 길은 오로
지 증오를 청산하고 휴전하는 데에 있음을 강조하면서 사설을 매조지었
다. "모두에게 휴전을 외쳐야 한다. 해결책을 찾을 때까지 휴전하자고,
양쪽 다 민간인 살육을 중지하라고 외쳐야 한다. 비난하는 자가 모범을
보이지 않는 한, 모든 비난은 소용없다. 친구인 아랍인과 프랑스인들이
여, 진정으로 자유롭고 평화적인 알제리, 조만간 부유하고 창조적인 알
제리를 위한 마지막 호소에 응답하기를! 다른 해결책은 없다. 우리가 말
하는 해결책 이외의 어떤 해결책도 없다. 이 해결책 이외에는 오로지 죽
음과 파괴만이 있을 뿐이다."[43] 카뮈 자신의 표현을 빌리면, "알제리의
두 민족 가운데 어느 한쪽의 입장을 편들어 다른 쪽의 입장을 희생시키
는 걸 전력을 다해 거부"하면서 "내 역할을 다 하기로 결단했던 한 지성
인"[44]의 외롭고 절박한 절규였다.

일주일 뒤인 1956년 1월 17일자 사설 「휴전에 대한 각오」에서도 카뮈
는 거듭 양자 협상을 통해 민간 휴전을 성사시키자고 촉구했다. "알제리
문제가 그 해결책을 요구하는 시간이 다가오고 있다. 그런데 이 해결책
이 나타날 조짐이 보이지 않는다"[45]로 시작되는 이 사설에서, 카뮈는 프
랑스 정부가 아랍 주민들의 권익을 보장하는 독트린을 천명하고, 아랍
주민들이 이 조치에 합의할 것을 주문했다. 그러나 역시 가장 큰 걸림돌
은 알제리 프랑스인들이었다. 이들은 어떠한 양보도, 어떠한 타협도 거
부하면서, 프랑스 정부가 더욱 강력한 탄압을 해 주기만을 기대하고 있
었다. 그래서 카뮈는 알제리 프랑스인들의 각성과 인식의 전환을 강력
하게 촉구하면서 대화를 통해 휴전을 이끌어 내자고 역설했다. "알제리
프랑스인들의 여론이 진정으로 변화하지 않는 한 해결이 불가능하다.
테러와 압제의 피비린내 나는 결혼은 도움이 되지 못할 것이다. 어느 측
에서 조장하든, 증오와 선동이 격화되는 것도 마찬가지이다. 그와 반대
로, 아직도 대화가 가능하다고 믿는 사람들이 결집해야 한다. 알제리에

서 자유로운 연합 체제 하에 프랑스인과 아랍인이 공존할 수 있다고 믿
는 프랑스인들, 이러한 공존이 알제리의 모든 공동체들의 정당성을 인정
해 줄 것이라고 믿는 프랑스인들, 그리고 어쨌든 오로지 공존만이 오늘
의 죽음과 내일의 빈곤으로부터 알제리 민족을 구원할 수 있다고 확신
하는 프랑스인들, 바로 이런 프랑스인들은 책임지고 다시 대화가 가능
하도록 진정을 호소해야 한다. 그들의 첫 번째 의무는 민간인들과 관련
해서는 휴전이 선포되도록 전력을 다해 요구하는 것이다."[46]

　사실, 카뮈가 1956년 1월 10일자와 1월 17일자 사설에서 연이어 휴전
을 촉구했던 것은 계획된 의도에 따른 전략의 일환이었다. 왜냐하면 이
미 몇 달 전부터 카뮈는 양측의 협상 테이블을 마련하기 위해서 물밑에
서 끈질기게 노력해 왔고, 마침내 1월 22일 일요일 알제에서 회합을 가
지기로 결정되어 있었기 때문이다. 민간 휴전을 위한 호소문을 발표하
기로 한 이 회합에 참석하기 위해서 카뮈는 1월 18일에 알제에 도착했
다. 그러나 카뮈의 생각과는 달리 현지의 분위기는 험악했다. 알제리 프
랑스인들이나 아랍 주민들 모두가 휴전에 반대하는 분위기였고, 더욱이
카뮈를 암살하려 한다는 소문까지 나돌았다. 어린 시절의 친구들이 자
진해서 밀착 경호를 하는 해프닝에도 불구하고, 카뮈는 이 회합을 주선
하는 데에 전력을 다한 엠마뉘엘 로블레스, 샤를 퐁세, 루이 미켈, 장 드
메종쇨, 롤랑 시무네 등 그의 친구들과 함께 여러 차례 전략 회의를 가
졌고, 아랍인 대표로 참석할 아마르 우즈간, 물루드 암란, 부알렘 무사
우이, 모하메드 레브자우이 등과 만나 회합의 성공을 위해 허심탄회하
게 대화를 나누었다. 그런데 이 자리에서 레브자우이는 카뮈에게 아랍인
대표 모두가 알제리 민족해방전선(FLN) 소속이라는 사실을 털어놓으면
서, 프랑스 정부가 민간 휴전을 엄격하게 지킨다는 약속을 한다면, 민족
해방전선도 민간인에 대한 학살을 중지하겠다고 제안했다. 카뮈는 대화
상대자가 테러 행위의 본산인 민족해방전선의 투사들이라는 사실을 알

고 짐짓 놀랐으나, 마침내 당사자격인 민족해방전선의 사람들과 공동으로 회합을 가지게 되었다는 생각에 "아마도 이번 회합은 성공한 것이나 다름없네요"라고 말하면서, "지금 이 순간부터 나를 형제로 간주해 주길 바랍니다"[47]라고 덧붙였다.

1956년 1월 22일 일요일 오후 4시 30분, 알제 시내에 있는 진보서클 회관에서 카뮈의 강연이 시작되었다. 강당은 발 디딜 틈조차 없이 알제리 프랑스인들과 아랍인들로 꽉 들어차 있었다. 건물 밖에서는 '알제리 프랑세즈'를 외치는 극우파 프랑스 청년들이 "카뮈를 죽여라!", "멘데스를 사형대로!"를 연호하면서 건물 유리창을 박살 내는 험악한 분위기가 연출되었다.[48] 이런 어수선한 분위기에서도 카뮈는 준비한 원고인 「알제리에서의 민간 휴전을 위한 호소」를 차분하게 읽어 나갔다. 강연 모두에서 "어떤 정치적 성격도 배제한" 채 오로지 "무고한 민간인들의 생명"을 구제하기 위한 "순수한 인류애의 호소"[49]라고 밝힌 카뮈는 "내가 이 자리에 설 수 있는 유일한 자격은 알제리의 불행을 나 자신의 비극으로 살아왔다"는 데에 있음을 상기시키면서, "지난 이십 년 동안 우리 두 민족의 화합에 도움이 되기 위해서 나름대로 미약하게나마 최선을 다해 왔다"[50]고 덧붙였다. 이어서 카뮈는 "피와 증오의 왕국"[51]을 방관할 수 없기에, 프랑스 정부 당국과 아랍 운동 세력이 아무런 조건 없이 "어떤 경우에도 민간인의 생명이 존중되고 보호받을"[52] 수 있는 공약을 동시에 선포하도록 하는 게 이 회합의 목적임을 강조했다.

청중들의 박수 소리에 고무된 카뮈는 "그 어떤 이유로도 무고한 자의 죽음을 정당화할 수 없다"면서, "우리들의 제안이 단 한 명의 무고한 생명을 구하는 데에 그친다고 할지라도 정당성을 인정받게 될 것이다"[53]라고 역설했다. 그리고 "아랍인이든 프랑스인이든, 상대방의 견해를 숙고하려는 노력을 기울인다면, 적어도 생산적인 토론의 장을 마련할 수 있는 요소들이 도출될 것"이고, 그와 반대로 서로가 상대방을 탓하는 공방전에 빠질 경우 "모든 합의 가능성은 결정적으로 핏물 속에 사장될 것"[54]이라고 경고했다. 이러한 제안이 받아들여지지 않을 경우, "우리 두 민족은 영원히 결별하게 될 것이고, 알제리는 오랫동안 폐허의 땅이 될 것"이라고 거듭 경고하면서, "나의 호소가 그 어느 때보다도 시급한 이유가 바로 여기에 있다"[55]고 강조했다. 마지막으로 카뮈는 "내가 태어난 이 땅을 나는 열정적으로 사랑해 왔고, 나는 이 땅에서 현재의 나의 모든 것을 얻어 냈다"고 토로하면서, "그러기에 나는 체념에 빠져서 이 나라가 오랫동안 불행과 증오의 땅이 되는 모습을 바라볼 수 없다"며 "한 줌의 무고한 희생자들"이라도 발생하지 않도록 "테러를 행사하는 것도, 테러를 참아내는 것도 동시에 거부하는 사람들"[56]이 나서서 민간 휴전을 성사시키는 데에 전력을 다해야 한다고 간절하게 호소하는 것으로 강연을 마무리했다.

그러나 카뮈의 호소는 극우파 프랑스인들로부터도, 알제리 민족해방전선으로부터도 환영받지 못했다. 카뮈는 절망에 빠진 채 파리로 되돌아갈 수밖에 없었다. 장 다니엘의 증언에 의하면, 1956년 1월 초에 이미 카뮈는 장 다니엘에게 다음과 같이 말했다고 한다. "휴전을 위해서, 무고한 생명의 학살 저지를 위해서, 그리고 언젠가는 대화를 이끌어 낼 윤리적이고 정치적인 여건들을 조성하기 위해서 투쟁해야 한다. 우리가 양쪽 어느 편에도 더 이상 영향력을 행사할 수 없게 된다면, 아마도 당분간은 침묵해야 할 것이다."[57] 장 다니엘에게 선언한 대로, 카뮈는 그로부터 한 달 후인 1956년 2월 초 〈렉스프레스〉지를 떠나 오랜 침묵에 들어가게 될 것이다. 알제리의 완전한 독립에 반대하고 프랑스인과 알제리인의 공존을 주장하면서, 무엇보다도 무고한 생명의 희생을 막기 위한 민간 휴전을 줄기차게 주장했던 그에게는 더 이상 다른 해결책이 없었다.

이와 같은 카뮈의 입장은 그가 영국 월간지 〈인카운터(*Encounter*)〉에 보낸 서한에 압축적으로 명시되어 있다. 이 잡지의 특파원인 카라시올로는 1957년 4월호에 게재한 기사에서 카뮈에게 알제리 문제에 대한 입장을 표명하라고 촉구한 바 있었는데, 이에 대해 카뮈는 〈인카운터〉지의 발행인에게 공개서한을 보내 자신의 입장을 명확하게 밝혔다. 아래는 1957년 6월호 〈인카운터〉지에 게재된 이 서한의 주요 내용이다.[58]

사실, 귀지의 특파원은 알제리 문제에 관해 내가 지난 20년 동안 수많은 기사들을 쓰면서 알제리에 대한 프랑스 여론의 관심을 이끌어 내고자 했던 사실을 모르고 있는 것 같다. 1년 전에 〈렉스프레스〉지에 발표했던 일련의 기사들(카라시올로 씨는 이 기사들을 구해 볼 수 있다)은 그 당시 내 입장을 명쾌하게 밝히고 있다. 그리고 마침내 최근에 나는 일련의 조치들을 제안한 바 있는데, 귀지의 특파원을 위해 다음과 같이 요약하고자 한다.

— 식민지 위상 종결 선포.
— 알제리의 정당들과 지자체들의 모든 대표들과 아무런 선행조건 없는 협상 개최(많은 노조 단체들이 인정했고, 더욱 중요한 것은, 알제리민족운동(MNL) 측이 인정한 제안).
— 연방 차원에서 두 민족의 자유를 보전하는 '스위스식의' 자립 위상 논의.
나는 한 알제리 프랑스인이 내놓은 이 제안들이 귀지의 특파원이 내게 요구했던 사안에 대한 대답이 되기를 바란다.
그렇지 못할 경우, 내가 더 나은 제안을 할 수 없는 나의 입장에 대해서는 용서를 구하고자 한다. 프랑스인으로서의 나는 아랍 무장단체에 가담할 수 없다. 알제리 프랑스인으로서의 나는 가족이 테러 현장의 위험에 노출되어 있기에 민간인에 대한 테러리즘을 용인할 수 없다. 게다가 테러리즘은 프랑스인들보다도 훨씬 더 많은 아랍 민간인들을 강타하고 있다. 나에게 무력진압에 항의하라고 요구할 수 없다. 하지만 나는 항의해 왔다. 나에게 테러리즘의 정당성을 인정하라고 요구할 수 없다. 나는 결코 테러리즘의 정당성을 인정하지 않을 것이다.[59]

위 글은 무엇보다도 알제리 문제와 관련하여 "알제리 프랑스인"인 카뮈의 난처한 입장을 가장 잘 보여 주는 텍스트인데, 그 내용을 분석해 보면, 핵심은 무고한 민간인을 희생시키는 그 어떤 폭력에도 반대한다는 데에 있다. 식민지 정부군의 무력행사도 알제리 독립투사들의 테러리즘도 결코 용인할 수 없다는 것은 카뮈의 일관된 지론이었다. 이와 아울러 한 가지 주목해야 할 점은, 비록 카뮈가 알제리의 완전한 독립에는 부정적인 입장이었으나, 그렇다고 해서 그가 식민지 위상을 존속시키고자 했던 소위 '알제리 프랑세즈'의 지지자는 아니었다는 사실이다. 다시 말해서, "알제리는 프랑스이다(L'Algérie c'est la France)"[60]라는 프랑수아 미테랑 내무장관의 저 유명한 선언이 대변하던 프랑스 정부의 입장, 즉 식민지 존속을 주장하는 프랑스 정부의 공식 입장이나 이에 동조하는 극우파 프랑스인들(알제리 프랑스인들을 포함해서)의 입장에 카뮈가 동조했던 것은 결코 아니라는 사실이다. 왜냐하면 카뮈는 알제리의 "식민지 위상 종결 선포"와 아울러 양자 협상을 통한 두 민족의 평화공존을 보장하는 스위스식의 자치 연방제를 제안했기 때문이다. 알제리 프랑스인으로서 제시할 수 있는 최선의 해결책이었다. 하지만 이것은 "알제리 프랑스인" 카뮈의 한계이기도 했다. 그러기에 그는 "더 나은 제안을 할 수 없는" 자신의 입장에 대해서 "용서를 구하고자 한다"는 말을 덧붙이지 않을 수 없었다. 요컨대, 카뮈는 식민주의자도 독립주의자도 아닌 제3의 길을 선택했던 것이다. 다시 말해서, 두 민족의 평화공존만이 알제리 문제의 유일한 해법이고, 폭력의 악순환에서 벗어날 수 있는 첩경이라고 판단했던 것이다. 그러나 그의 주장은 받아들여지지 않았고, 알제리는 "피와 증오의 왕국"으로 치닫는 운명의 길을 가고 있었다.

카뮈의 예언은 적중했다. 알제리는 오랫동안 "불행과 증오의 땅"이 되었고, 카뮈 자신에게는 다행한 일인지도 모르지만, 그는 알제리가 독립하기 전에 세상을 떠남으로써, 그의 조국 알제리가 반세기 동안이나 공산주의 체제와 이슬람 근본주의자들의 압제 하에서 신음하는 모습을 지켜보지 않아도 되었다. 물론 역사는 카뮈의 판단이 옳았음을 입증하고 있지만, 그렇다고 해서 그의 판단을 오롯이 존중할 수도 없다. 왜냐하면 알제리인들이 완전한 독립을 주장했던 것은 그들의 권리였고, 그들의 정의였기 때문이다. 1830년 프랑스가 알제리를 정복한 이후, 몇 세대에 걸쳐 프랑스인들이 알제리 땅에 뿌리를 내리고 살아왔지만, 그렇다고 해서 알제리가 프랑스 땅인 것은 아니었다. 알제리 프랑스인들은 결코 땅 주인이 아니라 언제까지나 불법점유자일 뿐이었다. 백 년 넘게 실질적인 점유를 해 왔다고 해서, 땅 주인이 될 수는 없는 법이다. 백 년 동안의 지분을 내세워 알제리 땅이 공동소유이니 사이좋게 공동으로 경작하자는 제안도 땅 주인이 수용하지 않으면 어쩔 수 없는 노릇이다. 땅 주인이 쫓아내면 쫓겨날 수밖에 없는 게 불법점유자의 처지이다. 카뮈가 알제리 프랑스인으로 태어난 것은 자신의 운명일 뿐, 땅 주인과는 무관한 일이었다. 바로 이 점에서 그의 판단에 결정적인 하자가 있었다는 점을 지적하지 않을 수 없다. 다시 말해서, 카뮈가 알제리인들의 '정의'를 너무 간과했다는 비판을 하지 않을 수 없다. 그는 알제리인들로부터 외면당할 수밖에 없는 선택을 했던 것이다.

　이와 관련하여, 알제리 출신으로 프랑스에서 활동하는 아누아르 벤말렉(Anouar Benmalek)의 지적은 새겨들을 만하다. "기자로서의 카뮈는 분명 알제리인들의 불행에 민감했지만, 작가 카뮈는 그렇지 못했다. 이것은 카뮈 자신에게 비극이다. 그는 자유를 옹호했지만, 현실을 받아들이지는 못했다."[61] 그렇다. 카뮈가 시대적 판단을 잘못했던 것, 즉 알제리의 독립이라는 현실을 받아들이지 못했던 것은 그의 "비극"이었다. 그는 스스로 비극의 주인공이 되었고, 그것은 그의 운명이었다. 알제리 작가 야스미나 크하드라(Yasmina Khadra)는 카뮈를 자신의 "우상"이라고 밝히면서도 "그는 오로지 자신의 알제리, 편협한 피에 누아르[알제리 프랑스인]의 어린이 장난감으로서의 알제리만을 언급했을 뿐이다"[62]라고 극단적인 평가를 내리기도 했다. 알제리 전쟁 당시에 태어난 두 작가의 평가는 오늘날에도 알제리인들이 카뮈의 선택에 동조하지 않고 있음을 보여주는 사례이다.

하지만 다른 한편으로 카뮈의 뿌리 깊은 지론을 고려해 보면, 그의 판단을 오롯이 비난할 수만도 없다. 왜냐하면 스탈린식 공산주의 체제에 대한 비판에서나, 알제리 사태에 대한 판단에서나, 카뮈의 가장 원초적이고 일관된 주장은 목적이 수단을 정당화해서는 안 된다는 것이었다. 다시 말해서, 카뮈는 그 어떤 명목으로도 인간이 인간을 살육하는 행위를 인정할 수 없다는 확고한 신념을 지니고 있었다. 『독일인 친구에게 보내는 편지들』에서부터 「희생자도 도살자도」와 『반항인』을 거쳐 「민간 휴전을 위한 호소」에 이르기까지, 줄곧 카뮈는 아무리 '정의로운' 목적이라 할지라도, 무고한 인간의 생명을 유린하는 폭력과 탄압을 결코 용인할 수 없음을 변함없이 주장했다. 알제리 사태와 마주해서도 카뮈의 원초적인 본능은 무엇보다도 무고한 시민들의 생명을 보호해야 한다는 절박한 호소로 귀결될 수밖에 없었다. 그러기에 그는 "순수한 인간애의 호소"라고 역설했던 것이다. 한마디로, 정의는 결코 폭력으로 살 수 없다는 것이 알제리 사태와 마주한 카뮈의 변함없는 지론이었다. 이런 점에서 보면, 왜 카뮈가 『반항인』에서 피의 대가를 요구하는 혁명이 아니라, 개개인의 반항으로 공존의 삶을 모색해야 한다고 그토록 주장했었는지를 이해할 수 있을 것이다. 요컨대, 카뮈는 영원한 '반항인'이었지 결코 '혁명가'가 아니었다.

1962년 7월 5일, 알제리는 18년간의 전쟁 끝에 깊은 상흔을 남긴 채 독립했다. 2년 반 전인 1960년 1월 4일에 카뮈는 불의의 교통사고로 세상을 떠났고, 아들의 사망 소식을 접하고서 "너무 젊은데"[63]라는 외마디 말을 중얼거렸던 어머니는 여덟 달 후인 1960년 9월 일흔여덟의 나이에 숨을 거뒀다. 다행하게도 카뮈의 어머니는 테러리즘의 희생자가 되지 않았고, 더욱 다행하게도 수십만 명의 피에 누아르들처럼 알제리 땅에서 쫓겨나는 불행을 겪지 않아도 되었다. 카뮈가 살아 있었더라면, 알제리의 독립을 어떻게 바라보았을까 하는 물음은 우문에 불과할 터이지만, 아마도 그는 어느 누구보다도 독립 후 이어졌던 알제리의 불행을 기꺼이 함께했을 것이다.

　카뮈는 알제리를 사랑했다. 너무나 사랑했다. 일방적인 사랑이었다. 짝사랑이었다. 알제리인들은 그의 사랑을 받아들이지 않았다. 그들의 입장에서 보면, 카뮈의 알제리 사랑은 알제리 프랑스인으로서의 사랑이었지, 아랍인 원주민으로서의 알제리 사랑은 아니었다. 결국, 카뮈는 알제리 프랑스인으로 타고 난 운명을 결코 벗어날 수 없었다. 비극적인 운명이었다. 이 비극적인 운명은 그의 사후에도 이어졌고, 지금까지도 '비극적'이라는 수식어를 다 떼어 내지 못한 현실로 남아 있다. 실제로, 오늘날에도 여전히 식민주의 프리즘을 통해서 카뮈를 바라보는 경향이 가시지 않고 있기 때문에, 어쩌면 카뮈의 비극은 앞으로도 한동안 이어질지도 모른다.

　물론, 새로운 시각으로 카뮈를 바라보는 알제리인들이 없는 것은 아니다. 알제리 출신의 기자이자 에세이스트인 아크람 벨카이드(Akram Belkaïd)는 "알제리에서 카뮈에 대한 읽기가 점차 식민주의 프리즘에서 벗어나고 있다. 내전 당시 태어난 세대는 피에 누아르 카뮈를 넘어 인간 카뮈를 재발견하고 있다"[64]고 증언했고, 현재 알제리 문학의 젊은 기수로 각광받고 있는 살림 바쉬(Salim Bachi)는 "작가 예술가인 카뮈를 이해하기 위해서는 정치사상가 카뮈를 제쳐둘 수 없다. 두 카뮈가 연결되어 있다. 우리 세대의 작가들은 사상적인 선입관 없이 카뮈의 모든 면에서 카뮈를 사고할 수 있다는 데에 관심을 가지고 있다. 카뮈는 우리 선배들이 우리에게 각인시키고자 했던 인종주의 작가가 아니다. 그는 무엇보다도 시대의 증인이었다. 나에겐 알제리와 관련해서는 사르트르보다 훨씬 더 흥미 있는 증인이다"[65]라고 평가했다. 적어도 "인간" 카뮈와 "시대의 증인" 카뮈의 진실이 재조명되고 있음을 보여 주는 상징적인 증언들이다.

1995년 이슬람 근본주의자들의 테러로 알제리가 피로 물들었을 때, 기자이자 작가인 유셉 지렘(Youcef Zirem)은 「지옥과 이성 사이에서」라는 기사를 한 주간지에 발표해서 알제리인들에게 카뮈가 썼던 신문 기사들을 다시 읽어 볼 것을 제안한 바 있었다. 그는 알제리 학자와 지성인들이 2006년 티파사에서 "카뮈와 알제리 문학"이라는 주제로 개최한 국제 학술 대회에 참여해서 그 이유를 다음과 같이 설명했다. "내가 그 기사를 썼던 이유는 당시 우리가 겪고 있던 지옥 같은 세상을 카뮈도 똑같이 겪었었다는 사실을 독자들에게 환기시키기 위한 것이었다. 모든 폭력은 그 어떤 이유로든 늘 비난받아 마땅하다는 점을 말하기 위한 것이었다."[66] 알제리를 "피와 증오의 왕국"[67]으로 만들었던 폭력에 맞서서 민간 휴전을 그토록 호소했던 카뮈의 외로운 목소리가 적어도 일부 알제리 지성인들의 귓가에 여전히 메아리치고 있음을 입증하는 증언이다. 그리고 "알제리에 진정으로 민주주의가 정착되는 날, 알제리인들은 카뮈의 위대함을 진정으로 이해하게 될 것이다"[68]라는 유셉 지렘의 예언은 그 자체만으로도 매우 상징적인 의미를 담고 있다.

오늘날의 알제리 지성인들의 카뮈에 대한 평가가 어떠하든, 한 가지 분명한 사실은 "시대의 증인"으로서의 지성인 카뮈가 자신의 신념을 밝혔던 글들은 영원히 남을 것이라는 점이다. 1차 대전 때 아버지를 여의였고, 2차 대전의 참혹한 현실을 겪었던 카뮈의 가장 원초적인 신념이자 불굴의 지론은 인간의 인간에 대한 어떤 폭력도 결코 용인할 수 없다는 것이었다. "인간이 인간을 뻔히 쳐다보면서 어찌 고문할 수 있는지를 이해할 수 없었기에"[69], 그리고 "그런 범죄가 이 세상에서 판치는 걸 막기 위해서는 투쟁하는 것 이외에 다른 길이 없었기에"[70], 『반항인』의 저자 카뮈는 폭력으로 얼룩진 한 시대의 니힐리즘을, 특히 1940년대에 살육을 일삼았던 파시즘과 공산주의의 니힐리즘을 공격하지 않을 수 없었다. 이런 점에서 볼 때, 『독일인 친구에게 보내는 편지들』의 한 구절은 카뮈의 사상을 가장 진솔하게 드러내고 있다.

> 아니, 나는 우리가 추구하는 목적을 위해서라면 온갖 수단들을 다 동원해야만 한다는 사실을 믿을 수가 없다. 용서받지 못하는 수단들이 있는 법이다. 그래서 나는 정의를 사랑하면서 동시에 내 조국을 사랑할 수 있기를 바란다. 나는 내 조국의 위대함이 피와 거짓으로 얼룩진 위대함과 같은 그런 서푼짜리 위대함이기를 바라지 않는다.[71]

이 편지에서 독일인은 나치의 상징일 뿐만 아니라, "피와 거짓으로 얼룩진" 모든 폭력의 상징이기도 하다. 알제리 전쟁과 마주해서도 카뮈의 신념은 변함이 없었다. 카뮈에게는 프랑스 정부군의 무력진압도, 독립주의자들의 테러리즘도 "정의"에 배치되는 "수단"일 뿐이었다. 이런 시각에서 보면, 카뮈가 양 진영을 모두 비판하면서 민간 휴전을 부르짖었던 것은, 프랑스인의 자격으로서도 아니고, 알제리 프랑스인의 자격으로서도 아니라, 단지 인간을 사랑하는 한 인간, 모든 국적과 신분을 떠난 보편인의 자격으로서 외쳤던 "순수한 인류애의 호소"[72]였고 "단순하고 순수한 인간성의 선언"[73]이었다. 20세기 프랑스 지성인사의 전문가인 역사학자 장-프랑수아 시리넬리는 알제리 전쟁과 마주한 지성인 카뮈를 언급하면서 "민간인에 대한 폭력과 테러리즘을 혐오했기에 점점 과격해지는 분쟁의 양 진영 어느 한쪽에 가담하기가 좀처럼 어렵게 될 것이다"[74]라고 진단했는데, 아마도 카뮈의 입장을 가장 잘 대변해 주는 해석이 아닐까 한다. 카뮈는 "폭력과 테러리즘"의 편이 아니라 "인간"의 편에 있었으니 말이다.

3.3. 영광 그리고 죽음

3.3.1. 지성인과 헝가리 사태

알제리 전쟁이 점점 악화일로로 치닫던 상황에서, 1956년 10월 23일 헝가리 국민들은 소련 점령군과 공산주의 체제의 탄압에 맞서서 민중봉기를 일으켰다. 소련군은 탱크를 앞세워 11월 4일과 11일 두 차례에 걸쳐 부다페스트의 민중들을 무차별 진압했다. 이로 인해, 3천여 명의 사망자가 발생했고, 20만 명 이상의 시민들이 헝가리를 떠나 망명길에 올라야 했다. 카뮈는 11월 7일 일군의 헝가리 망명 작가들이 작성한 호소문을 받았는데, 그 내용은 다음과 같다.

전 세계의 시인, 작가, 학자들에게.

헝가리 작가들이 여러분께 호소합니다. 우리의 호소에 귀 기울여 주십시오. 우리는 조국의 자유와 유럽의 자유를 위해서, 그리고 인간의 존엄성을 위해서 반란에 나섰습니다. 우리의 희생이 헛되지 않도록 해 주십시오. 풍전등화와도 같은 지금 이 순간, 몰살당한 국민의 이름으로 우리는 여러분께 호소합니다. 카뮈, 말로, 모리악, 러셀, 야스퍼스, 엘리엇, 쾨슬러, 마다리아가, 히메네즈, 카잔

차키스, 라게르크비스트, 락스네스, 헤세, 그리고 이들 외에도 수많은 정신적 투사들이여! 행동에 나서십시오.[1]

이 호소문은 두 가지 점에서 매우 상징적이다. 첫째로, 지성인 사르트르의 이름은 찾아볼 수 없고, "수많은 정신적 투사들" 중에 포함되어 있다는 점이다. 둘째로, 말로, 모리악, 러셀, 야스퍼스, 엘리엇 등 그 명성에서 볼 때, 혁혁한 지성인들을 제치고 카뮈가 선두에 언급되어 있다는 점이다. 당시 지성인 카뮈의 위상을 가늠할 수 있는 상징적인 사례이다. 헝가리 작가들의 호소문을 받은 카뮈는 일간지 〈프랑-티뢰르(Franc-Tireur)〉에 이 호소문을 게재해 줄 것을 요청했다. 〈프랑-티뢰르〉지는 11월 9일에 이 호소문을 게재했고, 다음날인 11월 10일에는 카뮈의 글 「호소문에 대한 답장」을 게재했다. 이 글에서 카뮈는 "헝가리 형제들의 절망적인 호소 앞에서, 우리 가슴을 옥죄는 수치심과 처절한 슬픔과 반항의 감정에만 빠져들기보다는, 11월 7일자 호소문에 거명된 모든 지성인들이 유엔을 상대로 적극적인 행동에 나서는 게 바람직하다고 생각한다"[2]고 제안하면서, 극히 이례적으로 자신이 직접 작성한 성명서를 제시했다. 다음은 카뮈가 작성한 성명서의 전문이다.

아래 거명된 유럽의 작가들은 헝가리 국민이 당하고 있는 살육 사태를 유엔총회가 지속적으로 검토해 주기를 요구한다. 이들은 각국이 이번에 책임을 지고 아래 사항에 대해 표결에 참여할 것을 요구한다. 소련군의 즉각적인 철수, 소련군을 대체한 유엔군 투입, 포로와 수감자 석방, 그리고 헝가리 국민의 자유로운 선거 주관. 이와 같은 조치들만이 러시아 국민을 포함한 모든 국민들이 염원하는 정의로운 평화를 보장할 수 있을 것이다.

유엔이 이러한 의무를 저버릴 경우, 서명자들은 유엔 기구와 유엔 부속 문화 기구에 대한 보이콧뿐만 아니라, 언제든지 여론을 상대로 유엔의 무능력과 무책임을 고발할 것임을 약속한다.

　서명자들은 유엔 사무총장이 유엔 측에 우리의 입장을 전달해 주기를 간절히
바라면서, 우리의 호소가 무모한 협박이나 하려는 정신에서 나온 게 아니라, 자
유롭고 영웅적인 한 민족의 희생과 마주해서 우리 자신의 책임을 통감하는 양
심과 고뇌에 찬 반항에서 나온 것임을 인정해 주기를 바란다.[3]

보다시피, 카뮈가 작성한 성명서는 단순히 원론적인 선언에 그치고 있
는 게 아니라, 헝가리 사태를 해결하기 위한 구체적인 대안까지 제시하
고 있다. 그리고 이 성명서에 이어지는 글에서, 카뮈는 "헝가리 작가들의
호소문에서 거명된 모든 지성인들이 이 텍스트에 서명해 주기를 바란다.
유럽의 작가들은 저마다 지금 자신이 있는 곳에서 가능한 한 많은 지성
인들의 서명을 그러모아서 이 텍스트와 함께 유엔 사무총장에게 전달할
수 있다"고 명시하면서, 이것이 "온갖 폭정에 맞서서 정의와 자유로 하
나가 된" 유럽의 지성인들이 "학살당한 우리 형제들의 부름에 응하고,
저 살육 행위를 마침내 종식시키기 위해서 할 수 있는 전부"[4]라고 덧붙
였다.

　이틀 후인 11월 11일, 소련군의 탱크가 또다시 부다페스트 민중들을
학살하던 바로 그날, 〈프랑-티뢰르〉지는 르네 샤르, 피에르 엠마뉘엘,
쥘 루아, 마네스 스페르베르 등 프랑스 작가들과 이그나치오 실로네 등
이탈리아 작가들이 동참한 첫 번째 서명인 명단을 발표했다. 카뮈는 프
랑스 대학생들이 헝가리 민중들을 위해 11월 23일 파리에서 개최한 집
회에도 메시지를 보내 젊은이들의 각성을 촉구했다. 「프랑스 대학생들
의 집회에 보내는 헝가리를 위한 메시지」라는 제목의 글에서, 카뮈는 지
난 20년 동안 히틀러의 파시즘과 스탈린의 독재에 대항해서 투쟁해 왔
음을 상기시키면서, "언제나 지고의 가치이자 최고의 선(善)인 자유를
위해서야말로 투쟁하고 살 만한 가치가 있다"[5]고 제안하고 나서 "여러

분들이 지금은 알고 있듯이, 여러분에게 그토록 거짓말을 해 온 여러분의 스승들"을 잊어버리고, "낡아 빠진 구호들과 죽어 가는 개념들과 유통기한이 지난 이데올로기들"을 과감히 폐기처분하고, "자유를 위해 목숨을 바치는 헝가리 젊은이들이 주는 교훈"[6]을 새겨 두라고 주문했다. 공산주의 이데올로기와 그 신봉자들을 두고 한 말이었다.

프랑스 지성인들은 1957년 3월 15일 파리의 개선문 근처에 있는 바그람 회관에서 소련의 헝가리 점령과 소련군의 헝가리 민중 탄압에 항거하기 위한 집회를 개최했는데, 카뮈는 이 집회에 참석해서 전체주의 이데올로기의 폐해들을 조목조목 비판했다. "20년 전의 스페인이 그러했듯이, 지금 헝가리가 그렇다. 진실을 호도하려는 미묘한 뉘앙스나 언어 조작 그리고 현학적인 의견에는 관심 없다"[7]로 시작되는 「바그람 연설문」에서 카뮈는 다음과 같이 역설했다.

> 전체주의 사회에서 변화는 불가능하다. 공포정치는 변화하지 않는다. 최악으로의 변화만이 있을 따름이다. 단두대는 자유를 가져다주지 않는다. 교수대는 용서가 없다. 지구상의 어디에서도, 절대 권력을 가진 정당이나 개인이 그 권력을 휘두르지 않는 사례를 본 적이 없다. 우파 전체주의 사회이든 좌파 전체주의 사회이든, 전체주의 사회를 규정하는 것은 무엇보다도 유일당이다. 유일당은 스스로 해체될 어떤 이유도 없다. 그렇기 때문에 변화와 해방이 가능한 유일한 사회, 우리가 비판적이면서도 실질적인 관심을 가져야 할 유일한 사회는 다당제가 실현되는 사회이다. 그런 사회만이 불의와 죄악을 비난할 수 있기에, 불의와 죄악을 고쳐 나갈 수 있다. 그런 사회만이 지금 알제와 부다페스트에서 벌어지고 있는 고문, 저 비열하고 끔찍한 고문을 비난할 수 있다.[8]

여기에서 주목해야 할 사항은, 소련의 앞잡이들이 헝가리 민중을 탄압하는 폭력이나, 프랑스 정부가 알제리에서 저지르는 고문이나 다를 게 없음을 지적하고 있다는 사실이다. 비록 헝가리 민중들을 지지하기 위한 집회였지만, 카뮈가 알제를 거론한 것은 그만큼 그의 뇌리와 가슴속에 알제리 사태가 깊이 자리 잡고 있다는 사실을 반증하고 있다. 알제리에 대해서는 침묵하기로 작정한 이후, 실제로 공개적인 자리에서 알제리 사태 해결에 대한 어떤 입장도 개진하진 않았지만, 「바그람 연설문」이 보여 주듯이, 카뮈가 알제리를 망각하고 있었던 것은 결코 아니었다. 하기야, 〈렉스프레스〉지 사설을 통해서 그리고 「민간 휴전을 위한 호소」에서 이미 자신의 확고한 입장을 다 밝힌 터에, 고장 난 축음기가 쳇바퀴 돌 듯 똑같은 말을 반복하는 게 더 이상 무슨 의미가 있었겠는가.

1957년 2월 이탈리아 잡지 〈템포 프레젠테〉와의 인터뷰에서도 카뮈는 "이 세상에 진실이 어느 누군가와 함께 있다면, 개인이든 정당이든, 진실을 품고 있다고 주장하는 자와 함께 있지 않은 것은 분명하다. 특히 역사적 진실의 경우에는, 진실을 품고 있다고 주장하면 할수록. 그만큼 더 거짓말을 하는 것이다. 결국에 가서는 진실의 백정이 되고 만다. 헝가리 민중들의 반란은 무엇보다도 만연된 거짓에 반대해서 일어난 것이다"[9]라고 헝가리 사태를 언급하면서, 마르크시스트들이 주장하는 "역사적 진실"을 우회적으로 비판하는 데에 그치지 않고, "진실의 백정"이라는 매우 강력한 표현으로 공산주의자들을 힐난했다. 특히 이 인터뷰에서 카뮈는 지성인의 역할에 대해서 길게 자신의 견해를 피력하고 있어서 그 일부를 인용한다.

지성인은 아무 때나 말을 하지 않는 게 낫다. 그러다 보면 우선 지쳐 버릴 테고, 무엇보다도 깊이 성찰할 수가 없다. 지성인은 할 수 있는 한 창조해야 하고, 창조가 우선이 되어야 한다. 특히 그의 창조가 당대의 문제와 맞물려 있을 경우는 더욱 그렇다. 그리고 일부 예외적인 상황(스페인 전쟁, 히틀러의 압제와 강제수용소, 스탈린의 숙청과 강제수용소, 헝가리 전쟁)에서는 자신이 택한 해결책에 어떤 회의도 품어서는 안 되고, 신중한 태도나 교묘한 뉘앙스로 자신의 선택에 물을 타서도 안 되고, 자유를 수호한다는 개인의 확고한 신념에 의심을 품어서도 안 된다. 어떤 경우, 특히 정신의 자유와 민중의 자유가 치명적으로 위협받고 있는 경우, 지성인들은 결집해서 힘을 모아 행동에 착수할 수 있다. 하지만 성명서나 항의문에 끊임없이 서명하는 것은 지성인의 위엄과 효용성을 떨어뜨리는 가장 확실한 수단들 가운데 하나라는 사실을 명심해야 한다. 우리 모두가 알고 있듯이, 서명을 하라는 줄기찬 협박이 있다. 이 협박에 굴복하지 않을 용기, 대개의 경우 외로운 용기를 발휘해야 한다. 아무튼, 그런 결집의 유용함이 어떻든 간에, 현재 상황의 경우, 유럽의 지성인들은 무엇보다도 최근의 사태에서 얻은 깨달음을 깊이 성찰해 보아야 할 것이다. 특히, 좌파 지성인들은 또다시 결집하기에 앞서, 지금까지 그들이 가담했던 이데올로기와 그 이유에 대한 비판을 먼저 해야 할 것이다. 그들은 이제 그들의 이데올로기가 역사에 몰고 온 엄청난 폐해들을 깨달을 수 있으니 말이다. 외로움을 감내하고서, 그리고 가능하다면, 겸허한 자세로 자신을 치유하는 게 우리 모두에게 도움이 될 것이다. 이러한 반성 작업이 대대적으로 행해지지 않는 한, 그 어떤 결집도 무용하고, 심지어 해가 될 것이다.[10]

카뮈는 1936년의 스페인 내전에서부터 시작해서 히틀러의 나치즘과 스탈린의 공산주의를 거쳐 1956년의 헝가리 사태에 이르기까지, 지성인들의 무책임에 대한 자기반성 없이는, 특히 프랑스 좌파 지성인들이 옹호했던 마르크시즘에 대한 비판 없이는, 그리고 그들의 철저한 자기반성 없이는, 지성인들의 최대 무기인 성명서에 서명을 남발하는 것이 약이 되기보다는 독이 될 수 있다는 점을 역설했던 것이다. 왜냐하면 지성인 각 개인의 역사적 진실에 대한 투철한 신념, 때로는 외로이 고고하게 지켜내야 하는 신념이 없다면, 지성인들의 집단행동은 그릇된 지배 이데올로기의 압력에 굴복해서 정신의 자유를 희생시키는 결과만을 가져올 것이기 때문이다. 따라서 지성인은 침묵해야 할 때 침묵할 줄 아는 용기와 외로움을 감당할 수 있는 확고한 신념을 지니고 있어야 한다는 게 카뮈의 생각이었다.

이 무렵에 작성된 작가수첩에는 다음과 같은 비유가 있다. "진보 지성인들. 그들은 변증법의 트리코퇴즈들이다. 단두대에서 머리 하나가 떨어질 때마다, 그들은 현실에 의해 무너진 추론의 코를 다시 뜬다."[11] 여기에서 "트리코퇴즈"란 대혁명 당시 혁명 재판소나 서민 집회에 적극적으로 참여했던 서민층 여인들을 지칭하는데, 시위 현장에서도 뜨개질을 했던 데서 유래한 표현이다. 이들은 로베스피에르의 공포정치에 동조하며 단두대 처형을 적극 지지하는 과격 시위에 참여했으므로 "단두대 미치광이들"이란 별명으로 불리기도 했다. 따라서 카뮈가 "진보 지성인들"을 "변증법의 트리코퇴즈들"이라고 지칭한 것은 공산주의 사회의 현실을 외면한 채 변증법적 유물론의 도그마에 빠져 변명이나 자기 합리화에 집착하면서 스탈린의 숙청을 묵인하던 좌파 지성인들의 행태를 통렬하게 비판하고 있는 것이다.

1957년 2월에 작성한 육필 원고에는 이런 글도 있다. "나는 알제리에 관해서 침묵하기로 결심했다. 알제리가 겪고 있는 불행에 불행을 더하지 않기 위한 것이고, 알제리에 관해서 사람들이 쓴 허튼소리들에 또다시 허튼소리를 덧붙이지 않기 위해서이다. 이 점에 있어서 내 입장은 변함없다. 해방투사를 이해하고 존경할 수는 있지만, 어린이와 여성들의 살해자 앞에서는 역겨움밖에 느끼지 못한다. 나는 어제나 오늘이나 무고한 민간인들을 살해하는 행위를 줄기차게 규탄하고 있다. 그저 단순히 부정하는 게 아니라 강력하게 규탄한다."[12] 그 어떤 목적으로도 무고한 생명을 살육할 수 없다는 카뮈의 지론이 온새미로 담겨 있는 글이다. 알제리 전쟁에서나 헝가리 사태에서나 카뮈의 가장 근본적인 관심사는 무고한 생명들이 희생을 당한다는 데에 있었다. 그래서 더 이상의 피를 거리에 쏟아내는 비극적인 사태를 방지하기 위해서, 그는 헝가리 문제는 유엔의 개입을 통해서 해결해야 한다는 제안을 했고, 알제리 문제는 프랑스 정부와 알제리 민족해방전선 간의 대화로 해결해야 한다는 지론을 굽히지 않았던 것이다. 하지만 두 경우 모두, 그의 호소는 받아들여지지 않았다. 허튼소리이자 헛소리에 지나지 않았다. 그가 침묵을 택한 것은 자기 자신을 속이지 않기 위한 최후의 선택이었을는지도 모른다.

3.3.2. 진실, 자유 그리고 정의

1957년 8월, 카뮈 작품의 미국판 출판업자인 블랑쉬 크노프는 스웨덴의 스톡홀름을 방문 중이었는데, 벌써부터 카뮈가 노벨 문학상 수상자로 유력하다는 소문이 나돌고 있음을 알게 되었다. 파리에 온 그녀는 카뮈를 만나 이 소식을 전했고, 둘은 그저 웃고 말았다고 한다. 그런데 노벨 문학상 수상자 발표 하루 전인 10월 16일 프랑스 라디오 방송은 카뮈의 수상이 거의 확실하다는 뉴스를 보도했다. 로제 그르니에의 증언에 따르면, 라디오 뉴스를 접한 카뮈의 아내 프랑신은 "그이가 제발 거부하지 말았으면!"[13]이라고 말했다고 한다. 카뮈의 비서였던 오딜 드 랄렌의 증언에 따르면, 카뮈는 실제로 노벨상을 거부할 생각을 하기도 했다. 또한 카뮈는 수상 연설문은 보내되 시상식에는 참석하지 않을 생각도 했지만, 가스통 갈리마르의 설득에 이를 포기했다고 한다.

1957년 10월 17일, 스웨덴 언론은 카뮈의 노벨상 수상 소식을 전했다. 이날 정오, 스웨덴 한림원의 사무총장인 안데르스 오스테를링은 "꿋꿋하게 자신의 모든 것을 다 바쳐서 삶의 근본적인 주요 문제들을 공략하는 진정한 참여정신"에 입각해서 "오늘날 인간의 양심에 제기되는 문제들을 조명하고 있는 중요한 문학작품들"[14]을 발표한 공로로 프랑스 작가 알베르 카뮈가 노벨 문학상 수상자로 선정되었다고 발표했다. 그리고 같은 날 오후, 파리 주재 스웨덴 대사인 라그나르 쿰린은 갈리마르 출판사를 방문해서 카뮈의 노벨상 수상을 공식화했다. 이 자리에서 쿰린 대사는 "코르네이의 주인공처럼, 귀하는 저항의 인간, 반항인입니다. 이 무분별한 세상에서도 창조와 행동과 인간의 고귀함에 매달리면서, 부조리에 의미를 부여할 줄 알았던, 그리고 어둠의 밑바닥에서도, 비록 벅찬 희망일지라도, 희망의 필요성을 역설할 줄 알았던 반항인입니다"라고 치하했다. 이에 카뮈는 "감사합니다. 우선 저의 나라를 드높여 주고, 다음으로 한 알제리 프랑스인을 우대해 준 스웨덴 국립한림원 측에 감사하다는 제 마음을 전해 주십시오"[15]라고 화답했다. 노벨상 수상 지명자는 자신이 "알제리 프랑스인"이라는 사실을 덧붙이는 걸 잊지 않았다. 그만큼 그는 자신의 조국 알제리에 대한 애정을 표현한 것이었다.

이날의 작가수첩에는 다음과 같은 단상이 적혀 있다. "10월 17일. 노벨상. 우울하고 어깨를 짓누르는 기이한 느낌. 가난하고 숨길 것 없던 스무 살에, 나는 이미 진정한 영광을 맛보았다. 내 어머니."[16] 노벨 문학상 수상 작가로서 향후 짊어져야 할 무거운 책임, 과거 가난했던 시절 문학에 눈을 떴을 때 맛보았던 희열, 그리고 지금 알제에 살고 있는 어머니. 아마도 자신의 미래와 과거와 현재를 떠올렸던 표현일 것이다. 그리고 이 현재의 상징은 바로 그의 어머니, 알제의 빈민가 벨쿠르에 살고 있는 알제리 여인이었다. 카뮈는 어머니에게 전보를 보냈다. "오늘처럼 엄마가 보고 싶은 적은 없었어."[17] 물론 그의 어머니는 문맹이어서 이 전보를 읽을 수 없었고, 아들의 친구인 샤를 퐁세의 도움으로 노벨상 수상 작가로 지명된 자랑스러운 아들의 소식을 접할 수 있었다.

노벨상 수상 소식이 전해졌을 때, 카뮈가 지인들에게 털어놓은 첫마디는 "앙드레 말로가 탔어야 했는데"[18]라고 한다. 카뮈는 이 말을 만나는 사람들에게 되풀이했고, 언론 인터뷰에서도 반복했다. 인터뷰 기사를 읽은 앙드레 말로는 카뮈에게 "방금 귀하가 한 발언을 읽었습니다. 우리 두 사람 모두에게 영광스러운 발언입니다. 감사드립니다"[19]라는 간략한 메시지를 보냈고, 장 그르니에에게 보낸 편지에서도 "카뮈는 지극히 품위 있는 태도를 취했습니다"[20]라고 치하했다. 당시 사르트르의 비서이던 장 코(Jean Cau)가 "카뮈가 노벨상을 탔습니다"라고 알리자, 사르트르는 "도둑질한 것은 아니잖아"[21]라고 말했다고 한다. 카뮈는 최초의 노벨 문학상 수상자인 시인 쉴리 프뤼돔(1901년)을 비롯해서 프레데릭 미스트랄(1904년), 로맹 롤랑(1915년), 아나톨 프랑스(1921년), 앙리 베르크손(1927년), 로제 마르탱 뒤 가르(1937년), 앙드레 지드(1947년), 프랑수아 모리악(1952년)에 이어 프랑스 작가로서 여덟 번째 수상자였다. '문학의 나라'라는 별칭에 걸맞게 프랑스는 노벨 문학상 최다 수상 국가임을 다시 한 번 확인해 준 쾌거였다. 그러니까 44세의 카뮈는 1907년 42세에 노벨 문학상을 수상했던 영국 소설가 키플링 이후 최연소 수상자였고, 이 기록은 오늘날에도 그대로 유지되고 있다.

1937년 노벨 문학상 수상 작가인 로제 마르탱 뒤 가르는 〈르 피가로 리테레르〉에 다음과 같은 축사를 기고했다. "내 연배의 사람들이 자기 주위에 암흑이 더욱 짙어져 가는 것을 느끼는 이 암울한 오늘날, 그들이 매일 아침마다 더욱더 이 이전투구의 세상에서 떠나고 싶은 충동을 느끼는 이때에, 낙담과 수치의 동기들이 점점 늘어나고 있는 이때에, 그리고 그들이 정말로 자기들과 관련된 게 아무것도 없다는 느낌을 너무나 자주 받는 이때에, 북구에서 날아온 기쁜 소식을 환영한다. 한 순간이나마 우리가 처해 있는 암흑에 빛을 뿌리는 좋은 소식이다. 알베르 카뮈가 노벨상을 수상하게 되었다. 친구인 내 마음은 축제 중이다."[22] 1952년 수상자인 프랑수아 모리악도 해방 직후의 논쟁을 잊은 채 후배 작가 카뮈에게 찬사를 보냈다. "노벨상은 거의 대부분의 경우 작가의 일생과 작품에 대한 보상이다. 젊음의 활력이 여전히 넘쳐나는 알베르 카뮈에게 수

여하면서, 아마도 스톡홀름의 한림원은 단지 우리 모두가 우러러보는 작가에게만이 아니라, 한 시대의 양심에 영광을 베풀고자 했을 것이다. 우리 역사가 처한 이 비극적인 순간에, 우리에게 제기된 질문에 우리 각자가 어떤 대답을 내놓든, 수많은 작가들이 그렇듯이, 그 질문 자체를 들으려 하지 않는 체하는 것보다 더 나쁜 것은 없다. 카뮈는 그 질문을 귀담아 들었고, 그리고 대답을 제시했다. 한 세대 전체가 호응하는 이 젊은 목소리에 노벨상 심사위원단이 이끌린 것 같다."[23] 지성인 작가 카뮈를 예찬하는 표현이었다.

1957년 12월 7일 저녁 북구행 급행열차를 탄 카뮈 일행은 9일 아침에 스톡홀름에 도착했다. 이튿날인 10일 오후 3시에 노벨상 수상식이 열렸고, 카뮈는 관례에 따라 그날 저녁 스톡홀름 시청에서 열린 만찬 후에, 예술가와 시대라는 주제로 수상 연설을 했다. 노벨상 수상자는 "살아오는 동안 내내 극히 어려운 상황 속에서도 저를 지탱해 주었던 것, 즉 제 예술과 작가의 역할에 대해 품고 있던 생각"[24]을 말씀드리고자 한다면서 다음과 같이 고백했다.

개인적으로 저는 예술 없이 살 수 없습니다. 하지만 저는 예술을 최우선으로 생각해 본 적이 없습니다. 그와 반대로, 예술이 제게 필요했던 까닭은 예술이 어느 누구와도 떨어져 있지 않기 때문이고, 예술 덕택에 현재의 제가 만인의 눈높이에서 살아갈 수 있기 때문입니다. 제가 보기에 예술은 혼자서 즐기는 게 아닙니다. 예술은 최대한의 많은 사람들에게, 함께 나누는 기쁨과 고통에 대한 특별한 이미지를 안겨줌으로써, 그들을 감동시키는 하나의 수단입니다. 따라서 예술은 예술가로 하여금 혼자 떨어져 있지 말라고 요구합니다. 예술은 예술가를 가장 겸허하고 가장 보편적인 진실에 굴복케 합니다. 흔히 자신이 남들과 다르다고 느끼기에 예술가의 운명을 택한 자는 오로지 자신이 모든 이들과 닮았다는 점을 인정할 때에만, 자신의 예술과 자신의 다름을 키울 수 있다는 사실을 곧 깨닫게 됩니다. 예술가는 아름다움과 공동체의 중간 지점에서 자신과 남들 사이를 끊임없이 오가는 가운데서 길러집니다. 예술가는 아름다움 없이 살 수 없고, 공동체에서 벗어날 수도 없기 때문입니다. 그렇기 때문에 진정한 예술가들은 그 무엇도 경멸하지 않습니다. 그들은 심판하는 대신에 이해하려고 노력합니다.[25]

외로움 속에서 아름다움을 창조해야 하는 작업이 예술가의 업보이긴 하지만, 그렇다고 해서 자신이 속한 공동체와 시대를 외면할 수 있는 것은 아니다. 다시 말해서, 고독한 창조와 연대정신을 동시에 수행해야 하는 이중의 책무를 받아들여야 하는 것, 즉 아름다움과 공동체 사이를 끊임없이 왕복운동 하는 것이 곧 예술가의 업보이다. 왜냐하면 예술의 존재 이유는 "혼자서 즐기는 게" 아니라, 최대한의 많은 사람들과 함께 "기쁨과 고통"을 나누는 데에 있기 때문이다. 그러기에 "심판"하는 게 아니라 "이해"하려는 노력을 경주해야 하는 게 예술가의 운명이다. 이어서 카뮈는 작가의 역할에 대해서 다음과 같이 선언했다.

따라서 작가의 역할은 감당키 어려운 의무와 연관되어 있습니다. 오늘날, 작가는 역사를 만들어 가는 자들을 섬길 수 없습니다. 지당하게도, 작가는 역사에 이끌려 가는 이들을 섬기는 법입니다. 그렇지 않을 경우, 작가는 혼자이고, 자신의 예술로부터도 유리되어 있게 됩니다. […]

우리들 가운데 어느 누구도 그러한 사명을 다할 만큼 위대하지는 않습니다. 하지만, 자신에게 주어진 삶의 온갖 상황에서, 즉 무명이든 아니면 일시적으로 유명하든, 폭정의 사슬에 매여 있건 아니면 한때나마 자신의 견해를 표명할 수 있는 자유가 있건, 작가는 자신을 정당화시켜 줄 살아 있는 공동체에 대한 사명감을 되찾을 수는 있습니다. 단, 자신이 할 수 있는 만큼, 자신의 직업을 위대하게 만들어 주는 두 가지 책무, 즉 진실에의 봉사와 자유에의 봉사를 받아들인다는 조건에서 말입니다. 최대한의 많은 사람들을 그러모으는 것이 작가의 소명이기 때문에, 작가는 거짓과 종속을 용인할 수 없습니다. 거짓과 종속이 지배하는 곳에서는 외로움만이 창궐합니다. 우리들의 개인적인 약점이 어떠하든 간에, 우리 직업의 고귀함은 늘 두 가지 지키기 어려운 약속에 근거하게 될 것입니다. 즉, 우리가 알고 있는 것에 대해 거짓말하기를 거부하는 것과 압제에 대한 저항 말입니다.[26]

동시대의 민중들과 함께 희로애락을 나누는 작가. 거짓을 거부하고 진실을 추구하는 작가. 그리고 종속에 대항해서 자유를 외치는 작가. 바로 이것이 카뮈가 줄곧 품어 왔던 작가상이었다. 다시 말해서, '진실'과 '자유' 그리고 '연대정신'이 지성인 작가가 추구해야 할 가치라고 노벨상 수상자는 역설했던 것이다. 노벨상 수상 나흘 후인 1957년 12월 14일, 카뮈는 유서 깊은 전통을 자랑하는 웁살라 대학에서 「예술가와 시대」라는 제목으로 기념 강연을 했다. 강연 제목이 예시하듯이, 카뮈는 예술가의 시대적 책임에 대한 자신의 지론을 거듭 표명했다.

예술가는 자신이 원하든, 원치 않든 간에 배에 타고 있습니다. 제가 보기에는 배에 탄(embarqué)이라는 표현이 참여한(engagé)이라는 표현보다 더 정확한 것 같습니다. 결국, 예술가의 입장에서 보면, 자발적인 참여라기보다는 의무적인 군복무에 해당합니다. 오늘날 예술가는 누구든지 자기 시대의 범선에 타고 있습니다. 예술가는 이 사실을 받아들여야 합니다. 설령, 이 범선에 악취가 풍긴다 해도, 감시원들이 지나치게 너무 많다고 해도, 게다가 뱃머리가 엉뚱한 데로 향하고 있다 해도 말입니다. 우리는 망망대해 한복판에 있습니다. 예술가도 남들과 마찬가지로 자기 몫의 노를 저어야 합니다.[27]

작가의 시대적 책임은 "자발적인 참여"의 문제가 아니라 "의무적인 군복무"를 이행하느냐 아니냐의 문제이다. 따라서 "자기 시대의 범선에 타고 있는" 예술가는 선장도 감시원도 아니기에, 배 밑바닥에서 노를 젓는 사람들과 마찬가지로 "자기 몫의 노를 저어야" 한다. 그래서 카뮈는 "무책임한 예술가의 시대는 끝났습니다"[28]라고 선언하면서 강연을 마무리했다. 노벨상 작가는 세상을 떠나기 직전인 1959년 12월 20일 마지막 인터뷰에서도 "나는 내 시대와 떨어져 있지 않으려고 노력해 왔다"[29]고 선언하면서 "무책임한 예술가"가 되지 않으려고 일생 동안 전력을 기울였던 사실을 환기했다.

움살라 대학에서 강연하기 이틀 전인 12월 12일, 카뮈는 스톡홀름 대학의 대강당에서 이 대학 학생들과 자유토론을 벌이는 시간을 가졌다. 학생들의 즉흥적인 질문에 카뮈가 대답하는 형식의 간담회였다. 학생들은 영화에 대해서, 양심적 병역거부자에 대해서, 사형제에 대해서, 언론의 자유에 대해서, 도스토예프스키의 영향에 대해서, 현대사회에서의 여성의 역할에 대해서 등등의 질문을 했고, 카뮈는 재치 있는 대답으로 청중들의 박수를 이끌어 냈다. 그런데 대강당에는 한 무리의 알제리 출신의 청년들이 자리 잡고 있었다. 그들 중의 한 명이 단상에 올라오더니, 헝가리와 동구 사태에 대해서는 적극적인 발언을 하면서도, 알제리 사태에 대해서는 침묵하고 있는 카뮈를 노골적으로 비난하는 두서없는 장광설을 늘어놓고 나서, "알제리는 해방될 것이다"라는 구호를 외친 후 단상에서 내려갔다. 이에 카뮈는 침착한 목소리로 알제리 청년을 향해 다음과 같은 내용의 발언을 했다. 아래는 당시 유일하게 현장에 있던 〈르몽드〉지 기자가 보도한 속보의 일부이다.

나는 1년 8개월 전부터 침묵해 오고 있다. 그렇다고 해서 내가 행동을 그만둔 것은 아니다. 나는 과거나 지금이나 언제나 정의로운 알제리를 주장해 왔다. 두 민족이 평화롭게 그리고 동등하게 공존해야 한다. 나는 알제리 국민의 정당한 요구를 인정해야 한다고 되풀이해 왔다. 그런데 어느 순간 양측의 증오가 너무 과격해진 나머지, 더 이상 한 지성인이 개입할 여지가 없어져 버렸다. 왜냐하면 그의 발언이 테러를 더욱 심화시킬 가능성이 있기 때문이었다. 내가 보기에는, 갈라놓는 게 아니라 서로 하나로 뭉칠 수 있는 호기가 찾아올 때까지 기다리는 게 더 나은 것 같았다. 하지만 귀하에게 확실하게 말씀 드리거니와, 귀가 모르는 나의 행동 덕분에, 지금 이 순간에도 살아 있는 귀하의 동료들이 있다는 사실이다. 이렇게 공개석상에서 내 침묵의 이유를 말씀 드리는 게 마음 내키지는 않다. 나는 늘 테러를 규탄해 왔다. 그러니 나는 이를테면 알제 거리에서 무차별적으로 행해지는 테러리즘 또한 규탄하지 않을 수 없다. 어느 날, 내 어머니 또는 내 가족이 당할 수도 있는 테러리즘을 말이다. 나는 정의를 믿는다. 하지만 나는 정의에 앞서 내 어머니를 보호할 것이다.[30]

"테러리즘"과 "정의"와 "어머니." 규탄의 대상과 믿음의 대상과 사랑의 대상. 셋 중의 하나를 선택해야만 하는 처지에 있다고 한다면, 무엇을 선택할 것인가? 아마도, 철두철미한 혁명가라면, 철면피라는 소리를 들을지언정, 테러리즘이나 정의를 택할 것이다. 아니, 테러리즘이나 정의를 택해야만 할 것이다. 혁명가이니까. 게다가 혁명가에게는 테러리즘과 정의는 하나로 통한다. 혁명가에게 테러리즘은 곧 정의의 '어머니'이다. 혁명가에게 훌륭한 테러리스트는 정의와 마찬가지로 숭배의 대상이지, 결코 규탄의 대상이 아니다. 물론, 혁명가들 중에서도 『정의의 사람들』의 칼리아예프처럼, 테러의 대상인 세르게이 대공(大公)이 혼자서가 아니라 대공 부인과 아이들이 함께 동석해 있는 것을 알고 폭탄을 투척하지 못하는 혁명가도 있기는 하지만 말이다. 이미 여러 차례 강조한 바 있지만, 카뮈는 혁명가가 아니라 반항인이었다. 이 세상의 수많은 반항인들 중의 하나였다. 카뮈는 그들과 마찬가지로 어머니를 택할 수밖에 없었을 것이다.

그런데 여기에서 상기해야 할 것은 알제리 청년에게 했던 카뮈의 발언이 즉흥적인 대답이 결코 아니었다는 사실이다. 왜냐하면 그는 알제리 친구인 엠마뉘엘 로블레스에게 이미 똑같은 취지의 말을 털어놓은 적이 있었기 때문이다. 1956년 3월, 그러니까 민간 휴전을 위한 호소가 수포로 돌아간 직후, 파리를 방문한 엠마뉘엘 로블레스는 카뮈를 만나 알제리 사태에 관해 의견을 나누던 중, 카뮈가 했던 매우 인상적인 말을 수첩에다 기록해 두었는데, 그 내용은 다음과 같다.

> 내 어머니가 다니는 벨쿠르 시장에 테러리스트가 수류탄을 투척해서 어머니를 죽인다면, 나는 그에 대한 책임을 져야 할 것이다. 단, 정의를 수호하기 위한다는 명목으로, 내가 테러리즘 역시 비호했을 경우에 말이다. 나는 정의를 사랑한다. 하지만 나는 내 어머니 또한 사랑한다.[31]

카뮈의 말대로, "정의"도 "어머니"와 마찬가지로 "사랑"의 대상이다. 그렇다면, 정의와 어머니 가운데 하나를 택해야 한다면, 어느 쪽을 택할 것인가? '철면피한' 혁명가가 아니라면, 어머니를 버릴 수 있을까? 『정의의 사람들』의 칼리아예프가 두 번째 시도에서 폭탄을 투척할 수 있었던 것은 무고한 아이들 없이 세르게이 대공 혼자 있었기에 가능했다. 그러기에 칼리아예프는 테러리스트 혁명가이기 이전에 무고한 아이들 때문에 폭탄을 투척하지 못했던 휴머니스트 반항인이었다. 『반항인』의 저자는 "칼리아예프는 혁명이 필요한 수단이기는 하지만 충분한 목적이 되지 않는다는 점을 입증하고 있다. 따라서 그는 인간을 격하한 게 아니라 격상한 것이다"[32]라고 지적했다. "반항의 가장 순수한 이미지"[33]를 보여 준 칼리아예프와 마찬가지로, 카뮈는 그 어떤 목적으로도 무고한 인간의 생명을 빼앗는 행위는 결코 용인할 수 없었다. 정의로운 행위가 아니기 때문이었다. 어찌 정의롭지 못한 행위로 정의를 구현할 수 있겠는가?

『정의의 사람들』의 칼리아예프와 마찬가지로, 알제리의 테러리즘과 관련해서 카뮈는 지성인이기 이전에 휴머니스트였다. 어머니를 사랑하는 한 인간이었다. 청상과부로 남의 집 허드렛일을 하면서 두 아이를 키웠던 가난한 어머니. 일자무식에다 반은 귀머거리여서 말이 거의 없던 반벙어리 어머니. 아이들에게 사랑한다는 말조차 내뱉지 못해서, 고작해야 순박한 웃음으로 그지없는 사랑을 표현했던 어머니. 사랑은 말로 하는 게 아니라 마음으로 하는 것임을 가르쳐 주었던 어머니. 노벨상 수상 작가인 자랑스러운 아들이 자라났던 알제의 달동네 벨쿠르를 결코 떠나지 않으려 했던 어머니. 그리고 천생 알제리 여인이었던 어머니. 카뮈는 그런 어머니를 저버릴 수 없었다. 그래서 그는 정의를 믿지만, 정의에 앞서 어머니를 보호하겠다고 말했던 것이다. 휴머니스트 혁명가 칼리아예프가 정의에 앞서 무고한 아이들을 보호했듯이 말이다.

이미 지적한 바 있듯이, 『독일인 친구에게 보내는 편지들』에서부터 「희생자도 도살자도」와 『반항인』을 거쳐 「민간 휴전을 위한 호소」에 이르기까지, 카뮈는 그 어떤 폭력도 무고한 생명의 희생을 정당화할 수 없음을 줄곧 역설해 왔다. 그러기에 알제리 사태에서도 카뮈는 일단 민간 휴전 후 대화의 장에 나설 것을 그토록 줄기차게 요구했으나, 알제리 민족해방전선도, 프랑스 정부도, 극우파 알제리 프랑스인들도 그의 제안을 받아들이지 않았다. 결국 카뮈는 폭력이 폭력을 재생산하는 폭력의 악순환에 자신이나마 기름을 붓지 않기 위해서 알제리 상황에 대해 침묵을 선택했었다. 그래서 카뮈는 예상치 못한 알제리 청년의 공격에 알제 거리에서 벌어지고 있는 폭력 행위를 비난하는 자신의 심경을 진솔하게 밝혔던 것이다. 그가 정의에 앞서 어머니를 보호하겠다고 말한 것은 무엇보다도 테러리즘(비록 정의의 수단일지언정)을 거부하는 자신의 신념을 아주 강력한 의사 표현 형식을 빌려 역설했던 것이다. 장-프랑수아 시리넬리의 지적처럼, "지성적으로 용기 있는 고백"[34]이었다. 더욱이 그

의 발언은 결코 충동적으로 튀어 나온 경솔한 언어가 아니라, 그의 사상
속에 깊이 뿌리 내린 투철한 신념의 표현이었다. 민주주의 사회에서는
목적이 수단을 정당화할 수 없다는 확고한 지론의 표현이었다.

그런데 카뮈의 발언은 엉뚱한 데서 설화를 불러일으켰다. 현장에 유일
하게 참석했던 〈르 몽드〉지 특파원의 속보가 보도되자, 여기저기에서 노
벨상 수상자를 비난하고 조롱하는 입방아를 찧어 댔다. 특히, 카뮈의 발
언을 거두절미한 채, 〈르 몽드〉지 기사를 제멋대로 해석해서, "카뮈는 정
의와 어머니 사이에서 어머니를 택했다"라는 기사들이 언론에서 쏟아져
나왔고, 이를 재생산한 기사들, 그리고 재생산의 재생산을 거듭한 기사들
이 카뮈를 비겁자로 몰아붙였다. 게다가 이렇게 "왜곡되거나 곡해된"[35] 그
의 발언을 다룬 기사들은 프랑스 국내뿐만 아니라, 전 세계로 퍼져 나가
세계 일주를 하기도 했다. 사실, "나는 정의를 믿는다. 하지만 나는 정의
에 앞서 어머니를 보호할 것이다"라는 카뮈의 발언은 오해의 소지가 전
혀 없는 것은 아니다. 왜냐하면 "정의"라는 추상적이고 보편적인 가치
개념과 "어머니"라는 사적인(물론 가장 보편적인 가치이기도 하지만) 가치
개념을 비교한 것은, 듣는 이에 따라서는, 알제리라는 국가와 어머니라
는 개인을 동일한 차원에서 바라본 것으로 해석될 수도 있기 때문이다.
하지만 카뮈가 말하고자 했던 것은, 반드시 그의 어머니만이 아니라 알
제 거리에서 어느 누구든지 당할 수 있는 폭력에 대한 비판이었고, 무고
한 생명을 앗아 가는 폭력으로는 정의를 건설할 수 없다는 것이었다. 실
제로, 카뮈는 식민지 총독부에 의해 체포된 수십 명의 독립주의자들을
구명하기 위해 르네 코티 대통령에게 보낸 1957년 9월 26일자 탄원서에
서 양 진영의 테러리즘이 자신의 가족뿐만 아니라 모든 알제리 주민들
의 생명을 위험에 빠트리는 것임을 분명하게 밝힌 바 있다.[36]

노벨상 수상식에 참석한 뒤 12월 16일에 파리로 돌아온 카뮈는 스톡
홀름 대학의 발언을 놓고 잡음이 많다는 사실을 알게 되었다. 특히, 프

랑스에서의 언론의 자유와 관련해서 〈르 몽드〉 기자의 오보가 있었다는 사실을 발견하고서, 카뮈는 이에 대해 해명하는 공개서한을 이 신문사의 발행인에게 보냈다. 그런데 이 서한의 내용을 보면, 오보에 대한 해명보다는 알제리 청년과의 충돌에 대한 부연 설명에 더 큰 비중을 두고 있다. 카뮈는 알제리 청년과의 충돌에 관한 〈르 몽드〉지의 기사가 사실에 충실한 보도였다고 인정하면서, 굳이 덧붙이지 않아도 될 해명을 의도적으로 다음과 같이 부연했다. "저에게 대들었던 알제리 청년에 관해서 덧붙이고 싶은 말이 있는데, 저는 알제리를 알지도 못하면서 알제리에 대해 떠드는 수많은 프랑스인들보다는 그 친구와 훨씬 더 가깝다고 느끼고 있습니다. 그 친구는 자기가 무슨 말을 하고 있는지 알고 있었고, 그의 얼굴은 증오의 얼굴이 아니라, 절망과 불행의 얼굴이었습니다. 저는 이 불행을 함께하고 있으며, 그 친구의 얼굴은 곧 제 조국의 얼굴입니다. 그렇기 때문에 저는 공개적으로 그 알제리 청년에게, 오로지 그 청년에게만, 지금까지 제가 밝히지 않았던 신상 해명을 하고자 했던 것입니다."[37] 알제리의 불행을 함께하는 한 인간의 목소리였다. 한편, 스웨덴의 알제리교민연합회는 카뮈에게 서신을 보내 그 알제리 청년이 물의를 빚은 데 대해 "매우 유감스럽게 생각하고" 있으며, "그 청년은 스웨덴 알제리교민연합회 소속도 아니고, 그 어떤 알제리 민족주의 단체와도 아무런 관계가 없다"[38]는 사실을 전했다.

스톡홀름 사건과 관련하여 베르나르-앙리 레비의 글 「"정의와 그의 어머니 사이에서……"(알베르 카뮈를 위하여)」를 다시 언급하지 않을 수 없다. 인용부호가 사용된 제목 자체가 매우 상징적이다. 왜냐하면 카뮈의 스톡홀름 발언을 조롱했던 기사들을 조롱하려는 의도를 숨기지 않고 있기 때문이다. 베르나르-앙리 레비는 위 글에서 카뮈가 프랑스 정부의 알제리 식민지 정책을 비난했던 최초의 인물임을 상기시키면서, 지성인 카뮈에 대해서 다음과 같은 평가를 내리고 있다. "나, 나는 카뮈를 좋아한다. 무엇보다도 나는 그가 멋있다고 생각한다. 그리고 용기 있다고 생각한다. 용기 있는 지성인, 드물지 않은가? 품위와 따뜻한 가슴이 조금도 부족하지 않은 작가는 드물다."[39] 베르나르-앙리 레비의 표현대로, 카뮈는 몇 안 되는 "용기 있는 지성인"이었고, "따뜻한 가슴"과 "사고의 품위"[40]를 지킬 줄 알았던 작가였고, "끝까지 역설적 사고[마르크시스트 사고]의 편리함에 저항하는 힘"[41]을 견지했던 사상가였다. 그는 "정의로운 인간"이자 "올곧은 인간"이었고, "인권의 철학자"이자 "민주주의의 철학자"[42]였다.

『자유의 모험』의 저자는 선배 지성인 카뮈에 대한 애정과 존경을 표하는 것도 잊지 않았다. "만일 그가 살아 있었더라면, 아마도 『인간의 탈을 쓴 야만』의 초고를 들고 가서 보여 주었을 유일한 지성인이라고 나는 확신한다. 자, 그러고 보니, 1913년에 태어났으니까, 『인간의 탈을 쓴 야만』이 출판되었던 해에 카뮈는 예순네 살이 되었을 것이다. 고작해야 예순네 살! 사람들은 얼마나 자신이 카뮈와 동시대인인지를 생각하지 못한다. 그런데 나는 한 번 그런 생각을 한 적이 있다. 바로 1977년이었다. '신철학자' 논쟁이 가장 뜨겁던 해였다. [크리스티앙] 장베와 함께 텔레비전에서 영화 『카사블랑카』를 본 직후였다. 험프리 보가트와 알베르 카뮈. 우리는 거의 동시에, 카뮈가 살아 있었더라면, 논쟁이 달라졌을 것이고, 그 분위기가 훨씬 더 숨 쉴 만했을 것이라고 이구동성으로 말했다. 그러니까, 나는 카뮈를 좋아한다. 저 휘황찬란한 선배들 중에서 내가 진심으로 가깝다고 느끼는 몇 안 되는 이들 가운데 한 사람이다. 그리고 언젠가 이 선배의 정당함을 인정해 줄 책 한 권을 쓰는 게 바로 내 꿈 가운데 하나이다."[43] 독설가로 이름난 베르나르-앙리 레비의 언어치고는 너무나 온순하고 다정다감하다. 지성인 카뮈에 대한 애정과 존경의 표현일 것이다. 아무튼, 『자유의 모험』에 언급된 앙드레 지드, 앙드레 말로, 장-폴 사르트르 등 "저 휘황찬란한" 20세기 프랑스 지성인들 가운데 어느 누구도 위와 같은 찬사를 받은 지성인은 없다.

1956년 2월 이후로 비록 알제리와 관련된 공식 집회나 행사에는 일절 참석하지 않았지만, 그렇다고 해서 카뮈가 알제리 문제에 등을 돌린 것은 결코 아니었다. 예를 들어, 노벨상 수상자로 지명된 직후, 1957년 10월 주간지 〈내일〉과의 인터뷰에서 카뮈는 다음과 같이 선언했었다. "알제리에서의 나의 역할은 과거에도 미래에도 갈라놓는 게 아니라, 우리가 가진 온갖 수단들을 다 동원해서 통합하자는 데에 있다. 나는 지금 내 조국의 불행에서 고통을 받고 있는 모든 사람들, 프랑스인이든 아랍인이든, 그런 모든 사람들과 연대감을 느끼고 있다. 하지만 수많은 사람들이 기를 쓰고 파괴하려는 것을 나 혼자서 보수할 수는 없다. 나는 내가 할 수 있는 일을 해 왔다. 온갖 증오와 온갖 인종주의로부터 벗어난 알제리를 재건하는 데에 도움을 줄 수 있는 기회가 다시 온다면, 나는 다시 재개할 것이다. 그러나 우리가 처해 있는 상황에서 나는 단지 다음과 같은 사실을 상기시키고자 한다. 우리는 오로지 진정한 연대정신과 인간적인 교류 덕분에 알제리 작가들과 프랑스 작가들과 아랍 작가들로 구성된 공동체를 건설했다는 사실을 말이다. 현재 이 공동체는 잠정적으로 두 쪽으로 갈라져 있다. 하지만 페라운, 마메리, 슈라이비, 디브 등등 수많은 이들이 유럽 작가들과 함께했다. 미래가 어떻게 전개되든, 내가 보기에는 너무나 절망적이긴 하지만, 상기의 사실만은 망각될 수 없다고 확신한다."[44] 카뮈의 선언에서도 알 수 있듯이, 그가 알제리에 관해 침묵할 수밖에 없었던 이유는 "온갖 증오와 온갖 인종주의"를 다 감당해 낼 수 없었기 때문이었다. 분리주의자들이 물러나고 통합주의자들이 앞에 나서기만 한다면, 카뮈는 언제든지 다시 뛰어들 준비가 되어 있었다.

노벨상 수상 이후에도, 카뮈는 노벨상 수상 작가로서의 위상을 십분 활용해서 암암리에 알제리 문제의 해결을 위해서, 그리고 때로는 알제리 사태로 실형을 선고받은 알제리인들의 구명운동을 위해서 남모르는 노

력을 아끼지 않았다. 그는 드 골 장군을 만나 알제리 사태의 해결을 촉
구했고, 알제를 방문해서 샤를 퐁세를 비롯한 친구들과 아랍인 작가 물
루 페라운 등을 만나 평화로운 해결책을 모색하기도 했다. 또한, 알제리
전쟁에 참가하기를 거부한 양심적 병역거부자들을 구명하기 위해 드 골
장군에게 직접 호소문을 보내기도 했고, 특히 알제 공산당 서기였다가
민족해방전선의 지도부에 합류해서 한때 민간 휴전 협상에 참여하기도
했던 아마르 우즈간의 석방을 위해서, 카뮈는 알제리 군사법정에 다음
과 같은 탄원서를 제출하기도 했다. "아래 서명한 알베르 카뮈는 아마르
우즈간 씨가 1956년 2월, 알제리의 프랑스 민간인들과 무슬림들의 목숨
을 구하기 위한 휴전을 제안하려고 노력했던 협의회 창설에 저와 함께 참
여한 바 있으며, 순수하게 인도적인 목적에서 이러한 시도가 성공할 수 있
도록 그가 할 수 있는 모든 일을 다 했음을 확인하는 바입니다."[45] 카뮈의
탄원서가 영향을 미쳤는지는 모르지만, 사형선고를 받을 수도 있었던
아마르 우즈간은 8년형에 처해졌고, 1962년 종전 후에는 석방되어 알제
리 자유 정부의 장관이 된 것은 사실이다.

또한, 카뮈는 알제리와 관련해서 썼던 기사들을 모은 책 『시론 III —
알제리 연대기 1939-1958』을 출간하여 프랑스 국민들에게 알제리의 진
상을 알리려는 노력도 아끼지 않았다. 〈알제 레퓌블리캥〉 기자 시절에
썼던 장편 르포 기사 「카빌리의 빈곤」(1938)을 비롯해서 「알제리의 위
기」(1945), 「어느 알제리 투사에게 보내는 편지」(1955), 「분열된 알제리」
(1956), 「민간 휴전을 위한 호소」(1956), 「메종쇨 사건」(1956) 등의 기사
들과 함께 「머리말」과 맺음말 「1958년의 알제리」를 덧붙여서 한 권의
책으로 출간했으나, 겨우 3만여 부가 팔리는 데에 그쳤고, 프랑스 여론
에 호소하려던 소기의 목적도 달성하지 못했다. 결국, 노벨상 작가의 호
소는 아무런 반향도 얻지 못한 채 묻히고 말았던 것이다.

카뮈는 어머니와 함께 살기 위해서 온갖 회유와 설득을 다 했으나, 절

대로 고향 땅을 떠나지 않겠다는 어머니의 완강한 고집을 꺾을 수 없었다. 아들의 성공에도 부귀영화를 모르고 알제의 달동네에서 순박하게 살던 카뮈의 어머니에게 알제리는 떠날 수 없는 고향 땅이었다. 그러기에 그는 한평생을 벨쿠르에서 살아온 어머니의 소박한 희망을 물리칠 수 없었다. 노벨 평화상 수상자인 엘리 비젤은 1999년에 발표한 글「양심인」에서 카뮈의 스톡홀름 대학 발언을 언급하며 다음과 같은 지적을 한 바 있다. "아마도 카뮈는 주변인으로 삶의 마지막 시기를 살아가던 불행한 자기 어머니를 떠올렸을지도 모른다. 어느 누가 그를 비난할 수 있겠는가? 그 순간 자기 마음속 깊은 곳에서 느끼던 것을 큰소리로 말할 수 있는 용기를 냈던 그를 어찌 비난할 수 있겠는가? 그건 정녕 용기 있는 행위였으니 말이다."[46] 그렇다. 정의를 믿긴 하지만, '폭력적인 정의'보다 '무고한 민중'인 어머니를 먼저 보호하겠다고 말할 수 있는 "용기"를 어느 누가 비난할 수 있겠는가? 어느 누가 그에게 돌을 던질 수 있겠는가? 위선의 철가면을 쓰고 있지 않는 한 말이다.

카뮈의『독일인 친구에게 보내는 편지들』에는 이런 말이 있다.

툭 터놓고 말하자면, 당신은 불의를 택했다. 당신은 신들의 편에 있다. 당신의 논리는 허울에 지나지 않다.

그와 반대로, 나는 이 현세에 충실하기 위해서 정의를 택했다. 나는 이 세계가 특별한 의미를 지니고 있지 않다고 줄곧 믿어 왔다. 하지만 나는 이 세계의 무엇인가가 의미를 지니고 있다는 사실을 알고 있다. 그것은 바로 인간이다. 왜냐하면 인간은 의미를 가지고자 하는 유일한 존재이기 때문이다. 이 세계는 적어도 인간의 진실을 담고 있으며, 우리의 사명은 운명에 맞서서 싸워야 할 이유들을 인간에게 안겨 주는 데에 있다. 인간은 인간 이외의 다른 어떤 이유도 품고 있지 않기에, 우리가 삶에 대해 품고 있는 생각을 지키려 한다면, 바로 인간을 지켜야만 한다.[47]

이 편지를 썼던 저항투사 카뮈는 지하신문 〈투쟁〉지의 편집국장이었다. 1944년 파리 해방 직후, 지성인 숙청을 놓고 가톨릭 작가 프랑수아 모리악이 주장하는 "신의 자비"에 대항해서 "인간의 정의"를 부르짖었던 〈투쟁〉지 편집국장 카뮈는 골수 휴머니스트였다. 피에르-앙리 시몽은 「알베르 카뮈⋯ 그리고 인간」이라는 글에서 "인간의 인간적인 면을 옹호"[48]했던 카뮈는 "명확한 휴머니즘의 기준들을 제시했다"[49]라고 평가했다. 사르트르의 표현을 빌리면, 카뮈는 "고집스러운"[50] 휴머니스트였다. "나는 성인(聖人)들보다는 패자들에게 더 많은 연대감을 느낀다. 내겐 영웅심이나 신성함에 대한 애착이 없다. 내 관심은 인간이 되는 것이다"[51]라고 토로하는 휴머니스트 의사 리외의 힘겨운 투쟁을 그린 소설 『페스트』를 구상하던 카뮈는 다음과 같은 투철한 믿음을 가지고 있었다.

"인간에게는 경멸해야 할 것보다는 찬양해야 할 게 훨씬 더 많다."[52]

3.3.3. 루르마랭

"집을 구하려고 한 달 동안 보클뤼즈 도(道)를 돌아다님. 루르마랭의 집을 삼."[53] 1958년 9월 30일자 작가수첩의 메모이다. 카뮈는 노벨상 상금으로 생애 처음으로 자기 돈을 들여 집을 장만했다. 루르마랭은 아비뇽과 아를, 님과 액상프로방스에서 그리 멀지 않은 곳에 위치한 아주 자그마한 중세 마을이다. 뤼베롱 산맥과 포도밭으로 에워싸여 있고, 당시에는 관광객들이 찾지 않는 아주 조용한 시골 마을이었다. 마을 주민이라고 해야 고작 6백여 명에 불과했다. 카뮈가 파리에서 멀리 떨어진 루르마랭을 선택한 데에는 여러 가지 이유가 있었지만, 무엇보다도 이미 오래 전부터 구상 중이던 새 소설 『최초의 인간』을 집필하기 위한 것이었다. 게다가 루르마랭에서 그리 멀지 않은 릴-쉬르-소르그에는 절친한 친구인 르네 샤르가 살고 있어서, 친구 곁에 머물 수 있다는 부수적인 요인도 있었다. 카뮈는 생애 마지막 해인 1959년 한 해의 대부분을 루르마랭의 집에서 보내면서, 전혀 다르고 새로운 형식의 글쓰기로 자신의 일대기를 집필하는 데에 몰두했다.

1959년 4월 말의 작가수첩에는 이런 메모가 있다. "나는 지난 수년 동안 만인의 모럴에 따라 살려고 했다. 나는 남들처럼 살려고, 남들을 닮아 보려고 억지로 노력했다. 나는 심지어 내가 유리되어 있다고 느낄 때조차도, 사람들을 한데 모으기 위해서 필요한 말을 했다. 그런데 이 모든 것의 종말은 파국이었다. 지금 나는 잔해들 사이에서 떠돌고 있다. 나는 아무런 규율도 없이 이러지도 저러지도 못하고 있다. 나는 혼자이고, 혼자이기를 받아들이면서, 나의 특이함과 나의 결함들에 체념하고 있다. 그리고 나는 하나의 진실을 재구성해 내야만 한다. 일생 동안 일종의 거짓 속에서 살아왔으니 말이다."⁵⁴ 마지막 문장이 꽤나 충격적이다. 진실과 정의를 위해 끊임없이 투쟁해 왔던 그가 "일생 동안 일종의 거짓 속에서" 살아왔다고 고백하고 있으니 말이다. 과연 어느 누가 이런 참담한 고백을 할 수 있으랴. 자기 자신에게 진정으로 진솔한 인간이 아니라면 말이다. 아무튼, 지금까지 "일종의 거짓 속에서 살아왔으니", 이제 "하나의 진실을 재구성해" 내야 할 때였다. 카뮈가 말하는 "하나의 진실"이란 바로 자기 자신의 한살이였다.

1959년 5월 초 작가수첩에 있는 "작업 재개. 『최초의 인간』의 1부가 많이 진척됨. 이 고장의 외로움과 아름다움에 감사"⁵⁵라는 메모를 보면, 한적한 루르마랭에서의 집필 작업이 순조롭게 진행되고 있음을 알 수 있다. 5월 중순경의 작가수첩에는 이런 단상도 있다. "거의 5년 전부터 나는 나 자신을 비판해 오고 있다. 내가 믿었던 것을, 내가 겪었던 것을 말이다. 그렇기 때문에 같은 생각을 가진 사람들이 자신을 표적이라고 여겨서 나를 그토록 원망하고 있다. 그런 게 아니다. 나는 나와의 전쟁을 벌이고 있다. 나는 나를 파괴할 것이다. 즉, 나는 다시 태어날 것이다. 이게 전부다."[56] 파괴는 창조의 어머니라고 하던가. 자기비판 없는 반성이나 성찰은 공염불에 지나지 않기에, 카뮈는 자기파괴라는 극단적인 "전쟁"을 통해서 거듭나려 했다. 『최초의 인간』과 더불어 재탄생을 꿈꾸고 있었다. 이런 점에서 보면, 『최초의 인간』의 주인공 이름 자체도 상징하는 바가 크다. 자크 코르므리(Jacques Cormery)의 약호인 J.C.는 예수 그리스도를 뜻할 수도 있기 때문이다.

1959년 11월 14일, 카뮈는 파리를 떠나 루르마랭의 집에 내려왔다. 『최초의 인간』 집필에 박차를 가하기 위해서였다. 친구들의 방문이 없는 날에는 온종일 글쓰기에 매달렸다. 벌써 몇 년 전부터 구상해 왔기에, 큰 어려움 없이 초고를 써 나갔다. 이전의 문체와는 매우 다르게, 문장부호도 거의 사용하지 않은 채, 긴 호흡의 만연체 문장들이 이어져 나갔다. 첫 소설 『이인』과는 극과극의 전혀 다른 글쓰기였다. 1부 「아버지를 찾아서」에서는 자크 코르므리의 탄생과 벨쿠르에서 자란 가난한 어린 시절을 담백하면서도 서정적인 언어로 그리고 있는데, 중년의 자크가 생-브리외에 있는 아버지 무덤을 처음으로 찾아갔던 일화가 삽입되어 있다. 자크는 아버지 묘비에 새겨진 "1885-1914"라는 연도를 보면서, 스물아홉에 세상을 떠난 아버지가 서른네 살인 자기보다도 더 어린 나이였다는 사실을 깨닫고선, "나이 어린 이 아버지"를 "부당하게 살해된 아이"[57]라고 표현하면서 북받쳐 오르는 서글픔과 연민의 정을 토로하고 있다. 2부인 「아들 또는 최초의 인간」에서는 중·고등학교 시절의 자크를 회상하고 있는데, 이 육필 원고는 144쪽에서 미완성인 채로 남아야 하는 운명의 순간을 기다리고 있었다.

카뮈의 아내 프랑신과 쌍둥이 남매 장과 카트린은 성탄절 방학을 아빠와 함께 보내기 위해서 루르마랭으로 내려왔다. 프랑신의 증언에 따르면, 카뮈가 평소와는 달리 힘이 없어 보였고, 자신이 죽을 경우 루르마랭에 묻히고 싶다는 뜬금없는 말을 하기도 했다고 한다. 카뮈의 둘도 없는 친구인 미셸 갈리마르가 가족과 함께 영화의 도시 칸에서 휴가를 보내다가 1960년 새해 첫날에 카뮈 가족과 합류했다. 다음날인 1월 2일, 프랑신과 쌍둥이 남매는 아비뇽에서 기차를 타고 파리로 되돌아갔고, 카뮈는 미셸 갈리마르 가족과 함께 루르마랭 집에서 하룻밤을 더 묵고 나서 다음날 파리로 출발했다. 스피드광으로 이름난 미셸 갈리마르가 당시 몰던 차는 유명한 스포츠카인 파셀 베가였다. 원래는 시인 르네 샤르도 이 차에 동승할 예정이었으나, 거구인 샤르가 차가 좁다는 이유로 사양했고, 미셸의 아내 자닌이 앞자리를 양보해 주었으므로, 카뮈는 미셸과 함께 나란히 앉아 여행길에 올랐다. 일행은 리용에서 멀지 않은 자그만 시골 마을인 투아시에서 하룻밤을 묵은 후, 다음날인 1월 4일 아침에 파리로 향했다. 파리에서 남쪽으로 120km에 있는 상스에서 점심을 먹고 나서, 5번 국도를 타고 25km 북쪽에 위치한 빌뇌브 부근을 지나던 중, 파셀 베가가 미끄러지면서 길가의 플라타너스를 들이받은 후 전복되었다. 카뮈는 그 자리에서 즉사했고, 중상을 입은 미셸 갈리마르는 닷새 후 병원에서 사망했다. 카뮈의 유해는 그가 바랐던 대로 1월 6일 루르마랭 공원묘지에 안장되었다.

　사고 현장에서 발견된 카뮈의 검은색 가방에는 『최초의 인간』의 원고가 들어 있었다. 결국, 카뮈는 '최초의 인간'으로 다시 태어나지 못한 채, 마흔여섯을 갓 넘긴 젊은 나이에 한살이를 마감했다. 아들의 사망 소식을 전해 들은 어머니는 "너무 젊은데"라는 한 마디 말만을 중얼거렸고, 여덟 달 후인 1960년 9월 일흔여덟의 나이에 세상을 떠났다. 카뮈는 생전에 어머니에게 자주 편지를 쓰곤 했다. 물론 문맹인 어머니는 아들의 편지를 읽을 수 없어서 주변 사람들의 도움으로 아들 소식을 접하곤 했다. 저 세상으로 바삐 가기 2주 전인 1959년 12월 21일, 카뮈는 알제의 벨쿠르에서 혼자 사는 어머니에게 "사랑하는 엄마. 엄마가 늘 젊고 예쁘기를 바라. 그리고 엄마의 마음이 한결같기를 바라. 이 세상에서 최고이기를 말이야. 하기야 엄마 마음은 변할 수도 없겠지만 말이지. 연말 선물을 보내니, 엄마를 위해서 뭐 좀 사"[58]라는 애정이 듬뿍 담긴 편지를 보냈다. 카뮈가 그토록 사랑했던 어머니에게 보낸 마지막 한 마디였다. 아니, 마지막 한 마디 말이 하나 더 남아 있다. 그의 가방에서 발견된 『최초의 인간』의 원고 맨 앞에는 그가 처음이자 마지막으로 어머니에게 바친 헌사가 적혀 있었다.

"영원히 이 책을 읽지 못할 당신에게."[59]

맺음말

1959년 12월 14일, 카뮈는 액상프로방스 대학의 '외국인 학생 프랑
스학 연구소'의 초청으로 이 대학 학생들과의 간담회에 참석했다. 카뮈
가 공개 석상에서 사람들과 대화를 나누었던 마지막 자리였다. 작가라
는 직업에 대해서 어떻게 생각하는지에 대한 질문에, 카뮈는 오랜 산고
끝에야 작품이 탄생한다고 하면서, 『이인』의 경우 3년간의 산고 끝에야
마침내 글쓰기 테크닉을 찾아냈었다고 대답했다. 자신의 작품들 가운데
가장 좋아하는 작품이 무엇인가에 대해서는 "이번에 나오는 책"이라고
하면서 "한 인간의 사십 평생을 담은 책"[1]이라고 에둘러 대답했다. 집필
중이던 『최초의 인간』을 염두에 두고 한 말이었다. 또한 "좌파 지성인인
가?"라는 물음에, 카뮈는 "내가 지성인이라고 확신하지는 못하겠지만,
나는 어쩔 수 없이 좌파이다"[2]라고 대답했다. 카뮈는 1955년 장-마리 도
메낙과의 논쟁에서도 이미 "나는 좌파에서 태어났고, 좌파로 죽을 것이
다"[3]라고 선언한 바 있었다. 그의 어머니가 천생 알제리 여인이었듯이,
그는 천생 "프롤레타리아 지성인"이었다.

카뮈는 미국 잡지 〈벤처(Venture)〉가 서면으로 요청한 인터뷰에 1959
년 12월 20일자 서명된 답장을 보냈다. "귀하는 귀하 세대의 '지도자'

가 되려는 생각에서 작가로서의 작업에 임하는가?"라는 질문에, 카뮈는 "죄송하지만 이런 식의 판단은 내가 보기에 우스꽝스럽다. 나는 어느 누구를 위해서도 말하는 게 아니다. 나는 나의 고유한 언어를 찾아내기에도 벅차다. 나는 어느 누구도 인도하지 않는다. 나는 내가 어디로 가는지 잘 모르거나 알지조차 못한다. 나는 든든한 삼각대 위에서 살고 있지 않다. 나는 당대의 모든 사람들과 똑같은 걸음걸이로 걸어가고 있다. 우리 세대의 모든 사람들이 제기하는 똑같은 질문을 나 자신에게도 제기한다. 이게 전부다. 그들이 내 책을 읽는다면, 거기에서 그런 질문들을 만나는 건 매우 자연스러운 일이다. 하지만 거울은 정보를 제공하는 것이지 가르치는 것은 아니다"⁴라고 대답했다. 그리고 "지금, 정치적 사건들은 작가에게 중요하지 않다고 생각하는가?"라는 질문에, 카뮈는 "웃기는 질문이다. 나는 정치적으로 고립되어 있다고 느끼지 않는다. 내 생각엔 오늘날 고독자들은 전체주의 정당들에 있다. 하지만 누구든지 당원이면서도 광신자가 되기를 거부할 수는 있다"고 대답하면서 공산주의 이데올로기의 신봉자들을 에둘러 비판했다. 이 인터뷰가 마지막 인터뷰가 되리라고는 어느 누구도 상상하지 못한 일이었다.

1960년 3월호 〈NRF〉는 비운의 죽음으로 타계한 카뮈를 추모하기 위해 긴급으로 특집호를 꾸렸고, 총 48명의 필자들이 고인에게 애도의 정을 표했다. 대표 집필자인 모리스 블랑쇼는 "우리는 고인의 동시대인이라는 게 얼마나 행복했었는지를 절감했다"⁵라고 했고, 절친한 친구를 잃은 언어철학자 브리스 파랭은 「우리 시대의 영웅」이라는 제목의 추모사에서 "아마도 고인은 그 무엇보다도 자유를 사랑했다"면서 "내게서 앗아가 버린 우정을 애도한다"⁶고 한탄했다. 알제리 친구인 엠마뉘엘 로블레스는 "카뮈에게 저널리즘은 인간에게 봉사하기 위한 도구였다"⁷고 했으며, 작가 필립 에리아는 「따뜻한 인간미」라는 글에서 "아마도 알베르 카뮈에게서 가장 돋보였던 점은 바로 인간이었다"며 "그의 침묵에서조차 그는 투사와 양심인이 하나였다"[8]고 회고했다. 장 폴랑과 함께 전국 작가협의회의 창단 멤버였던 장 블랑자는 "장터의 일에 뛰어든 기자이자 한 발 물러선 작가였던 그는 진실의 모습을 비추는 양심이었다"[9]고 했으며, 연극인 장-루이 바로는 "정의를 열렬히 사랑하고, 극단적으로 양심적이고, 진정으로 인간존재를 존중했던 카뮈는 수도승의 온갖 미덕들을 지니고 있었다"면서 "그는 한 세대 전체를 대변하는 양심"이었고 "양심과 정의와 인간 존중에서 출발했기에 더욱더 가치 있고 진정한 희망의 불빛을 발산하는 등대였다"[10]고 덧붙였다.

지성인 카뮈는 시대의 등불이었다. 외로운 등불이었다. 하지만 희망의 등불이었다. 인간에 대한 희망이었고, 인간을 향한 희망이었고, 인간을 위한 희망이었다. 카뮈는 갈리마르 출판사의 편집위원으로서 〈희망〉이라 명명한 총서의 책임자이기도 했는데, 이 〈희망〉 총서의 뒷날개에는 그가 작성한 다음과 같은 글이 새겨져 있었다. "우리는 니힐리즘 안에 갇혀 있다. 시대의 악을 외면하거나 부정한다고 해서 니힐리즘에서 벗어나지는 못할 것이다. 그와 반대로, 유일한 희망은 니힐리즘을 직시하면서 말기에 다다른 이 병을 치유하기 위해서 면밀한 검토를 하는 것이다. 그러니 희망의 시대임을 인정하자. 비록 벅찬 희망이기는 하지만."[11] 양차 대전의 참상과 폐허를 고스란히 겪었던 카뮈에게 "희망"이라는 낱말은 어쩌면 사치스러운 언어였을지도 모른다. 하지만 그는 인간을 믿었기에 희망의 끈을 놓은 적이 없었다. "유럽의 어둠 한복판에서도 두 얼굴의 문명을 낳은 태양 사상은 그 여명을 기다리고 있다."[12] 『반항인』을 마무리하는 「정오의 사상」에서도 희망의 빛을 찾으려는 그의 간절한 의지는 살아 숨 쉬고 있었다. "삶에 대한 절망 없이는 삶에 대한 사랑도 없다"고 생각했던 『안과 겉』의 작가는 절망의 구렁텅이에서도 희망의 샘을 찾으려 했던 순혈 인간이었다.

사르트르는 카뮈에게 바친 저 유명한 추도사에서 "순수하고 엄격한,

금욕적이고 육감적인 그의 고집스러운 휴머니즘은 이 시대의 기형적인 대사건들에 맞서서 힘겨운 투쟁을 벌이고 있었다"[13]라고 칭송했다. 사르트르의 표현대로, 카뮈는 "고집스러운" 휴머니스트였다. 노벨 평화상 수상자인 엘리 비젤은 카뮈에게 바치는 글 「양심인」에서 다음과 같이 역설한 바 있다. "휴머니스트 사상가 카뮈? 왜 아니겠는가? 휴머니스트라는 수식어는 그에게 기막히게 어울리는 찬사이다. 가슴을 미어지게 하는 그의 노래가 우리에게 그토록 많은 사랑과 향수를 불러일으키는 소설가에게는 말이다. 종종 사람들의 추억 속을 파고들어 그가 파헤쳐 내는 인간의 신비에도 불구하고, 인간에게는 비난할 것보다는 찬미할 게 더 많이 있으니, 우리에게 인간의 인간성을 믿도록 도와주는 이는 바로 카뮈가 아닐까? 그의 목소리가 그립다."[14] 그렇다. 카뮈는 "인간의 인간성"을 믿었던 "휴머니스트 사상가"였다. "인간의 인간성"을 믿지 않는 자들이 내세우는 정의는 '신의 정의'이거나, 아니면 '이념적인 정의'에 지나지 않을 뿐, 결코 '인간의 정의', '인간에 의한 정의', '인간을 위한 정의', 한 마디로 '인간적인 정의'가 아닐 것이다. 장 그르니에의 표현을 빌리자면, 카뮈는 "진실과 정의를 위해 열정을 불태웠던 진지한 인간"[15]이었다.

카뮈의 목소리가 그리울 때가 있다. 인간에 대한 믿음을 약화시키는 현실을 마주할 때마다 "그는 뭐라고 할까?"라고 시나브로 묻곤 한다. 때로는 그의 목소리가 마치 귓전에서 울려 퍼지는 듯도 하다. 그래도 인간을 믿어야 한다고. 그의 글과 오랫동안 함께 살아온 이에겐 이따금 그의 가슴이 느껴질 때가 있다. 그리고 그럴 때마다, "인간은 현재 상태에 머물기를 거부하는 유일한 동물이다"[16]라는 그의 말을 떠올리며 인간에 대한 희망을 품어 본다. 비록 "벅찬 희망"일지언정, 인간에 대한 믿음과 열정을 포기할 수 없으니 말이다.

주석

* 자주 인용된 텍스트의 경우, 참고문헌의 서지정보 끝에 각 괄호 안의 굵은 글씨로 표기
된 약호를 사용하고, 그 이외의 텍스트의 경우, 수월성에 따른 약식 표기만 한다.

머리말

1) C Ⅲ, p. 16.
2) CAC 6, p. 61.
3) C Ⅱ, p. 153.
4) EE, p. 27.
5) P, p. 336.
6) HR, p. 31.
7) R.G., p. 288.
8) DS, p. 14.
9) DS, p. 15.
10) DS, p. 19.
11) DS, p. 20.
12) DS, p. 26.
13) DS, p. 26.
14) A Ⅱ, p. 179.
15) C Ⅱ, p. 180.
16) Ⅱ, p. 1925.
17) HR, p. 36.
18) C Ⅱ, p. 201.
19) Ⅱ, p. 1840.
20) A Ⅰ, p. 32.

1부. 제1기(1913-1942) : 지성인의 탄생

1) C Ⅰ, p. 41.
2) Todd, p. 158.
3) EE, p. 13.
4) Roblès, *Camus frère de soleil*.
5) Bousquet, *Camus le méditerranéen, Camus l'ancien*.
6) C Ⅱ, p. 62.
7) A Ⅰ, p. 188.

1.1. 빈농의 둘째 아들

1) EE, p. 60.
2) PH, p. 56.
3) PH, p. 86-7.
4) PH, p. 187.
5) PH, p. 31.

1.2. 두 스승 : 루이 제르맹과 장 그르니에

1) Lott, p. 44.
2) Todd, p. 751.
3) Todd, p. 35.
4) Todd, p. 31.
5) R.G., p. 289.
6) II, p. 1118.
7) J.G., p. 9
8) Lott, p. 55
9) J.G., p. 10.
10) C-G, p. 78.
11) C-G, p. 179.
12) II, p. 1117.
13) II, p. 1118.
14) II, p. 1118.
15) II, p. 1118.

1.3. "형이상학적인 병"

1) C II, p. 57.
2) AC 1, p. 209.
3) C II, p. 73.
4) Todd, p. 47.
5) Lott, p. 74,

1.4. 청년 공산당원 카뮈

1) Todd, p. 68.
2) Todd, p. 68. 원문의 강조.
3) C-G, p. 22-3.

4) CAC 3, p. 20-1.
5) C I, p. 29.
6) C I, p. 64.

1.5. 작가의 탄생

1) C I, p. 17.
2) C I, p. 16.
3) C I, p. 23.
4) C I, p. 40.
5) C I, p. 46.
6) C I, p. 77.
7) Brisville, p. 256.
8) EE, p. 13.
9) EE, p. 30-1.
10) EE, p. 12-3.
11) EE, p. 107.
12) N, p. 21.
13) N, p. 18.
14) N, p. 26.
15) N, p. 28.
16) N, p. 30.
17) N, p. 36-7.
18) N, p. 55.
19) N, p. 59.
20) R.G., p. 62.

1.6. 신참기자에서 편집국장으로

1) C-G, p. 33.
2) CAC 3, p. 34.
3) CAC 3, p. 369.
4) CAC 3, p. 369.
5) CAC 3, p. 369.
6) CAC 3, p. 371.
7) CAC 3, p. 372.
8) CAC 3, p. 411-2.
9) CAC 3, p. 542.
10) CAC 3, t. II, p. 454.

11) 『이인』, 76-8쪽.

12) CAC 3, p. 279.

13) CAC 3, p. 279.

14) CAC 3, p. 281.

15) CAC 3, p. 282.

16) CAC 3, p. 282.

17) CAC 3, p. 287.

18) CAC 3, p. 288.

19) CAC 3, p. 291.

20) CAC 3, p. 325.

21) CAC 3, p. 333.

22) CAC 3, p. 334.

23) CAC 3, p. 335-6.

24) Sartre, *Situations II*, p. 30.

25) Lévy, p. 293.

26) Todd, p. 184.

27) CAC 3, p. 49-50.

28) CAC 3, p. 717.

29) CAC 3, p. 718.

30) CAC 3, p. 720.

31) CAC 3, p. 733-4.

32) CAC 3, p. 735.

33) CAC 3, p. 736.

34) CAC 3, p. 729.

35) II, p. 1391.

36) II, p. 1391.

37) II, p. 1391.

38) II, p. 1392.

39) Dufay et Dufort, p. 83.

40) II, p. 1395.

41) II, p. 1396.

42) II, p. 1396.

43) II, p. 1396-7.

44) II, p. 1417.

45) II, p. 1417.

46) II, p. 1419.

47) II, p. 1418.

48) Todd, p. 201-2.

49) II, p. 1418.

50) Todd, p. 202. 원문의 강조.
51) II, p. 1421.
52) II, p. 1421-2.

1.7. 〈파리 수아르〉 편집국 기자

1) Parain, p. 408.
2) Todd, p. 224.
3) II, p. 1565.
4) II, p. 1566.
5) Todd, p. 246.
6) Todd, p. 246.
7) Todd, p. 246-7.
8) Todd, p. 247.
9) Todd, p. 248.
10) Todd, p. 248.
11) Todd, p. 248.

1.8. "대단한 물건"

1) C I, p. 224.
2) C-G, p. 50.
3) C-G, p. 51.
4) C-G, p. 53.
5) C-G, p. 53.
6) C-G, p. 54-5.
7) C-G, p. 56.
8) C-G, p. 56.
9) C-G, p. 58. 원문의 강조.
10) C-G, p. 58.
11) C-G, p. 58-9.
12) C-G, p. 59-60.
13) C-G, p. 62-3.
14) C-G, p. 64.
15) C-G, p. 65.
16) C-G, p. 65.
17) C-G, p. 70.
18) C-P, p. 48.
19) C-P, p. 58.

20) C-P, p. 58.
21) C-P, p. 58.
22) C-P, p. 58.
23) C-P, p. 61.
24) C-P, p. 61.
25) C-P, p. 67-8. 원문의 밑줄.
26) C-P, p. 68.
27) C-P, p. 68-9.
28) C-P, p. 71. 원문의 밑줄.
29) C-P, p. 73.
30) C-P, p. 74.
31) C-P, p. 74.
32) C-P, p. 74.
33) C-P, p. 74-5.
34) C-P, p. 85.
35) Todd, p. 281.
36) *Histoires d'un livre : L'Etranger d'Albert Camus*, p. 29.
37) Todd, p. 282.
38) Todd, p. 282.
39) Brisville, p. 255.
40) *Histoires d'un livre*, p. 31.
41) *Histoires d'un livre*, p. 30.
42) *Histoires d'un livre*, p. 32.
43) *Histoires d'un livre*, p. 32.
44) *Histoires d'un livre*, p. 32.
45) C-P, p. 84.
46) *Histoires d'un livre*, p. 33.

1.9. 『이인』의 탄생

1) C II, p. 73. 원문의 강조.
2) C-P, p. 108.
3) C-P, p. 107.
4) C-P, p. 117.
5) C-P, p. 119.
6) Todd, p. 324.
7) MS, p. 166.
8) 『이인』, 9쪽.
9) C II, p. 30-1.

10) Pingaud, p. 160-1.

11) C II, p. 32.

12) C II, p. 32-3.

13) Todd, p. 304.

14) C-P, p. 101.

15) Blanchot, "Le roman de l'étranger," p. 253.

16) Blanchot, "Le roman de l'étranger," p. 248.

17) Blanchot, "Le roman de l'étranger," p. 249.

18) Blanchot, "Le roman de l'étranger," p. 251.

19) Barthes, *Le Degré zéro de l'écriture*, p. 108-10.

20) Barthes, *Le Grain de la voix*, p. 245.

21) Barthes, "Réflexion sur le style de L'Etranger," p, 60.

22) Barthes, "Réflexion sur le style de L'Etranger," p, 61.

23) Barthes, "Réflexion sur le style de L'Etranger," p, 61.

24) Barthes, "Réflexion sur le style de L'Etranger," p, 63.

25) 바르트가 「글쓰기의 영도」를 〈투쟁〉지에 게재한 때는 카뮈가 이미 편집국장을 그만둔 후였고, 카뮈와는 무관하게 모리스 나도의 추천으로 글을 싣게 되었다.

26) Grenier, "Une oeuvre, un homme," p. 225.

27) Grenier, "Une oeuvre, un homme," p. 226.

28) Grenier, "Une oeuvre, un homme," p. 228.

29) C-G, p. 88.

30) Sartre, "Explication de *L'Etranger*," p. 99.

31) Sartre, "Explication de *L'Etranger*," p. 117.

32) Sartre, "Explication de *L'Etranger*," p. 110.

33) MS, p. 48.

34) MS, p. 71.

35) MS, p. 44.

36) MS, p. 54-5.

37) MS, p. 37 et p. 48.

38) MS, p. 75.

39) MS, p. 29.

40) Sartre, "Explication de *L'Etranger*," p. 101-2.

41) Sartre, "Explication de *L'Etranger*," p. 121.

42) C-G, p. 88.

43) Barthes, "*L'Etranger*, roman solaire," p. 61.

44) Barthes, "*L'Etranger*, roman solaire," p. 62-4.

45) Robbe-Grillet, p. 166.

2부. 제2기(1942-1952) : 저항에서 반항으로

2.1. 20세기 전반의 프랑스 지성계

1) Winock, *Le Siècle des intellectuels*.
2) Charles, *Naissance des "intellectuels."*
3) Ory et Sirinelli, p. 6. 원문의 강조.
4) Ory et Sirinelli, p. 6.
5) Sartre, *Plaidoyer pour les intellectuels*, p. 12.
6) Assouline, p. 41.
7) Assouline, p. 48.
8) Sirinelli, *Intellectuels et passions françaises*, p. 104.
9) Daniel, *Le Temps qui me reste*, p. 15.
10) Assouline, p. 280.

2.2. 〈투쟁〉지 편집국장 카뮈

1) CAC 8, p. 18.
2) LAA, p. 26-7.
3) LAA, p. 28-9.
4) Ajchenbaum, p. 87.
5) CAC 8, p. 39.
6) *Camus et le premier "Combat,"* p. 49.
7) Hamon, p. 155.
8) CAC 8, p. 140.
9) CAC 8, p. 141-2.
10) CAC 8, p. 142.
11) CAC 8, p. 142.
12) CAC 8, p. 143
13) CAC 8, p. 144.
14) Beauvoir, p. 16.
15) CAC 8, p. 46.
16) Beauvoir, p. 27.
17) Baverez, p. 217.
18) Guérin, *"Le premier *Combat* ou l'aventure d'un intellectuel collectif,"* p. 21-46.
19) A I, p. 31.
20) A I, p. 32.
21) A I, p. 33.

22) A I, p. 32.

23) A I, p. 33.

24) A I, p. 33.

25) A I, p. 34.

26) A I, p. 35.

27) CAC 8, p. 163.

28) CAC 8, p. 163-4.

29) CAC 8, p. 164.

30) CAC 8, p. 165.

31) A I, p. 36.

32) A I, p. 37.

33) A I, p. 38.

34) A I, p. 39.

35) CAC 8, p. 201.

36) CAC 8, p. 203.

37) CAC 8, p. 283.

38) CAC 8, p. 140.

39) CAC 8, p. 97.

40) CAC 8, p. 96.

41) CAC 8, p. 98.

42) CAC 8, p. 98.

43) Aron, *Mémoires*, p. 208.

44) Daniel, "Le combat pour *Combat*," p. 90.

45) Daniel, "Le combat pour *Combat*," p. 91.

46) Lebesque, p. 67.

47) Lacouture, p. 412.

48) *A Albert Camus, ses amis du livre*, p. 18.

49) II, p. 1565.

50) Lacouture, p. 410.

51) *Histoire générale de la presse française, de 1940 à 1958*, p. 280.

52) *Histoire générale de la presse française, de 1940 à 1958*, p. 317.

53) Sirinelli, *Intellectuels et passions françaises*, p. 143-4.

54) Sirinelli, *Intellectuels et passions françaises*, p. 150.

55) Beauvoir, p. 32.

56) Todd, p. 374.

57) Todd, p. 375.

58) Sirinelli, *Intellectuels et passions françaises*, p. 152-3.

2.3. 정의 대 자비 : 카뮈 대 모리악 논쟁

1) Lacouture, p. 411.
2) CAC 8, p. 146.
3) CAC 8, p. 149.
4) CAC 8, p. 149-50.
5) CAC 8, p. 158.
6) CAC 8, p. 170.
7) CAC 8, p. 176.
8) CAC 8, p. 177.
9) CAC 8, p. 178.
10) Lacouture, p. 408.
11) 피에르 아술린, 『지식인의 죄와 벌』, 51쪽.
12) 피에르 아술린, 『지식인의 죄와 벌』, 52쪽.
13) Ajchenbaum, p. 120.
14) CAC 8, p. 264.
15) CAC 8, p. 265.
16) CAC 8, p. 266 note 2.
17) CAC 8, p. 266.
18) Guérin, *Camus portrait de l'artiste en citoyen*, p. 47.
19) Ajchenbaum, p. 120.
20) CAC 8, p. 270.
21) CAC 8, p. 271-2.
22) CAC 8, p. 273 note 1.
23) CAC 8, p. 287.
24) CAC 8, p. 288-9.
25) CAC 8, p. 289.
26) CAC 8, p. 275.
27) CAC 8, p. 289-90.
28) C II, p. 112.
29) Guérin, *Camus portrait de l'artiste en citoyen*, p. 49-50.
30) CAC 8, p. 293.
31) CAC 8, p. 293-4.
32) Lacouture, p. 412.
33) CAC 8, p. 372.
34) CAC 8, p. 372-3.
35) CAC 8, p. 374.
36) CAC 8, p. 375.
37) 피에르 아술린, 『지식인의 죄와 벌』, 74쪽.

38) Lacouture, p. 416.

39) Lacouture, p. 417.

40) CAC 8, p. 303.

41) CAC 8, p. 430.

42) CAC 8, p. 431.

43) CAC 8, p. 431.

44) CAC 8, p. 432.

45) CAC 8, p. 433.

46) CAC 8, p. 433 note 1.

47) CAC 8, p. 433 note 1.

48) Ajchenbaum, p. 124.

49) CAC 8, p. 78.

50) CAC 8, p. 438-9.

51) CAC 8, p. 440.

52) CAC 8, p. 440.

53) Guérin, *Camus portrait de l'artiste en citoyen*, p. 46.

54) CAC 8, p. 440-1.

55) CAC 8, p. 441-2.

56) 『이인』, 128-9쪽.

57) C III, p. 29.

58) I, p. 1881.

59) CAC 8, p. 594-5.

60) A I, p. 212-3.

61) Lacouture, p. 413.

62) Lacouture, p. 413.

63) CAC 8, p. 80.

64) CAC 8, p. 103.

65) Todd, p. 377.

66) CAC 8, p. 79.

67) Lott, p. 362.

2.4. 사르트르와의 만남

1) 안니 코엔-솔랄에 따르면, 사르트르는 배우이자 연출가인 카뮈를 위해 희곡 『방청금
지』를 쓴 것이라고 한다(Cohen-Solal, p. 433).

2) *Histoire d'un livre* : L'Etranger *d'Albert Camus*, p. 34.

3) II, p. 1119.

4) Beauvoir, p. 28.

5) Todd, p. 337.

6) Cohen-Solal, p. 287.

7) Cohen-Solal, p. 328.

8) Cohen-Solal, p. 329.

9) Cohen-Solal, p. 329.

10) Cohen-Solal, p. 330.

11) Beauvoir, p. 50.

12) Cohen-Solal, p. 331.

13) Cohen-Solal, p. 331.

14) Sartre, *L'Existentialisme est un humanisme*, p. 21.

15) Sartre, *L'Existentialisme est un humanisme*, p. 24.

16) Sartre, *L'Existentialisme est un humanisme*, p. 36-7.

17) Sartre, *L'Existentialisme est un humanisme*, p. 38.

18) Cohen-Solal, p. 346.

19) Cohen-Solal, p. 346.

20) Cohen-Solal, p. 347.

21) Cohen-Solal, p. 346.

22) Ory et Sirinelli, p. 148.

23) Beauvoir, p. 50.

24) Todd, p. 389.

25) C II, p. 180.

26) II, p. 1424-5.

27) II, p. 1427.

28) Todd, p. 701.

29) II, p. 1427.

30) C II, p. 146.

31) Beauvoir, p. 24.

32) Cohen-Solal, p. 323.

33) Beauvoir, p. 25.

34) Sartre, *Situations II*, p. 9.

35) Sartre, *Situations II*, p. 13.

36) Sartre, *Situations II*, p. 30. 원문의 강조.

37) C II, p. 180.

38) Aron, *Le Spectateur engagé*.

39) Beauvoir, p. 65.

40) Todd, p. 756.

41) Todd, p. 756.

42) Cohen-Solal, p. 433.

2.5. 공산주의 이데올로기와의 투쟁

1) C II, p. 185.
2) C II, p. 185-6.
3) C II, p. 186.
4) Lott, p. 413.
5) Todd, p. 421.
6) A I, p. 142-3.
7) A I, p. 147.
8) A I, p. 150.
9) A I, p. 154.
10) C II, p. 141.
11) Lott, p. 417.
12) R.G., p. 204.
13) Todd, p. 428.
14) Lott, p. 447.
15) A I, p. 184.
16) A I, p. 186.
17) A I, p. 184.
18) A I, p. 187.
19) A I, p. 187.
20) A I, p. 193.
21) A I, p. 194.
22) A I, p. 188.
23) A I, p. 199. 원문의 강조.
24) C II, p. 189.
25) C II, p. 155-6.
26) C II, p. 159-60.
27) C III, p. 209.
28) C II, p. 277.
29) C III, p. 162.
30) C I, p. 29.
31) Cohen-Solal, p. 399.

2.6. 반항인 카뮈

1) CAC 8, p. 673.
2) CAC 8, p. 674.
3) CAC 8, p. 676.

4) II, p. 1564.

5) II, p. 1564.

6) CAC 8, p. 96.

7) *A Albert Camus, ses amis du livre*, p. 21-2.

8) A I, p. 32.

9) II, p. 1564.

10) II, p. 1565.

11) HR, p. 36.

12) Ricoeur, *"L'Homme révolté,"* p. 131.

13) HR, p. 13-4.

14) HR, p. 22.

15) HR, p. 273.

16) HR, p. 278.

17) HR, p. 303.

18) HR, p. 305.

19) R.G., p. 213

20) R.G., p. 213.

21) R.G., p. 213.

22) R.G., p. 213.

23) R.G., p. 214.

24) Todd, p. 556.

25) Verdès-Leroux, p. 218.

26) R.G., p. 212.

27) R.G., p. 212.

28) Verdès-Leroux, p. 15.

29) Todd, p. 388.

30) Lott, p. 509.

31) Beauvoir, p. 279.

32) Jeanson, p. 2070.

33) Jeanson, p. 2071.

34) Jeanson, p. 2074.

35) Jeanson, p. 2078.

36) Jeanson, p. 2088.

37) Jeanson, p. 2089.

38) Jeanson, p. 2090.

39) Lott, p. 511.

40) Lott, p. 513.

41) LDT, p. 317.

42) LDT, p. 317.

43) LDT, p. 317.

44) LDT, p. 318.

45) LDT, p. 320.

46) LDT, p. 321.

47) LDT, p. 321.

48) LDT, p. 323.

49) LDT, p. 323-4.

50) LDT, p. 324.

51) LDT, p. 330.

52) LDT, p. 328.

53) LDT, p. 329.

54) Sartre, "Mon cher Camus," p. 334.

55) Sartre, "Mon cher Camus," p. 334.

56) Sartre, "Mon cher Camus," p. 335.

57) Sartre, "Mon cher Camus," p. 338. 원문의 강조.

58) Lott, p. 509.

59) Sartre, "Mon cher Camus," p. 340.

60) Sartre, "Mon cher Camus," p. 345-6. 원문의 강조.

61) Sartre, "Mon cher Camus," p. 349.

62) Sartre, "Mon cher Camus," p. 351.

63) Sartre, "Mon cher Camus," p. 353.

64) Cohen-Solal, p. 438.

65) Sartre, "Albert Camus," p. 126. 원문의 강조.

66) Sartre, "Albert Camus," p. 127-8.

67) Sartre, "Albert Camus," p. 129.

68) Sartre, Situations II, p. 280.

69) Sartre, "Mereleau-Ponty," p. 189.

70) Sartre, "Mereleau-Ponty," p. 248-9.

71) Guérin, *Camus portrait de l'artiste en citoyen*, p. 135. 원문의 강조.

72) II, p. 1753.

2.7. "유일한" 지성인 카뮈

1) Ricoeur, "*L'Homme révolté*," p. 121.

2) Ricoeur, "*L'Homme révolté*," p. 129.

3) Ricoeur, "*L'Homme révolté*," p. 133.

4) Ricoeur, "*L'Homme révolté*," p. 135.

5) Ricoeur, "*L'Homme révolté*," p. 138.

6) R.G., p. 273.

7) II, p. 1702.
8) II, p. 1703.
9) II, p. 1711-2.
10) II, p. 1713.
11) II, p. 1901.
12) Guérin, *Camus portrait de l'artiste en citoyen*, p. 135.
13) CAC 8, p. 224.
14) N, p. 36-7.
15) I, p. 1928.
16) Barthes, "*L'Etranger*, roman solaire," p. 63.
17) I, p. 1928.
18) I, p. 1928.
19) 『이인』, 167쪽.
20) I, p. 1928.
21) I, p. 1929.
22) C III, p. 16.

3부. 제3기(1952-1960) : 사막, 영광 그리고 죽음

1) C III, p. 15.
2) Lott, p. 517.

3.1. 사막 횡단

1) Todd, p. 573.
2) Todd, p. 573. 원문의 강조.
3) Todd, p. 575.
4) Todd, p. 575.
5) Todd, p. 560.
6) Todd, p. 560.
7) Gombrowicz, p. 100.
8) Gombrowicz, p. 101
9) Gombrowicz, p. 104.
10) MS, p. 47.
11) 프랑스어 nausée는 '구토'라는 의미가 아니라 '구토하고 싶은 기분(envie de vomir)'에 해당하는 '욕지기' 또는 '구역질' 혹은 '지독한 혐오감(sensation de dégoût insurmontable)'이라는 의미이다.

12) MS, p. 29.

13) Todd, p. 556.

14) C Ⅲ, p. 30.

15) C Ⅲ, p. 63. 원문의 강조.

16) C Ⅲ, p. 64.

17) Todd, p. 579.

18) C Ⅲ, p. 80.

19) C Ⅲ, p. 85.

20) C Ⅲ, p. 102.

21) C Ⅲ, p. 99.

22) C Ⅲ, p. 101.

23) C Ⅲ, p. 115.

24) C Ⅲ, p. 150.

25) C Ⅲ, p. 82.

26) C Ⅲ, p. 92.

27) C Ⅲ, p. 129.

28) Sartre, "Mon cher Camus," p. 335. 원문의 강조.

29) C Ⅲ, p. 126.

30) C Ⅲ, p. 147.

31) CH, p. 14.

32) 프랑스어로는 흔히 l'Agneau mystique라고 하나, 네덜란드어 원제는 Het Lam Gods 으로 '하느님의 어린 양'이라는 의미이다. 따라서 프랑스어 표현 l'Agneau mystique는 '신비스러운 어린 양'이 아니라 '하느님의 어린 양'으로 번역하는 게 적절하다.

33) CH, p. 152.

34) Todd, p. 646-7.

35) CH, p. 52.

36) Sartre, "Mon cher Camus," p. 334.

37) C Ⅲ, p.

38) Sartre, "Albert Camus," p. 127.

39) Todd, p. 638.

40) *Albert Camus* La Chute, p. 20.

41) Brisville, p. 72.

42) Smets, p. 27.

43) R.G., p. 249.

44) Guérin, *Camus portrait de l'artiste en citoyen*, p. 125.

45) Lévi-Valensi, *"La Chute*, ou la parole en procès," p. 34-5

46) R.G., p. 249.

47) Girard, p. 115-6.

48) I, p. 2015.

49) Smets, p. 26.

50) Blanchot, "La confession dédaigneuse," p. 1050.

51) Carlier, p. 5.

52) Smets, p. 28-9.

53) Fricaud, p. 23.

54) Fricaud, p. 25.

55) Brisville, p. 255.

56) II, p. 1704-5.

57) Smets, p. 135-6.

58) 굳이 상기하자면, 카뮈와 사르트르의 키 차이가 "머리통 하나" 차이였다.

59) 『반항인』 논쟁 시에 카뮈는 사르트르의 인격 모독에 가까운 신랄한 비판에 아무런 대응도 하지 않았었다.

60) 올리비에 토드에 따르면, 사르트르는 카뮈에게 이런 말을 했다고 한다. "내가 자네보다는 더 똑똑하지 않아? 더 똑똑하다고(Je suis plus intelligent que toi, hein? Plus intelligent)" (Todd, p. 337-8).

61) Sartre, "Merleau-Ponty," p. 248-9.

62) Sartre, *L'Existentialisme est un humanisme*, p. 36-7.

63) Sartre, *L'Existentialisme est un humanisme*, p. 37.

64) Sartre, *Situations* VII, p. 110.

65) Todd, p. 643.

66) Todd, p. 644.

67) Smets, p. 82.

68) HR, p. 260-279.

69) CH, p. 106.

70) C-G, p. 22.

71) C I, p. 29.

72) CAC 3, p. 21.

73) A I, p. 188.

74) II, p. 2011.

75) II, p. 2014.

3.2. 〈렉스프레스〉지 논설위원

1) C III, p. 30.

2) C III, p. 34.

3) CAC 6, p. 30.

4) CAC 6, p. 30.

5) CAC 6, p. 31.

6) CAC 6, p. 31. 공산당원으로 공산당 기관지 〈뤼마니테〉의 기자이던 피에르 에르베는

〈신비평〉지에 카뮈의 『반항인』을 "역겨운 책"이라면서 신랄하게 공격하는 기사를 게재한 바 있는데, 이 기사를 "주목할 만하다"고 논평했던 사실을 가리킨다.

7) CAC 6, p. 31.

8) CAC 6, p. 32. 원문의 강조.

9) CAC 6, p. 33.

10) CAC 6, p. 33-4.

11) CAC 6, p. 35.

12) CAC 6, p. 35.

13) Daniel, *Le Temps qui reste*, p. 34-6.

14) II, p. 1840.

15) CAC 6, p. 21. 원문의 강조.

16) CAC 6, p. 39.

17) CAC 6, p. 40.

18) CAC 6, p. 43-4.

19) CAC 6, p. 44.

20) CAC 6, p. 45-6.

21) CAC 6, p. 56.

22) A III, p. 125.

23) A III, p. 125-6.

24) A III, p. 127.

25) A III, p. 128.

26) A III, p. 130.

27) CAC 6, p. 58.

28) CAC 6, p. 59.

29) CAC 6, p. 60.

30) CAC 6, p. 60.

31) CAC 6, p. 61.

32) CAC 6, p. 61.

33) CAC 6, p. 70.

34) CAC 6, p. 71.

35) CAC 6, p. 76.

36) CAC 6, p. 78.

37) CAC 6, p. 85.

38) Roblès, *Camus frère de soleil*, p. 123.

39) CAC 6, p. 158.

40) CAC 6, p. 159.

41) CAC 6, p. 159.

42) CAC 6, p. 160.

43) CAC 6, p. 160.

44) CAC 6, p. 157.

45) CAC 6, p. 162.

46) CAC 6, p. 164.

47) CAC 6, p. 166.

48) CAC 6, p. 166.

49) A III, p. 170.

50) A III, p. 171.

51) A III, p. 172.

52) A III, p. 173.

53) A III, p. 174.

54) A III, p. 174.

55) A III, p. 181.

56) A III, p. 184.

57) CAC 6, p. 157.

58) 이 서한은 〈인카운터〉지에 영어 번역본으로 게재되었으나, 후에 로제 키이요가 프랑스어 원문을 발굴해서 플레이야드판에 삽입했다.

59) II, p. 1878.

60) 1954년 11월 1일 알제리 독립전쟁이 시작된 직후인 11월 12일 당시 내무장관이던 프랑수아 미테랑이 의회에서 한 발언이다.

61) Belkaïd, p. 24.

62) Belkaïd, p. 22.

63) Todd, p. 754.

64) Belkaïd, p. 22.

65) Belkaïd, p. 25.

66) Belkaïd, p. 24.

67) A III, p. 172.

68) Belkaïd, p. 24.

69) II, p. 1702.

70) II, p. 1703.

71) LAA, p. 19-20.

72) A III, p. 170.

73) CAC 6, p. 85.

74) Sirinelli, "Les intellectuels français en guerre d'Algérie," p. 13.

3.3. 영광 그리고 죽음

1) Lott, p. 599.

2) II, p. 1779.

3) II, p. 1779-80.

4) II, p. 1780.

5) II, p. 1781.

6) II, p. 1782.

7) II, p. 1782.

8) II, p. 1783.

9) II, p. 1762-3.

10) II, p. 1764.

11) C III, p. 199.

12) II, p. 1843.

13) R.G., p. 287.

14) R.G., p. 288.

15) R.G., p. 288.

16) C III, p. 214.

17) Todd, p. 689.

18) Todd, p. 689.

19) Todd, p. 691.

20) Todd, p. 691.

21) Todd, p. 689.

22) R.G., p. 290-1.

23) R.G., p. 291.

24) DS, p. 12.

25) DS, p. 12-3.

26) DS, p. 14-5.

27) DS, p. 26.

28) DS, p. 67.

29) II, p. 1925.

30) II, p. 1881-2.

31) Lott, p. 586.

32) HR, p. 215.

33) HR, p. 216.

34) Sirinelli, "Les intellectuels français en guerre d'Algérie," p. 13.

35) Sirinelli, "Les intellectuels français en guerre d'Algérie," p. 13.

36) II, p. 1845.

37) II, p. 1883.

38) II, p. 1883.

39) Lévy, p. 292.

40) Lévy, p. 294.

41) Lévy, p. 294.

42) Lévy, p. 294.

43) Lévy, p. 292-3.
44) II, p. 1902.
45) Lott. p. 648.
46) Wiesel, p. 10.
47) LAA, p. 73-4.
48) Simon, p. 176.
49) Simon, p. 177.
50) Sartre, "Albert Camus," p. 127.
51) P, p, 279-80.
52) P, p. 336; C II, p. 181.
53) C III, p. 258.
54) C III, p. 266.
55) C III, p. 267.
56) C III, p. 267.
57) PH, p. 30.
58) Todd, p. 751. 원문의 강조.
59) PH, p. 11.

맺음말

1) Lott. p. 668.
2) Lott. p. 668.
3) II, p. 1753.
4) II, p. 1925.
5) Blanchot, "Albert Camus," p. 403.
6) Parain, p. 408.
7) Roblès, "Jeunesse d'Albert Camus," p. 415.
8) Hériat, p. 425.
9) Blanzat, p. 429.
10) Barrault, p. 438.
11) Lott, p. 388.
12) HR, p. 371.
13) Sartre, "Albert Camus," p. 127.
14) Wiesel, p. 11.
15) J.G., p. 149.
16) C II, p. 259.

참고 문헌

● [ ] 안의 표기는 주석에 사용된 약호임.

1. 카뮈의 텍스트

Théâtre, récits, nouvelles, Paris, Gallimard, "Bibliothèque de la Pléiade," t. I, 1985. **[I]**

Essais, Paris, Gallimard, "Bibliothèque de la Pléiade," t. II, 1984. **[II]**

L'Envers et l'endroit, Paris, Gallimard, 1980. **[EE]**

Noces suivi de L'Eté, Paris, Gallimard, 1980. **[N]**

Ecrits de jeunesse d'Albert Camus, "Cahiers Albert Camus 2," 1973. **[CAC 2]**

Fragments d'un combat 1938-1940 Alger-Républicain, Paris, Gallimard, 2 vol, "Cahiers Albert Camus 3," 1978. **[CAC 3]**

Albert Camus éditorialiste à L'Express *mai 1955-février 1956*, Paris, Gallimard, "Cahiers Albert Camus 6," 1987. **[CAC 6]**

Camus à Combat, *éditoriaux et articles d'Albert Camus 1944-1947*, Paris, Gallimard, "Cahiers Albert Camus 8," 2002. **[CAC 8]**

Lettres à un ami allemand, Paris, Gallimard, 1972. **[LAA]**

L'Homme révolté, Paris, Gallimard, 1951. **[HR]**

La Peste, Paris, Gallimard, 1947. **[P]**

La Chute, Paris, Gallimard, 1956. **[CH]**

Discours de Suède, Paris, Gallimard, 1958. **[DS]**

Actuelles I chroniques 1944-1948, Paris, Gallimard, 1950. **[A I]**

Actuelles II chroniques 1948-1953, Paris, Gallimard, 1953. **[A II]**

Actuelles III chroniques algériennes 1939-1958, Paris, Gallimard, 1958. **[A III]**

Carnets I mai 1935-février 1942, Paris, Gallimard, 1962. [C I]

Carnets II janvier 1942-mars 1951, Paris, Gallimard, 1964. **[C II]**

Carnets III mai 1951-décembre 1959, Paris, Gallimard, 1989. **[C III]**

Correspondance 1932-1960(avec Jean Grenier), Paris, Gallimard, 1981. **[C-G]**

Correspondance 1939-1947(avec Pascal Pia), Paris, Fayard/Gallimard, 2000. **[C-P]**

"Lettre au Directeur des *Temps modernes*," *Les Temps modernes*, août 1952.
　[LDT]

알베르 카뮈, 『이인』, 이기언 옮김, 문학동네, 2011.

2. 카뮈 관련 텍스트

Yves-Marc Ajchenbaum, *A la vie à la mort, l'histoire du journal* Combat *1941-1974*, Paris, Le Monde-Editions, 1994.

Jean-Louis Barrault, "Le frère," *La Nouvelle Revue française*, mars 1960.

Roland Barthes, "Réflexion sur le style de *L'Etranger*," *Existences*, 1944.

Roland Barthes, "*L'Etranger*, roman solaire," in *Les Critiques de notre temps et Camus*, Paris, Garnier, 1970.

Akram Belkaïd, "Le temps de l'apaisement," in *Camus Le dernier des Justes*, "Télérama hors-série," 2010.

Maurice Blanchot, "Le roman de l'étranger," in *Faux Pas*, Paris, Gallimard, 1987.

Maurice Blanchot, "La confession dédaigneuse," *La Nouvelle Revue française*, décembre 1956.

Maurice Blanchot, "Albert Camus," *La Nouvelle Revue française*, mars 1960.

Jean Blanzat, "Première rencontre," *La Nouvelle Revue française*, mars 1960.

François Bousquet, *Camus le méditerranéen, Camus l'ancien*, Québec, Editions Naaman de Sherbrooke, 1977.

Christophe Carlier, "Préface," in *Albert Camus* La Chute, préfacé par Christophe Carlier, Paris, Ellipses, 1997.

Jean Daniel, "Le combat pour *Combat*," in *Albert Camus*, Paris, Hachette, 1964.

Solange Fricaud, "Résumé analytique," in *Albert Camus* La Chute, préfacé par
    Christophe Carlier, Paris, Ellipses, 1997.

René Girard, *Critique dans un souterrain*, Lausanne, L'Age d'Homme, 1976.

Jean Grenier, *Albert Camus souvenirs*, Paris, Gallimard, 1968. **[J.G.]**

Jean Grenier, "Une oeuvre, un homme," *Les Cahiers du Sud*, février 1943.

Roger Grenier, *Albert Camus soleil et ombre*, Paris, Gallimard, 1987. **[R.G.]**

Jeanyves Guérin, *Camus portrait de l'artiste en citoyen*, Paris, François Bourin,
    1993.

Jeanyves Guérin, *"Le premier Combat ou l'aventure d'un intellectuel collectif,"*
    in *Camus et le premier "Combat,"* Erasme, 1990.

Philippe Hériat, "La chaleur humaine," *La Nouvelle Revue française*, mars 1960.

Francis Jeanson, "Albert Camus ou l'âme révoltée," *Les Temps modernes*, mai
    1952.

Morvan Lebesque, *Camus*, Paris, Seuil, 1981.

Jacqueline Lévi-Valensi, *"La Chute*, ou la parole en procès," in *Albert Camus 3,
    sur* La Chute, Paris, La Revue des Lettres modernes, n°s 238-240, 1970.

Herbert R. Lottman, *Albert Camus*, Paris, Seuil, 1978. **[Lott]**

Brice Parain, "Un héros de notre temps," *La Nouvelle Revue française*, mars
    1960.

Bernard Pingaud, L'Etranger *d'Albert Camus,* Paris, Gallimard, 1992.

Emmanuel Roblès, "Jeunesse d'Albert Camus," *La Nouvelle Revue française*,
    mars 1960.

Emmanuel Roblès, *Camus frère de soleil*, Paris, Seuil, 1995.

Jean-Paul Sartre, "Explication de *L'Etranger*," in *Situations I*, Paris, Gallimard,
    1947.

Jean-Paul Sartre, "Mon cher Camus," *Les Temps modernes*, août 1952.

Jean-Paul Sartre, "Albert Camus," in *Situations IV*, Paris, Gallimard, 1964.

Pierre-Henri Simon, *Témoins de l'homme*, Paris, Armand Colin, 1966.

Paul-F. Smets, *Albert Camus* La Chute, *un testament ambigu*, Bruxelles, Paul-F.
    Smets, 1988.

Olivier Todd, *Albert Camus une vie*, Paris, Gallimard, 1996. **[Todd]**

Elie Wiesel, "L'homme de conscience," *Europe*, octobre 1999.

Hommage à Albert Camus, numéro spécial consacré à Camus, *La Nouvelle Revue française*, mars 1960.

A Albert Camus, ses amis du livre, Paris, Gallimard, 1962.

Camus et le premier "Combat," Actes du Colloque de Paris X-Nanterre, présenté par Jeanyves Guérin, Erasme, 1990.

Histoires d'un livre : L'Etranger d'Albert Camus, Paris, IMEC, 1990.

Albert Camus La Chute, préfacé par Christophe Carlier, Paris, Ellipses, 1997.

이기언, 「고백인가? 고발인가? 장-바티스트 클라망스의 자화상」, 〈불어불문학연구〉, 94집, 2013년 6월.

이기언, 「카뮈와 알제리」, 〈불어불문학연구〉, 94집, 2013년 9월.

3. 기타 텍스트

Raymond Aron, *L'Opium des intellectuels*, Paris, Calmann-Lévy, 1955.

Raymond Aron, *Le Spectateur engagé*, Paris, Julliard, 1981.

Raymond Aron, *Mémoires 50 ans de réflexion politique*, Paris, Julliard, 1983.

Pierre Assouline, *Gaston Gallimard*, Paris, Gallimard, 1984.

Roland Barthes, *Le Degré zéro de l'écriture*, Paris, Seuil, 1953.

Roland Barthes, *Le Grain de la voix*, Paris, Seuil, 1981.

Nicolas Baverez, *Raymond Aron*, Paris, Flammarion, 1993.

Simone de Beauvoir, *La Force des choses*, Paris, Gallimard, 1963.

Maurice Blanchot, *Faux Pas*, Paris, Gallimard, 1987.

Christophe Charles, *Naissance des "intellectuels,"* Paris, Minuit, 1990.

Annie Cohen-Solal, *Sartre 1905-1980*, Paris, Gallimard, 1985.

Jean Daniel, *Le Temps qui me reste*, Paris, Gallimard, 1984.

François Dufay et Pierre-Bertrabd Dufort, *Les Normaliens, de Charles Péguy à Bernard-Henri Lévy un siècle d'histoire*, Paris, Editions Jean-Claude Lattès, 1993.

Witold Gombrowicz, *Journal 1953-1958*, Paris, Gallimard, 1995.

Léo Hamon, *Vivre ses choix*, Paris, Laffont, 1991.

Jean Lacouture, *François Mauriac*, Paris, Seuil, 1980.

Bernard-Henri Lévy, *Les Aventures de la liberté / Une histoire subjective des intellectuels*, Paris, Grasset, 1991.

Maurice Merleau-Ponty, *Les Aventures de la dialectique*, Paris, Gallimard, 1955.

Pascal Ory et Jean-François Sirinelli, *Les Intellectuels en France, de L'Affaire Dreyfus à nos jours*, Paris, Armand Colin, 1986.

Alain Robbe-Grillet, *Le Miroir qui revient*, Paris, Seuil, 1984.

Jean-Paul Sartre, "Merleau-Ponty," in *Situations IV*, Paris, Gallimard, 1964.

Jean-Paul Sartre, *L'Existentialisme est un humanisme*, Paris, Nagel, 1965.

Jean-Paul Sartre, *Situations I*, Paris, Gallimard, 1947.

Jean-Paul Sartre, *Situations II*, Paris Gallimard, 1975.

Jean-Paul Sartre, *Situations III*, Paris, Gallimard, 1976.

Jean-Paul Sartre, *Situations IV*, Paris, Gallimard, 1964.

Jean-Paul Sartre, *Situations VII*, Paris, Gallimard, 1965.

Jean-Paul Sartre, *Plaidoyer pour les intellectuels*, Paris, Gallimard, 1972.

Jean-François Sirinelli, "Les intellectuels français en guerre d'Algérie," in *La Guerre d'Algérie et les intellectuels français*, sous la direction de Jean-Pierre Rioux et Jean-François Sirinelli, Bruxelles, Complexe, 1991.

Jean-François Sirinelli, *Intellectuels et passions françaises*, Paris, Fayard, 1990.

Jeannine Verdès-Leroux, *Au Service du Parti / Le Parti communiste, les intellectuels et la culture(1944-1956)*, Paris, Fayard/Minuit, 1983.

Michel Winock, *Le Siècle des intellectuels*, Paris, Seuil, 1999.

La Guerre d'Algérie et les Français, sous la direction de Jean-Pierre Rioux, Paris, Fayard, 1990.

Histoire générale de la presse française, de 1940 à 1958, Paris, PUF, t. IV, 1975.

피에르 아술린, 『지식인의 죄와 벌』, 이기언 옮김, 두레, 2005년.